JN093025

鈴木董×岡本隆司

歴史とはなにか

新しい「世界史」を求めて

山川出版社

まえがき

あこがれ、というのは人を動かす原動力であり、時に人生すら左右する。他人の姿態・言動をみて、なりたかったはずの自分に具象が与えられたとき、それが往々にして、自身の現実の進路・行動に転化するからだ。

筆者は幼少より歴史がおもしろくて、長じても歴史学を専門にした。そんな感興のなかに、おもしろい歴史の書ける歴史家に対する憧憬がなかったとはいえない。

東洋史学・中国史をなりわいにしはじめてから、他方でずっと関心をもってきたのは、中東の歴史であった。東西は深く関係していると感じたからである。もっとくわしく知りたい、史料が読めるようになりたい、というのが念願だった。

しかしそんな専門の研究は、口語・文語のアラビア語・ペルシア語・トルコ語など、何ヵ国もの難解な外国語に通じないとできないことだから、薹の立った菲才には大それた夢、誇大妄想ではある。

実践している専門家には、尊敬と羨望の念、つまりは憧憬を禁じ得なかった。

若年のあこがれは、時とともに消滅する。望んでかなう場合もあれば、あきらめて忘れ去ることもあろう。筆者の憧憬は、もちろんいまだ実現していない。もうかなうこともないだろう。しかしあきらめても、なお忘れられない未練は残った。

歳を重ねるにつれ、もはや専門研究などおぼつかない。それなら尊敬羨望する第一線の研究者・専門家の著述を読んでみよう。直接(じか)に話を聴いてみよう。せめて議論くらいはできるようになりたい。そんな気持ちで学んで、折にふれ文章も書いてきた。

そうした営みを通じ、かねて思いめぐらせてきた東西の関係のありようをまとめて、三年ほど前、『世界史序説』を上梓した。自身の専門をさらにひろい文脈からいかに位置づけることができるか、蛮勇をふるって書いてみたものである。

奇しくも時期をほぼ同じくして、やはり「世界史」をタイトルにする著作が出た。鈴木董先生の『文字と組織の世界史』であり、手に取って、いな取る前から、当惑・畏怖を感じたのを憶えている。同じ「世界史」を銘打ちながら、とても比較にならない。並べて売られてはたいへんで、こちらの馬脚がすぐあらわれてしまう。判型がちがって、その可能性が低いのだけが救いだった。

東京大学名誉教授・鈴木董先生のことは、ご紹介するまでもあるまい。わが国の誇るイスラム史・オスマン帝国史の大家である。筆者が学生のころから第一線の研究者で、もちろんひたすら私淑につとめてきた。中東史に対する憧憬のかなりの部分は、先生の論著に負っている。

こちらも何とか研究者となっておよそ四半世紀、六・七年前ごろ一九世紀後半の中国の外交使節を研究して共著を刊行したとき、残る未練から、東西の比較を、と思い立った。

そこで論評などをお願いするとすれば、オスマン帝国の外交使節にも造詣の深い先生しか考えられない。思い込んだら、面識のない方にも、遠慮なく一方的に仕事を強要してしまう。いつもの悪いクセであった。

それでも相手は、何しろ名にし負う大家。自身の長年にわたる憧憬・私淑の気後れもあって、今回は恐る恐るお願いしてみたところ、即決即答のご快諾、電話などでもお話しする機会に恵まれ、精細なコメントばかりか、数々のご高著までいただいた。積年のあこがれが少しかなった気分を味わったものである。

爾来、専門を異にしながらも、先生から厚意・示教を忝くしてきた。その自分が、思いがけず「世界史」の併走・競合の相手をつとめるとあっては、当惑・畏怖も当然だろう。

一年たっても、そんなとまどいが払拭できない二〇一九年の九月、山川出版社の萩原宙さんからご連絡をいただいた。鈴木先生のご高著の編集担当である。先生が拙著を評価くださり、「世界史」をめぐって親しく対談などできないかとの由だった。

これを有頂天という。併走・競合が図らずも対談・協働となって、畏怖は歓喜に一転、あたかも出来の悪い学生が恐る恐る出したレポートに満点をつけてもらった気分であった。もちろん一も二もなく応諾、かくて本書の企画がスタートする。

同年の暮れ、一日かけた「対面」の対談が、いわば初顔合わせであった。大いに盛り上がって、以後の展開に期待が膨らんだところで、コロナ禍にみまわれ、しばし中断を余儀なくされる。

リモート・オンラインの環境・準備がととのい、何とか再開にこぎつけたのが昨年の暮れ。今年の初めにかけて、一日・半日がかりの「対談」を数回おこない、ようやく想定したトピックをひととおりすませることができた。文字に起こして手を入れたものが、すなわち本書である。

名目は「対談」とはいいながら、実質は講義・講演であった。キャリアと学殖の格差が歴然なのは、本人がいちばんよくわかっている。ここは先生の学殖をなるべく文字に残すことが、自身の役割と心得た。

本書を繙かれればすぐお気づきのとおり、先生の発言が圧倒的に多くて、7：3くらいの割合だろうか。もっと多かったはずの実際のお話はところどころ割愛したし、ことあるごとに、中国・東アジアではどうですか、と水を向け、筆者の話もひきだしてくださったので、何とか「対談」の恰好になっているだけである。

とにかく博学無比の談論風発、無尽蔵の話題と学識には、拝聴しながらついていくので精一杯。いかに興味津々でも、老境の筆者ではとても捌ききれない。

そこで途中からは、学習院大学院生の藤井萌さんに陪席いただいて、遺漏なきよう手当をいただくと同時に、ちがう立場・目線からの質疑や論評をお願いした。本書の記述には、藤井さんとのやりとりも随処に織り込んで、いっそう豊かなものになっている。記して謝意を申しあげたい。

「世界史」「通史」とは、たんに外国・世界でおこった過去の出来事を再現し、つづりあわせたものではない。無数の史実をいかに選択し、体系づけるか、そうした史眼・史観が枢軸になる。オスマン帝国史が専門の先生も、近代中国を中心に勉強した筆者も、つねに既成の史眼・史観を問いなおす研究を実践するなかで、「世界史」のみなおしにいきついた。

したがってその「対談」も、自ずから世上通例の歴史書だとスルーしがちな、歴史そのものを考える認識・視座の前提を俎上にのぼさざるをえない。筆者もその点は、先生にお聞きいただく安心感から、かなり率直に話すことができた。本書は少なからぬ部分が、そんな「そもそも」論になっている。勢い余ってある方面にはいささか顰蹙を免れぬ口吻もなしとしない。

しかし歴史学はもとより、歴史教育も「改革」がすすみ、「歴史総合」などという教科もできる昨今、史眼・史観の再考はむしろ社会全体の急務である。そうしたなか、本書は期せずして、そうした歴史のみなおしをめざす趣旨になった。あえて大上段にかまえて、「歴史とはなにか」と題したゆえんでもある。そこは先生ともども、右顧左眄を排し、自身と読者に対して、なるべく忠実であろうとした。

ともあれ筆者にとっては、まさにあこがれの存在を独占した直接講義・個人指導、希有の僥倖・至福の時間だった。その幸福感を少しでも読者のみなさんとシェアできれば、と思っている。

二〇二一年七月

岡本隆司

目次

プロローグ

歴史とはなにか――その「自明性」を問う

ユーラシア東西の帝国と日本

岡本　鈴木先生にこうやってじっくりお話を拝聴できるのは初めてで、光栄です。
　大学で先生の指導を受けられた若手の研究者の方々とは研究会などでご縁がありましたし、私自身、先生の著作を若いころから拝読してきまして、そのご学殖にじかに触れるという希有の機会と心得ています。

鈴木　こちらこそ、いろいろ教えていただけましたら。岡本先生の『世界史序説』（ちくま新書）は拙著『文字と組織の世界史』（山川出版社）の少し前に刊行されたかと思いますが、大変な意欲作で私も興味深く拝読させていただきました。『近代中国史』（ちくま新書）も読みましたが、普通、中国の近代史というとアヘン戦争のあたりから始まる本が多いですけど、この本はもっと遡って明朝から書かれているのが面白い。

岡本　あれは「題名と内容が合ってない」とかけっこう、批判を受けてるんですよ。

鈴木　でも近代史はアヘン戦争から始めたんじゃ、何もわからないだろうと思います。というのは、一九世紀のいわゆる西洋化改革の担い手というのは一八世紀にはできあがっているわけですから、そこをみないと近代史が理解できないだろうと思うのです。

オスマン朝の西洋化改革でも、必要とするコンテンツがアラビア語・ペルシア語からフランス語と西洋事情に変わっていきますが、人材養成の仕方は変わらず、従来のコネと事実上の世襲による徒弟制のままなのです。ですから中国の科挙官僚が洋務運動※の中心になっていくのに似てるところがあります。

岡本 それはまったくその通りですよね。結局、物事のわかってる人しかきちんとした担い手になれないという構造だと思うんですけど、その点はやっぱり同じです。

鈴木 日本の西洋化改革、いわゆる明治維新というのは、清朝のそれが科挙官僚らによる「体制内改革」であったことと比較すると、「体制そのものの変革」であったといえます。それまでの江戸期の人材養成システムそのものが御破算になって、西欧近代モデルに一新されましたから。そのとき導入された、試験に合格すれば出自を問わず高級官僚に採用するという高等文官試験がありますが、あれは中国の科挙システムも念頭にあるように思うのです。おそらく日本の天皇親政派は科挙がうらやましかったんじゃないかと。

岡本 それは反体制派や幕府に関わらず、なんとなくそういう認識はあったでしょうね。ただやっぱ

洋務運動 清末の一八六〇年頃から始まった西洋軍事技術の導入を中心とする富国強兵運動。太平天国やアロー戦争の経験から曾国藩、李鴻章らによって進められ、清朝の支配体制の温存・強化をめざしたが、真の改革が進まず、日清戦争でその欠陥が明らかとなった。

りあの身分制をなかなか潰すことはできないので、体制外の変革っていうのはおっしゃるように必要だったとは思うんですけど。そのあたりがオスマン朝や清朝のような「帝国」と、日本の違いなのかもしれません。

鈴木　オスマン朝は文化的多元社会でしたから、通訳などはギリシア人とか西欧語が堪能なマイノリティーにまかせていた恰好でした。ただギリシアの独立戦争が始まるとギリシア人に外交機密は扱わせられないということになって、ムスリム（イスラム教徒）のエリート候補がフランス語を研修するシステムができるという流れです。

岡本　中国はオスマン朝のような民族的多元というよりヴァーティカル（垂直）な多元というべきでしょうか。科挙官僚はほとんど西欧について見向きもしませんし、西欧人とのやりとりは主に沿海の買辦（ばいべん）※であったり、そういうちょっと違う人々がやってるものですので。

鈴木　ただアジアでも、「西洋の衝撃」への対応の仕方というのはそれぞれの伝統的システムの違いが大きく影響しているように思います。日本は江戸期、長崎にオランダ通詞が置かれますが、日本人でオランダ語をやる人間が出てきて、それをもとにして蘭学ができる。オスマン朝はその点、便利すぎるものでそういう人間が出てこないし、そもそも蘭学のようなものがないのです。

岡本　中国にもないです。やはり語学的スキルが日本の場合は学問に展開するんですけど、オスマン朝や清朝の場合はそうならないわけですね。

歴史区分について

鈴木　岡本先生の『世界史序説』でも、歴史を語る上でのいわゆる時代区分のあり方について論じておられますね。日本史というのは西洋史の古代・中世・近世・近代という区分、発展段階を使って体系化されたが、お隣の東アジアの東洋史とうまく接続されずにきてしまったと指摘されておられます。

通史の流れを古代・中世・近世・近代という時代区分にあてはめることは、東洋史学の大先達でもある宮崎市定※先生までが『東洋的近世』というご著書などでそうされておられるのですけど、これは基本的には西洋史の時代区分であろうと私も思うのです。この点についてはまたおいおい議論させていただくつもりですが、私は「ワールド」と「グローバル」を別に考えるべきだという立場で、全地球の人類社会を覆う唯一の「グローバル・システム」が成立するのは、西欧人を原動力とした大航海時代を皮切りに、だいたい一八、一九世紀ころのことです。だから「近代」とはグローバルで、全人類社会が巻き込まれたために「グローバル・スタンダード」になる。だけど、それまでは文化ごと

買辦　古くは官庁の必要品を調達する者をさしたが、清代では外国商人・外国船に食料などの必需品を供給する特定の商人、一八四二年の南京条約以降は外国商社などと契約を結び、中国商人との取引を請け負う者を買辦と称した。

宮崎市定（一九〇一～一九九五）　東洋史学者。京都大学教授。主著に『科挙』『アジア史概説』など。

に、異なる暦や異なる言語・文字を使い、異なる社会システムを持つワールド（世界）が、相対的にではありますが自己完結的に存在・並立していたわけですから。

文化世界というものが高度に発達したところでは、たいがい支配的な文字があって、その文字で文化世界の広がりを追えるというのが私の考えなんですが、それでいくと、それぞれの文化世界の中での時代区分というのがあり得ると思うんですね。それをどうするかなんですが、古代・中世・近世・近代というと、どうしても日本の場合は世界史の基本法則が……。

岡本 ありますね。西洋史のイメージしか日本人は持ってないというところが。

鈴木 西洋史の「古代」でも、ギリシア・ローマの「古典古代[※]」をさすのが一般的のようですけど、はっきりいってギリシア・ローマは西欧とは別世界であって、本来の西欧の古代とは、古代ローマ人からガリア、ゲルマニア、ブリタニアなどと呼ばれた西ヨーロッパの古代だろうと思うのですが。

岡本 おっしゃる通りですね。地中海は自分たちのものだとヨーロッパ人は思ってて、日本人もそれに影響されていますが、違う世界ですからね。

鈴木 ですから古代・中世・近世・近代という時代区分は、私としては西欧以外では基本的に使いたくないという意見です。ただ、唯一のグローバル・システムができて近代西欧モデルがグローバル・スタンダードになって以降の「近代」は共通の区分としてありうるとは思います。

世界史の画期

鈴木　世界史としての大きな画期としましては、ひとつが「西洋の衝撃」が世界を覆っていく一八世紀あたりから、西欧が文明の諸分野で圧倒的な比較優位を得ていく時期であろうと思います。それ以前でやはり大きな画期といえるのは、六〜七世紀にかけて東では随唐ができ、西では七〜八世紀にかけてイスラム世界が形成された時期であろうと思うのですが。私の「文字世界」の考え方はここでは詳しく述べませんが、現在の世界は五つの大きな文字世界で成り立っていて、その一角として最も新しく加わった文字世界がアラビア文字世界、つまりイスラム世界の成立によるからです。

岡本　今、先生がおっしゃった六、七世紀がひとつの世界史的な画期であるというのは、私も賛成です。拙著『世界史序説』でも書きましたが、三世紀に世界的な気候の寒冷化が起こって、西ではゲルマン人の大移動によってローマ帝国が滅亡しますし、東アジアでも北方の遊牧民が波状的に南下してきて中原が分裂状態となる五胡十六国時代になる。こうしたユーラシアの東西が流動化した状況から再び安定化していくのが、ちょうど西でイスラム世界が生まれ、東では唐ができるころですよね。

古典古代　西洋の古典を生み、古典を通じて研究された、後世の西欧世界にとって古典的とみなされるギリシア・ローマ時代の総称。

鈴木　そうなんです、中国の隋・唐と、イスラム帝国であるアッバース朝が対応するように思います。漢字世界のシステムの基礎的モデルができた時代って、やっぱり隋・唐でしょうね。

岡本　隋・唐そのものはものすごく弱体なんですけど、あの時期にさまざまな人たちがそうしたシステムをつくりあげたというのはその通りです。

つまりそれ以前の混乱期的な課題に、西の方で答えたのがイスラムで、東の方で答えたのが隋・唐なんだろうと考えてて、それが九世紀、一〇世紀でまた変わってくる、そういうイメージなんですけどね。私としてはそれが、東方では温暖化と技術革新だったと思っているんですけれども、この辺は西の方ではどうだったかっていうのは是非お伺いしたいところです。

鈴木　そうですね、アッバース朝が衰えて政治的には分裂していきますが、八~九世紀になってようやくシャリーア※（イスラムの戒律の総体）が固まってくるのが大きいかと。

政治的には分裂しても、自分たちムスリムは「ウンマ」（ムスリム共同体）のメンバーであるという理念ができあがっていますので、アッバース朝のカリフが消えてしまっても、スンナ派の連帯意識が残ったのはシャリーアの共有が大きいと思います。

カトリックとイスラムって正反対で、カトリックは組織宗教で、ローマ教皇がいてカトリック教会があるから統一性が保たれているところがあります。イスラムにはカトリックのような神と人をつなぐ組織としての教会はないので教会税もないですし、唯一の宗教的権威はカリフですが、カリフが消えてしまうと少なくともスンナ派にとって唯一の宗教的権威がいなくなってしまい、唯一の聖典『コーラン』とシャリーアだけが残るのです。だからイスラムというのはキリスト教のプロテスタントに近いのです。

岡本　なるほど、とてもわかりやすい比較ですね。林達夫※先生が「宗派」分立でカトリック教会のメカニズムを説明していましたし、宮崎市定先生はイスラムを宗教改革に喩えていらっしゃったから、平仄が合っています。

鈴木　プロテスタントの場合も、聖書に書かれていることをどう解釈するのかっていう話になるし、その行き着くところが「無教会派」ということになりますよね。イスラムの場合も教会がないのでカトリックのような「教会改革」に行かないで、コーランの読み方とシャリーアの解釈適用の仕方が問題になるので「原典主義」、いわゆる「原理主義」が出てくる。カトリックにおける教会改革としての修道院運動※のようなものとはだいぶ違ってくるんですね。

シャリーア　『コーラン』やハディース（ムハンマドの言行に関する伝承）をもとに礼拝から親族相続関係・刑罰など人々の日常生活を規定するイスラムの戒律の総体。

林達夫（一八九六〜一九八四）　思想家。平凡社『世界大百科事典』（一九五四〜五八）の編集長。主著に『歴史の暮方』『精神史――一つの方法序説』など。

修道院運動　世俗化した教会から離れ、修道院で共同生活を営みながら禁欲などキリスト教の原点に立ち返ることをめざした運動。特に一一世紀以降、新しい修道院を中心とした教会刷新運動が展開された。

イスラムの原理主義的傾向の典型といえるのが一三、一四世紀のマムルーク朝時代の学者（ウラマー）だったイブン・タイミーヤ※です。そのころ、アッバース朝がモンゴルの侵攻で滅びまして、その危機に際して原理主義を唱え、弾圧・迫害を受けるんですが、この思想的な流れをくむのが、例えばシャリーアの厳格な適用を特徴とするサウジアラビアのワッハーブ派※なのです。このイブン・タイミーヤと同時代人なのが日本でいえば日蓮宗の開祖、日蓮上人です。日蓮も同様にモンゴルの元寇が起こった時代に出てきて、やはり弾圧を受けます。時代背景がとてもよく似ているのです。

岡本　そこも同時代性というか、ユーラシア規模で考えたいトピックですよね。

日本史の特殊性

鈴木　先ほどの六、七世紀の画期の話に戻すと、「アラブの大征服」の結果、一気にイスラムが包み込んで中央アジアから北アフリカまで広がるイスラム世界ができあがり、アラビア語のアの字も知らなかったモロッコからシリアまでがのちにアラブ圏となる基礎ができてしまうんですね。やはり文化的に非常に新しく、しっかりとした基軸があったことが大きかったのだろうと思うんです。

岡本　そこはやはりイスラムの力が大きいですね。中国の南方への拡張もまったく同じというか、漢語と漢字文明を持っていっているので。おそらく南方にいた人たちは、人種的とか習俗的には黄河流域とは全然違う人たちのはずなんですが。

鈴木　ただ中国の場合、何千年もかけて非常に緩やかに浸透しますよね。イスラムの場合は「アラブの大征服」から五世紀間ぐらいであのアラブ圏ができてしまうんですよね。

岡本　そこがよく実感できないんですけど、やっぱり速いんですかね？

鈴木　速いですね。五世紀でだいたいイラク、シリアからモロッコまで、アラビア語を母語にしてイスラム教徒になったのが、おそらく全人口の三分の二を超えているでしょう。イラクの場合はアッカド人やバビロニア人、アッシリア人もセム系だったので、地元住民の言葉が多分セム系の言葉だったんじゃないかと思うんですね。アラビア語と同系統なので馴染みやすかったんじゃないでしょうか。

岡本　それはどうしてなんでしょう。是非知りたいところです。

鈴木　ただ実証するのが難しくて。イスラムに改宗すると、名前がイスラム以前の伝統的な名前からイスラム的な名前に変わっていくので、そこでどう同化されていったのか記録として残るので、それ

イブン・タイミーヤ（一二六三～一三二八）　マムルーク朝前期の思想家・戒律学者。モンゴルの脅威を背景にスンナ派イスラムの精神的復興を説いた。ウラマーから政治的迫害を受けるが、近代に入ってワッハーブ派などに影響を与えた。

ワッハーブ派　一八世紀にムハマンド・ブン・アブドゥル・ワッハーブが始めたイスラムの原点回帰をめざす改革運動。豪族サウード家と協力してシャリーアを厳格に適用する王国の建設をめざし、各地に影響を与えた。外部からサウジアラビアの宗派を表す用語でもある。

でみていくしかないのです。日本の宗門人別改帳※みたいのものがないのですよ。

岡本 あんなものがあるのは日本だけですから。あれは信じがたい。

鈴木 普通の検地帳は税金をとるためにつくるので、世帯しかわかりませんから。宗門人別改帳はいわば「魂の管理名簿」なので、いまでいう戸籍に似たようなものになるんですよね。

岡本 そういう点でいうと、日本人は早くから近代的なんですよね。本当に信じがたいというか、あいうものをつくって支配しようという日本の領主制というのはものすごい特殊なものだと私は思っていて、でも日本史の研究者たちってそれが当たり前だと思っているので、余計に始末が悪いんですよ。

鈴木 そうなんです、大変失礼ですが、日本史の先生方は世間が狭いようで、日本のことしかご存じないようなんですよ。最近、江戸時代の「鎖国」という表現について、四つの口（長崎・対馬・薩摩・松前）で国際関係を行っていたのだからけしからんという話になってきているようですけど、四通八達の広場のようなイスラム世界からしたら、たった四か所しか開いてないうえに厳重極まりない貿易統制をしていたのだからそれを「鎖国」と評しても決しておかしくないと思うのですけど。

岡本 地勢的に考えても、開かないはずはないのに、って感じですよね。また従うでしょ、日本人が。キリスト教徒でも徹底的にいじめてね。ああいう支配があの時期にできあがるというのは、世界史的に見てものすごく特異なことだということを理解してもらわないといけないのですけど、そこがどうも……。中国では絶対無理な話ですよ。

鈴木　やはり島国なのが効いているのでしょうね。もっともヨーロッパの場合、民族は多元的ですけど、中世西欧って世界史でも珍しいほど宗教的には不寛容で。とにかくカトリックの正統しか認めない世界ですから。

岡本　そういう意味でも、西欧と日本は似ているような気がします。

鈴木　確かに、どこか似ているのかもしれません。まあどちらも辺境のせいだろうと。

岡本　そうなんです。表現は悪いですが、どちらもユーラシアの田舎者で農民(ひゃくしょう)で、だからものすごくクソ真面目なところがあって。やっぱり中国人とかムスリムとかは都会人ですから。

鈴木　あっけらかんとして、大らかなところがないと大帝国はつくれません。

岡本　抜けていないとやっぱり。真面目に人を抱え込んで支配しようとしたら大変で、手が行き届かなくなって狭くなっちゃうんですよね。

鈴木　日本の朝鮮支配がまさにそうでしたから。

宗門人別改帳　江戸時代に領主が村・町ごとに各家の人別に宗門改を行い作成した帳簿。一六一三（慶長一八）年のキリスト教禁止令からキリシタン摘発のため宗門改が行われ、一方で領主が領民支配を目的とした戸口調査の人別帳を作成するなか、幕府が一六七一（寛文一一）年、人別帳をもとにした宗門改を命じ、全国的に毎年作成されるようになった。

日本人が理解しづらいナショナリズム

岡本　さて、ここはプロローグということで少々雑談的なスタートになりましたが、以後は大きな柱となるテーマに即して、大先達である鈴木先生にいろいろと教えていただきながら進めていけたらと思っています。アジア史の東西をフィールドにする者同士で、見方や考え方の違いを含め、『歴史とはなにか』というテーマに迫ろうという趣旨になります。

鈴木　だいたい、私は「アジア」という言葉も使いたくなくて（笑）。東洋・西洋というのも、西洋人が勝手に言っているだけの話ですからね。ただ他にいい表現がないので地理的な意味では使わざるをえないので。地理的区分としては「アジア」「ヨーロッパ」を使いますが、「ひとつのアジア」とか「ひとつの東洋」はないという意見なんです。ですから世界、世界史をどう見るという話からはじめさせていただければ。

岡本　そうですね。すでにここまで話してきただけでも、歴史を捉えるうえでの前提などが端々に出てきていますので、そういうところも読者のみなさんに汲み取っていただきながら。

それこそ鈴木先生のテーゼになるんですけど、最後にはやはりナショナリズム、「ネイション・ステイトの自明性を問い直す」というのがポイントになりそうな気がします。我々はそういう「ネイション・ステイト」と無縁の歴史をやってきて、その「自明性」そのものを「問い直し」てきたというスタンスでもあるわけですし。国民国家論とかネイション・ステイトへの批判はみなさんよくやられますけど、はっきり言って批判にも何もなっていなくて、みんなそれを前提でしゃべっているだけということがある。

それが自家撞着になって、中国とかがすごく変になってるという現代の局面について、我々がそこから脱却するにはどうしたらいいのか、という点についても考えてみたいと思っています。

鈴木 昔、一九五〇年代以降にAALA（アジア・アフリカ・ラテンアメリカ）連帯が盛んだったころは、ナショナリズムというとすべて「民族主義」と訳していたものです。最近は腰が引けてきたのか、民族主義といわずに「ナショナリズム」でごまかしているように思います。日本の先生方って、「民族主義」としてのナショナリズムと「国民主義」としてのナショナリズム、それから「民族」としてのネイションと「国民」としてのネイションが違うということを、あまり意識されていらっしゃらないところがあって。

岡本 くっついてしまっているので、しようと思ってもできないのですよ。

鈴木 ええ。日本というのは違う暦を使い、違う宗教を信じていて、違う母語を話している集団が身近に暮らしている世界ではありませんからね。せいぜいコリアタウンとチャイナタウンぐらいしかない。

オスマン朝の場合だと、やはり西欧の影響で「国民主義」としてのナショナリズムが出てきて、国民にわからせる言葉じゃなきゃいけないということで、トルコ語の見直しを始めるのが最初です。それがいつの間にか、多民族・多言語・多宗教・多宗派の文化的多元国家だけど、中心になって統合を保つにはやっぱりムスリムのトルコ人が中心にならなきゃいけないということを二〇世紀になってから言い出します。ただ、トルコ「民族」国家になろうとは思ってないのです。当時のオスマン朝はイラクもイエメンもアラビア半島も含んでいたので、「民族主義」を言い出したら同じムスリムであっても割れてしまいますから。

岡本　それをまさにいまやろうとしてるのが、中国だと思うんですよね。「中華民族」とか言って。

孫文のころから民族主義はありましたが、その民族主義が意味するのは「中華民族」なんです。漢族を含む主な五族が「共和」をするというのが「中華民族」なのですが、その「共和」の意味するところは、要するに漢族に「同化」するという（笑）。

鈴木　それだと、結局は「漢民族主義」ということでは。

岡本　それはもう当然のことで。ただ、いまはいわば移行期・過渡期的な状態にあるので、少数民族という存在を尊重するという……。

鈴木　なんだかスターリンのころのソ連みたいな話ですね（笑）。

岡本　つまり孫文のころからある「五族共和」が当然だという話で、うまく時間を遡らせて、「中華民族」というのは元々あったんだということにしているといいますか、その理念を復興するんだと言ってるのが、習近平国家主席なんですよ。

鈴木　そりゃまた面白い歴史思想で、半世紀位たったら、思想史の恰好のテーマに……。

岡本　いや、とにかく中国ではその「習近平思想」をみんな学ばないといけないそうですから、大変です（笑）。

鈴木　それは、ナショナリズム史としては面白いかもしれませんが。

岡本　そうなんです。中国のナショナリズム史というのを、しっかり後づけでやってですね、何かきちんと比較研究すると、面白いと思うんですけど。ただ「民族主義」と字面では書いてあるんですけど、そうした分析的な、あるいは裏づけのあるような形での整理はまだまだで、むしろ中国の現代的課題でしょう。

鈴木　中国語の「民族主義」というのは、ナショナリズムの翻訳のつもりですか。

岡本　元々はそうですけど、でもその「民族」とか「民族主義」という言葉そのものが日本語から輸入されたものなんですよね。そのあたりも後で詳しく話したいと思いますが。

そういう意味でも、今の中国が標榜する「中華民族」というものが成り立つのかどうかという現代的テーマも含めて、やはり歴史を理解しなければひもとけない話ですので、歴史を知ることで現代世界のありようがわかるような、そんな対話になればいいなと思います。

第1章

「文明」と「世界史」を考える

「文明」の普遍性、「文化」の特殊性

岡本　一九世紀における単一のグローバル・システムの確立ということと、それ以前の複数の世界の並立という構図は、基本的に変わらないと考えていますが、やはりその過渡期をどう捉えるか、そのあたりに入っていく前に、まず文化と文明というものをどう考えるべきかというお話からはじめていただければと思います。

鈴木　文化と文明というものを、つながったものと捉える見方と、異なるものとみる見方があります。考古学や人類学の先生方は、文化がある程度発達して、特に都市ができたときに文化がさらに大型化して文明となると捉える方が多いようです。一方で、ドイツで流行って日本にも戦前入ってきた考え方で、文化と文明を別物、つまり文化は特殊的であるが精神的であり、文明は普遍的であるけれど物質的であるから、両者は異なるものであるという意見もあります。さらには、特殊的だが精神的な文化の方が、普遍的だが物質的な文明よりもむしろ尊いものであるとする考え方もありました。

文化と文明は同列のもの、文化の発展の延長線上に文明を置く見方を文化・文明一元論と呼ぶなら、文化と文明は違うものだという見解は二元論といえます。私の場合、二元論ではあるのですが、文化と文明の優劣を論ずるのではなく、人間活動の異なる側面を捉える概念として、文化と文明というも

のを相互補完的に考えたらいいのではないかと思うようになりました。

まず文明とは、普遍的なものと捉えたいと思います。そこで私の定義をさせていただくと、拙著『文字と組織の世界史』や『文字世界から読む文明論』（講談社現代新書）で論じましたように、これも人間だけというかどうかが難しいんですが、とりあえず「人間が後天的に」ということを前提にしたうえで、「外なる世界（マクロ・コスモス）」と、心の中を含めた「内なる世界（ミクロ・コスモス）」を「利用し、制御し、開発する能力の総体とその諸結果の総体」、これは普通、文明を考えるときに言われることだと存じますが、それに加えて、その諸結果において具合の悪いところが生じた場合の対処能力、つまり「その諸結果に対するフィードバック能力と、その所産の総体」を含めて『文明』と定義してはどうかと考えています。

少なくとも人類の場合、途切れなく、その活動は行われてきていると言っていいかと存じます。ただ地域、時代、人間集団が違うと、同じ生態的・地理的環境にありながら、たとえば食ひとつをとっても、同じ素材を使いながら違う調理方で違った食べ方をすることがありえます。食の作法についても、漢字圏の場合は箸で食べるし、イスラム圏の場合は本来は右手指食で食べるというのがあって、「くせ」に違いがあるというところがあって、そこに着目して文化を考えたらいいのではないかと私は思うようになりました。

その文化というのも人間だけにあると言えるかは問題で、後天的に習得して共有するくせは動物にもある程度存在することがわかってきています。ただここではとりあえず人間に絞っていうと、くせとは「人間が集団の成員として後天的に習得し、おおむね共有している行動のしかた、ものの考え方、ものの感じ方」、英語でいうとおそらくハビット（habit）に当たるもので、日本語で他にぴったり言い表せる言葉が今のところ見当たらないので「くせ」と呼びますが、その「くせの総体とその所産の総体」を文化と定義してはどうかと考えています。

岡本　文化とか文明とかって私は考えたことがなく、いま非常に明快に整理していただき、それ以上つけ加えることが見当たらないのですが、私の用例的な印象としても、文化というと特殊的というか、個性的という感じですね。そうすることで、○○文化や△△文化として非常に細かく分けることができる。その意味で文化とは収斂（しゅうれん）していく感じです。文明というと、もっと大ぐくり・普遍的で、どちらかというと広がる感じですよね。広域をカバーするというイメージが語感としてあります。

文明（シヴィリゼーション）というと、語源的に都市（シティ）というものと切っても切り離せない関係があって、人々が密集して暮らすところが都市で、そういうところから出てくるものですから、普遍的というのが出てくると思いますし、その人たちの連絡ということで、文字が出てくると思います。文字のない文明はあり得るんですけど、第一義的には単なる人の身体的なコミュニケーションだけではない、それ以上に広がってゆくものが備わっているというのが文明なのかなと。

文化（カルチャー）というと、必ずしもそうではなくても成立するようなものですね。西洋の語源ですと「耕す」で、元々は農耕と関わり、東洋の漢語の語源ですと「化す」わけで、いずれも自己中心的で、在地的な、動かないところと結びついた概念で、そこからして「文明」とはニュアンスの違いがあるわけです。考古学とかで「なんとか文化」って言いますけど、個別の遺跡に即していう用例になります。あれがもっと広域的になって文字が備わり、時間的・空間的にも広がりがあるのが文明と、そういう感じで考えています。

以上のような印象論ではなく、先生が精密に定義されたものは、ご著書拝見していましても納得いく感じがしています。一番はじめにおっしゃったグローバリゼーションに至るまでのプロセスというのと、文化・文明というのはこれからの話で組み合わさってくると思うので、むしろその展開を次に伺いたいと思います。

前「近代」世界をどう捉えるか——比較史への道

鈴木　文明が普遍的だと言っても、それを担うのは人間集団ですからどうしても「くせ」を持つわけで、文化を持っているということになります。確かに考古学とか文化人類学というのは、本当に狭い地域の、北米のネイティヴアメリカンのなんとか文化とかいうところから始まります。それは確かにあるとは思うのですが、私の場合世界史に関心を持つようになったのは、一つは「大航海」時代を境にして、西と東の力関係が逆転したということと、逆転した力関係を巻き返す際に、その先陣を日本が切ることができたのはなぜなのかということでした。もちろん最も早く「西洋化」改革に乗り出したのはロシアですが、ロシアはキリスト教の世界、ローマ帝国の東半分の遺産を受け継いでいるところがあるので置いておくとして、西欧とはまったく異質な「アジア」諸社会のなかでいち早く「西洋化」改革を成し遂げて台頭したのは、漢字世界の端っこに位置してきた日本になります。

そこで日本が成しえた明治維新の歴史的前提条件とはなんだったのか、例えば同様に「西洋の衝撃」に直面した諸社会と江戸幕府のシステムにまで遡って比較することで探ってみたいと考えたんですね。ただ日本のそれまでの研究では、新しく「師匠」になった西欧列強と比べるか、そうでなければ、それまでのいわば「旧師」であった中国と比べるというのが普通で、「同級生」というべき諸社会と比べた例があまりありませんでした。文化を異にして同じような状況に出会ったときに、どう対応したかという点についての検討があまりなされていなかったように思ったのです。

まったく異質な文化の世界で日本との交流が最も薄かったところはどこかと考えると、それはイスラム世界であろうと思います。琉球（沖縄）が一五世紀半ばから、そして一六世紀後半の南蛮時代に東南アジアに日本人町ができたことで多少おつきあいがあったけど、イスラム世界と日本には特別深い交流がありませんでした。

「近代」に入ってイスラム世界で独立国だったのはオスマン帝国とイランしかないのですが、イランと日本を比較しても、どうも世間が狭い感じがしまして。一方のオスマン帝国は日本より清朝に近い世界帝国というべき存在ですが、広がりがあって、イスラム世界でもっとも早く、文明の領域で近代西欧に比較優位を占められたものを受け入れて自己変革を遂げたところでした。そこでオスマン帝国を、その成立から近代西欧文明を受け入れ変容していく過程について、日本のそれと比べてみたいと思い、研究を始めました。

「近代」以降、西欧を原動力にグローバリゼーションが進んでできたグローバル・システムに、とりあえずは「文明」の側面で人類社会のほとんどがつなぎとめられてきたということがあります。その時点で考えると少なくとも一七世紀以降、全世界で有文字世界が圧倒的な優位を保つようになったわけで、それなら文字に着目して少なくとも有文字世界の変遷だけみたらどうなるかということを着想したのです。その際、まず文化の広がり、そして文化を担った人間集団に担われた文明の広がりというのを、何を基準にしてみたらいいかということを考えました。

文化ないし文明の広がりについてはこれまでいろんな考えがあって、世界史を背負う文化、つまり西欧だけではなく西欧もその一員である諸文化の興亡の歴史として体系的に捉えようとしたはじまりは、やはり『西洋の没落』を著したオズワルト・シュペングラー※であると思います。シュペングラ

オズワルド・シュペングラー（一八八〇〜一九三六）　ドイツの文化哲学者。主著『西洋の没落』で世界史を八つの高度文化の生成、繁栄、没落の経過としてとらえ、ヨーロッパの没落を予言して第一次世界大戦後の危機感を背景に大きな反響を呼んだ。

ーの場合は文化を生物体になぞらえているので、生物体の体と同じように、はっきり定義していませんが境界が非常にはっきりしているつもりでいるんだろうと思います。

シュペングラーの問題提起も受けて、同時に第一次世界大戦でシュペングラーと同じように衝撃を受け、比較文明論の大家になったのはイギリスのアーノルド・トインビー※ですが、あの方の場合はもっとソフトで、「理解でき得る歴史の範囲」とおっしゃっていて、その範囲のことをソサエティともいっています。ソサエティといえば、西欧中心のファミリー・オブ・ネイションズ（諸国民の家族、国際社会）というのが、西欧人のイメージの元にあると思います。いまひとつ曖昧ですが。

岡本 そのあたり、やはり西洋人の西欧的思考法だと思います。国家と社会を直結させる。一言でいえば、視野が狭い。自分たちの当たり前のことは疑わずに、当たり前の前提として処理しているので、どうしてもそうなります。

文明と文字の相関

鈴木 世界を見渡すと、さまざまな言語・文化を持つ人間集団が存在してきたわけですけど、書記に使われる文字というのは、言語に比べて圧倒的に種類が少なくなります。そこで地域で支配的な文字が何かという視点で世界をみてみると、例えば東アジアの場合は漢字優位の世界で、圧倒的に漢字が支配していた世界です。ところがイスラム世界では、複数の文字を持った集団が重層的に集まっているその上に、支配者のイスラム教徒の文字であるアラビア文字が支配的であるのです。ヨーロッパの場合はイスラム世界ほど多様ではなくて、大まかには西半が、日本人になじみのあるラテン文字（ローマ字）、そして東半がギリシア文字と、それから派生したキリル文字という具合です。

人間には視覚派と聴覚派の方がいると思うのですが、私は音楽も嫌いじゃないけど、どちらかというと音楽より絵の方が好きな視覚派です。色と形でモノを見るくせがあったので、文字の広がりでみると、視覚的に支配的な文化の広がりを捉えることができるのではと思い至ったのです。この着想のあらすじは拙著『オスマン帝国の解体　文化世界と国民国家』（ちくま新書二〇〇〇年。〈新版〉講談社学術文庫二〇一八年）ですでに述べています。

その際、単層的な、中心部では漢字だけが支配していた世界もありますが、イスラム圏のようにいろいろな宗教・宗派・民族・言語の人が集まっているところだと、ギリシア文字、アルメニア文字、グルジア文字、シリア文字、ヘブライ文字、コプト文字などもあって、アラビア文字はその上に乗っかっているというところがあります。つまり、文字が重層的なところと単層的なところがある。

また使用する文字が変わるケースというのがあります。ひとつは西欧の植民地になったところで、

アーノルド・トインビー（一八八九～一九七五）　イギリスの歴史家。主著に、ギリシアの歴史家トゥキュディテスの『歴史』に触発され、文明の興亡を解き明かすべく著した『歴史の研究』など。比較文明論的世界史の大先達。

身近ではインドネシアやマレーシアなどがそうで、これら東南アジア沿岸部・島嶼部には一三世紀以降に交易を通じてイスラムとアラビア文字が浸透しましたが、今ではローマ字（ラテン文字）を使用しています。もとは漢字世界に属してきたベトナムもフランスの植民地にされてから、やはりローマ字化してしまいました。その他のケースでは、トルコのように自発的に西洋化を徹底しようということで伝統的なアラビア文字からローマ文字に変えたところや、朝鮮半島のように伝統的に漢字も使っていたけれど、今は漢字を排除してほぼハングル文字だけになっています。

アラビア文字を用いていた中央アジアやモンゴル文字を使っていたモンゴルのように、ソ連の社会主義体制下では盟主ロシアのキリル文字表記に変更して、ソ連崩壊で完全に独立国となってからまた文字を変更したケースというのもありますね。モンゴル人民共和国が社会主義を捨てて一九九二年にモンゴル国になると、キリル文字をやめてモンゴル文字にするということになったそうですし、アゼルバイジャンも独立後、キリル文字はロシア帝国主義の象徴なのでやめようということになって、あそこは元々トルコ系のムスリムでアラビア文字を使っていたのですが、お隣のトルコ共和国のトルコ語に言語的にも最も近くて、トルコがアタテュルクの時に「文字改革」をやっているので、その方向をとってラテン文字に変えています。

ただ一八〇〇年の段階でみると、各地域で伝統的かつ支配的であったのはどの文字なのかというのがはっきり見えるのです。特に大きな文化圏で文字を共有している世界には大きな広がりがあります。

南北アメリカ大陸は西欧人の植民地になったのでローマ字化してしまいますが、「新大陸」については西欧と分けずに西欧世界の延長と捉えたいと思うので、グローブとしての「世界」は、一八〇〇年の段階では大まかに五つの文字世界から成り立っていたと言っていいと思います。

岡本　以上のように、文字の具体的な形態を基準にしますと、「文化圏」と呼べるような細かなまとまりになりますが、表記体系というように大きなくくりにすれば、ご指摘の「五大文字世界」として捉えることもできるわけですね。

鈴木　この五つの文字以外にも、もちろんさまざまな文字があります。例えばモンゴル文字や満州文字などですがそれは、非常に体系的かつ広範な空間で、非常に膨大な人間集団によって担われていた文字ではありませんでした。その証拠に満洲文字についていえば、もう母語を綴る文字として満洲文字を使う方はほとんどいません。モンゴル文字の方も、いまではモンゴル国と中国の内モンゴル自治区で通用しているにすぎません。モンゴル帝国はあれだけ広がったけれど、モンゴル文字は元々のモンゴル人の故郷にしか残っていない。そうなると五大文字世界とは、ユーラシア大陸の西から東へ、まず「ラテン文字世界」があります。これは文化的には「西欧カトリック・プロテスタント世界」、長いので端的にいうと「西欧キリスト教世界」です（**図1**）。

その東隣が「ギリシア・キリル文字世界」、こちらは文化的には「東欧正教世界」です。そのルーツとなるビザンツ帝国ではギリシア人が支配的で、ギリシア語が公用語でギリシア文字が使用されてお

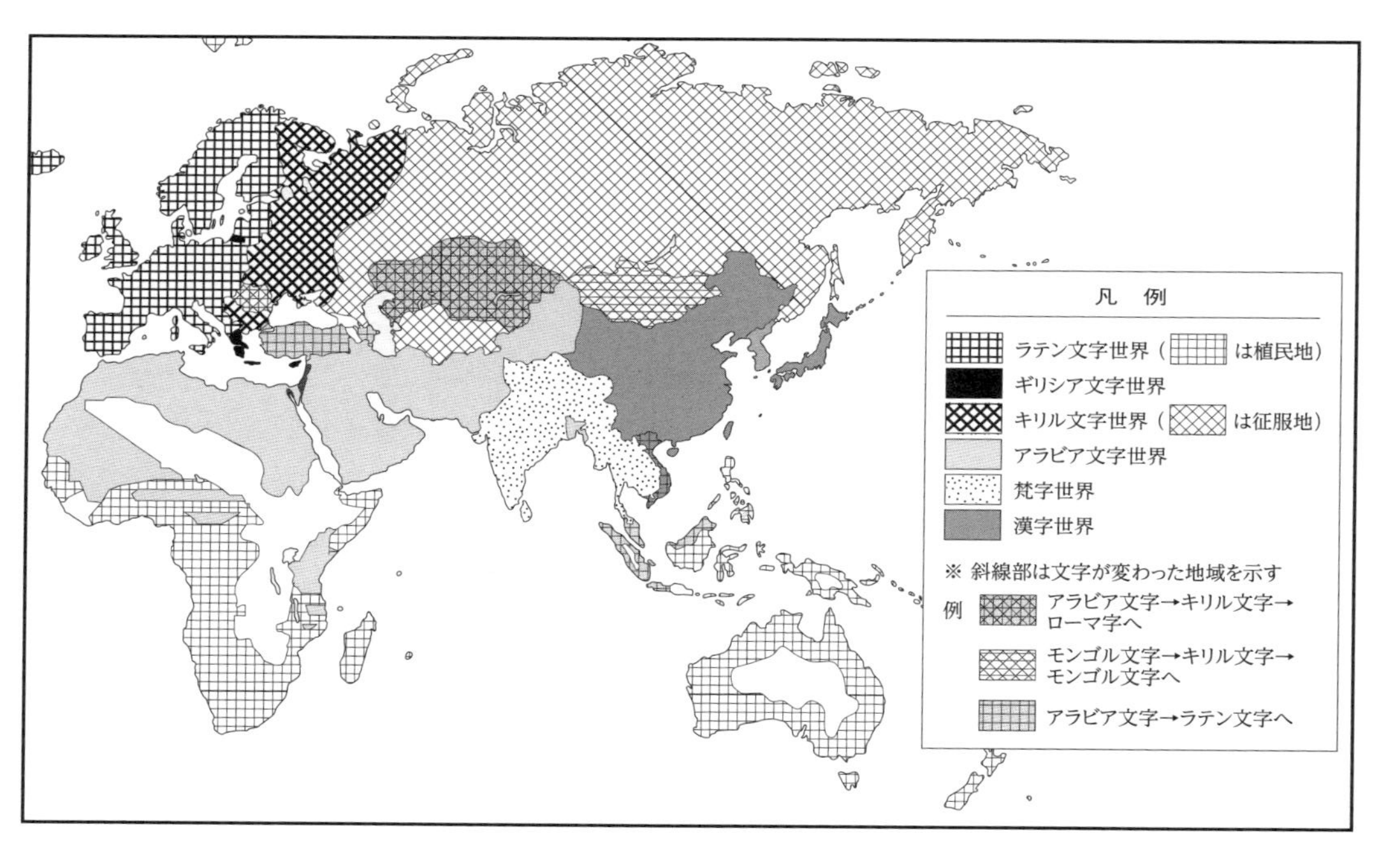

図1　ユーラシアの文字世界

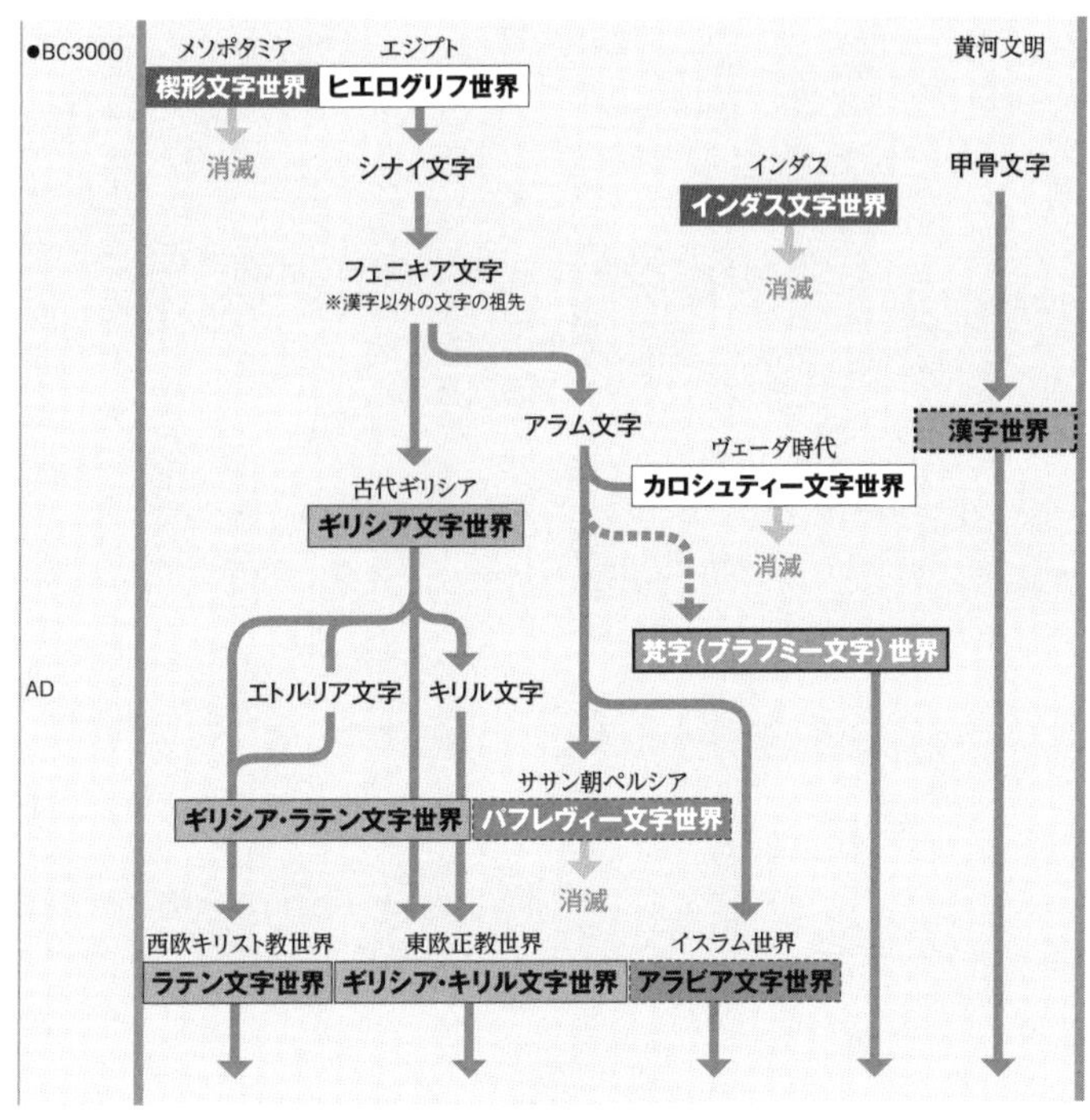
●BC3000
メソポタミア
楔形文字世界
エジプト
ヒエログリフ世界
黄河文明
消滅
シナイ文字
インダス
インダス文字世界
甲骨文字
消滅
フェニキア文字
※漢字以外の文字の祖先
アラム文字
漢字世界
ヴェーダ時代
カロシュティー文字世界
古代ギリシア
ギリシア文字世界
消滅
梵字（ブラフミー文字）世界
AD
エトルリア文字
キリル文字
ササン朝ペルシア
ギリシア・ラテン文字世界
パフレヴィー文字世界
消滅
西欧キリスト教世界
ラテン文字世界
東欧正教世界
ギリシア・キリル文字世界
イスラム世界
アラビア文字世界

図２　文字世界の変遷

り、のちに入ってきた諸民族を正教的に教化するために、いろいろ文字をつくるなかで結局キリル文字が支配的になりまして、「ギリシア・キリル文字世界」となったビザンツ世界の中心だったビザンツ帝国が滅んだあとは北にその中心が移っていきます。東欧はややこしくて、第二次世界大戦後の米ソ冷戦下に、文化の違いではなく共産主義を奉ずるソ連に属した地域を「冷戦期東欧」と呼びたいと思いますが、そのうち西のバルト三国からポーランド、チェコ、スロヴァキア、ハンガリー、スロヴェニア、クロアチアまでは伝統的には「ラテン文字世界」で、一部にはプロテスタントもいるけどカトリック教徒が圧倒的に多いところです。文化的な東欧はギリシア・キリル文字世界です。

次にブラーフミー文字起源の諸文字が支配的なインドと、同じくブラーフミー文字の流れを汲む諸文字が使われるチベットや東南アジア一帯があり、これらを「梵字世界」、文化的には「南アジア・東南アジアヒンドゥー・仏教世界」としたいと思います。ブラーフミー文字のことを梵字などというとインド専門の先生には怒られるかもしれませんが、漢字・梵字と並べると韻を踏んで語呂がいいので(笑)、ここではあえて梵字といってしまいます。

そして最も東にあるのが私たちの東アジアで、中国を中心に朝鮮半島、ベトナムと日本、そして沖縄からなる「漢字世界」、文化的に示すなら「東アジア儒教・仏教世界」ということになります。

最後に、西は北アフリカのモロッコ、ナイジェリアから東は中央アジアをへて中国の新疆ウイグル自治区、さらには東南アジアのインドネシア、マレーシアにまで、アジア・アフリカ・ヨーロッパの三大陸にまたがって広がり、他の四つの文字世界すべてに接する「アラビア文字世界」、文化的には「イスラム世界」があります。これらの文字世界がグローバル・システムに巻き込まれる前は相対的に自己完結的な世界として並立していたことはすでに触れましたが、それ以後は「文化」的なクセは残しつつもその相対的自己完結性は失われていくので、現在の「文字世界」をさす場合は「文字圏」と呼ばせていただきます。

文字世界にみられる文化的共通性

鈴木　東アジアでは長らく中国がさまざまなイノベーションの中心になってきて、漢字を生み出します。その唯一の源泉でつくり出された文字なので、中国の文化・文明を体系的に取り入れていこうとしたら、漢字や漢文・漢語を学ばなければ話にならない。周辺の諸社会も中国以外に文字を持っている文明が近くにありませんでしたから、漢字を取り入れるしかないし、漢字を入れれば漢文、漢語も一緒に入ってくることになります。

私は漢文より重要なのが、漢語だと思います。日本語の七割ほどを占めるのが漢語で、「国語辞典」なんていってるけど、あれは実質的に「漢語辞典」ですから。ベトナム語、韓国・朝鮮語でも六、七割は漢語由来です。漢語の語彙というのはものを考え、表現する時の媒体になるため、それが入ってくることが極めて重要なのです。漢文がわからなくても、それを生み出した文明・文化のさまざまな成果を受け入れる場合に、在来の母語では必要な語彙がないので漢語を受け入れることになって、漢字圏は同時に「漢語圏」でもあるといえるのではないでしょうか。

イスラム圏も同様で、その南半分はアラブ人になってしまったところが多いのですが、北半分ではトルコ系はトルコ語系の母語を保ち、イラン人やその周辺はペルシア語系の母語を保っています。でも文字としてはアラビア文字を受け入れたことで、大量にアラビア語由来の語彙が入ってきます。現代トルコ語をみても、およそ六割ぐらいはアラビア語系の単語が入っているのです。

いまイスラム圏を「南半分」「北半分」としたことについて補足しますと、イスラム圏というのは文化的に南北で分けたほうがいいように思われまして、南半ではアラビア語一色になりますが、北半では世俗の学問や文学、政治行政に関するさまざまな文明・文化上の遺産をイランから非常に多く受け継いでいるため、アラビア語に並ぶ、いわば第二「文化・文明語」としてペルシア語も入ります。今のトルコ語でもペルシア語系の語彙は五%から一〇%ぐらいあるのではないかと思います。それからインド亜大陸でも、ウルドゥー語はペルシア語の影響が圧倒的に強い。中央アジアもかなりペルシア語の影響を受けております。

東アジアに漢字圏があって、地理的・生態的環境からいうとベトナムは確かに東南アジア大陸部、インドシナ半島の東端で、東南アジアではあるのですが、文化的にはほぼ漢字圏の文化です。その証拠の一つは食の作法にありまして、箸で食べるという奇妙な食の作法を漢字圏の方々は共有しています。そのことは日本文学研究者のロバート・キャンベル先生（東京大学名誉教授）も、東アジアは箸圏だとおっしゃっていますが、確かにそうだと思います。西欧人も中華料理屋や日本料理屋さんでは箸を使ってみたりするけど、日常的に箸で食べる人はいませんし、日本人も普通に日本食を食べるときにフォークとナイフで食べる人はいないわけです。ハンバーグとかまで箸で食べたりします。

このような「食の作法」の共有は他の文化世界にもみられます。先ほどご紹介した五大文字世界のひとつである梵字世界ですが、南アジアのインド亜大陸の大半とスリランカは基本的にブラーフミー文字、サンスクリットを綴った文字をベースにした文字で、東南アジアのミャンマー、タイ、カンボジア、ラオスといった大陸部も文字はブラーフミー文字をベースにした文字を使っていて、やはり語彙も圧倒的にサンスクリット、パーリ語系のものが入っています。インド亜大陸はバラモン教の革新形態であるヒンドゥー教の世界となっておりますし、スリランカと東南アジアには基本的にはバラモン教の改革派である仏教のうち、わりと古いタイプの上座部仏教が入っています。

東南アジア専門の先生方からすると、インドと東南アジアはまったくの別世界だといわれるかもしれませんが、食の作法ではインドも東南アジアも右手指食なのです。これは何よりも宗教上の禁忌からきていると思います。イスラム教徒も右手指食ですが、あれはイスラムの戒律（シャリーア）によるもので、インドなどではバラモン、ヒンドゥー教の戒律で左手が不浄の手とされるため、右手で食べるというところがあります。ですから少々大胆に、異論は承知の上で、南アジア・東南アジアをひとつの文化世界としてここでは捉えてみたいと思います。

ただタイの南端部からマレー半島、それから今インドネシアになっている島嶼部の場合はのちにイスラムが入ったので、アラビア文字やアラビア語由来の語彙がかなり取り入れられています。もっともインドネシア語の「国家」はアラビア語系の「ダウラ」ではなく、サンスクリット語系の「ヌガラ」ですが。

また文字世界、つまり文化世界のなかの文化的共通性に関わったと考えられるのが、人の往来であろうと思われます。それぞれの文字世界は相対的に自己完結的な世界をなしており、同じ文字世界内ではかなり頻繁に人の行き来があって、違う文字世界に行き来する人間は非常に限られていたといえます。

ラテン文字の世界は地域のまがきが低いところがあって、イタリア生まれでフランスのソルボンヌで神学を勉強し、ドイツの大学で教授になるといったケースが「中世」でもわりと当たり前だったのです。アラビア文字世界でも、例えばエジプトで勉強して、シリアとかイランにきてイスラム学院（マドラサ）※の教授になったという人がいくらでもいます。

ただ日本の場合は行き来が非常に限られていて、日本人で中国の科挙の試験に合格したケースで考えると、確認されている範囲では一九〇五年に行われた最後の科挙試験に一人合格した、その一件だけだそうですから。ただ清朝が一九一二年に潰れてしまったので、せっかく合格したのに雇い主がなくなってしまい、その方がどうなったのかはわかりません。阿倍仲麻呂※も、科挙を通った人でないとなれない官職に就いているからおそらく合格したのではといわれていますが、唐代には登科録や題名碑などがなかったようで真相はわからないのだとか。ただ阿倍仲麻呂を含めても日本人の科挙の合格者がたった二人ほどというのは非常に不思議で、先ほどのラテン文字世界やアラビア文字世界の人の往来と比べると、漢字世界の場合は同じ文化世界の中でも地域のまがきが比較的高いような感じがします。

文字世界図と梅棹地図

鈴木　こうして支配的な文字を目印にしてそれを「文化世界」としてみれば、少なくとも文字を用いている人々の集団のうち、重要なものは捉えうるように思います。そしてこれらの文字世界としての文化世界はそれぞれ独自の世界秩序のイメージを持っていて、人の移動やネットワークのつくり方も

イスラム学院（マドラサ）　イスラムの教学などを専門とするウラマーを養成するイスラムの高等教育機関。セルジューク朝時代にニザーミーヤ学院が主要都市につくられたことを契機に各地で設立された。
阿倍仲麻呂（六九八?～七七〇?）　七一七年に留学生として入唐。唐朝に仕官して玄宗皇帝に重用され、李白らと交流。風波のため帰国できず、長安で死去。

相対的に濃密で、相対的な自己完結性をもった独自の「世界」として存在してきたと思います。その諸「世界」間の交流というのが、いわゆる東西交渉に当たるわけですけれど。

もちろん文字を持たない世界を無視していいわけではなくて、無文字ではありますが紀元前から一七世紀ぐらいまで、ユーラシアの中央部の遊牧民と狩猟民が歴史的に大きな役割を果たしたことも確かではあるのですが。

岡本 先生のご著書に掲げられている文字世界図を拝見し、結論的に私がフレームワークにしているのとほとんど一致するので、すごく嬉しく思っています。

拙著『世界史序説』で使った、いわゆる梅棹忠夫※先生の地理的・生態的環境による文明の分け方（**図3**）なんですが、それと文字の排列（**図5**）、これ宮崎先生の地図ですが、これと鈴木先生の「五大文字圏」がまったく合致しています。文字の違いで鈴木先生は分けられているので五つになっているわけですが、分けなければ梅棹地図にあるⅠ・Ⅱ・Ⅲ・Ⅳの四つになるということで、文字圏と地理生態環境的な部分がまったく重なっていまして、それが先生のおっしゃった文明圏と、それが一八〇〇年くらいまで並立してきたというのは、まったくその通りだと思います。

文字と組織という部分が先生の主要なご関心だと思うんですが、それはユーラシアのそもそもの文

梅棹忠夫（一九二〇〜二〇一〇）　生態学者。京都大学教授、国立民族学博物館初代館長。海外調査と生態学を基に独自の文明区分を提唱。主著に『文明の生態史観』など。

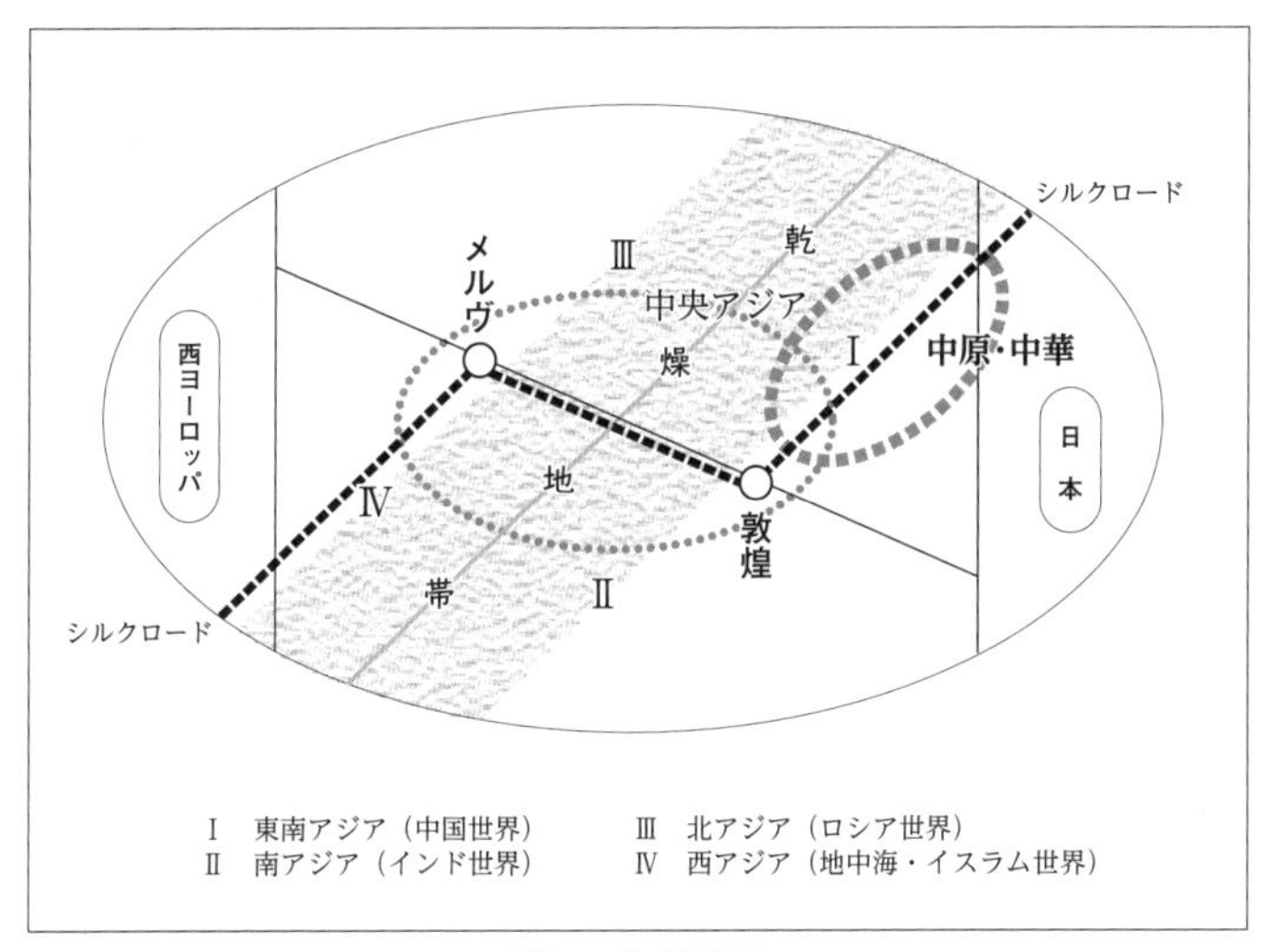

図3　梅棹地図

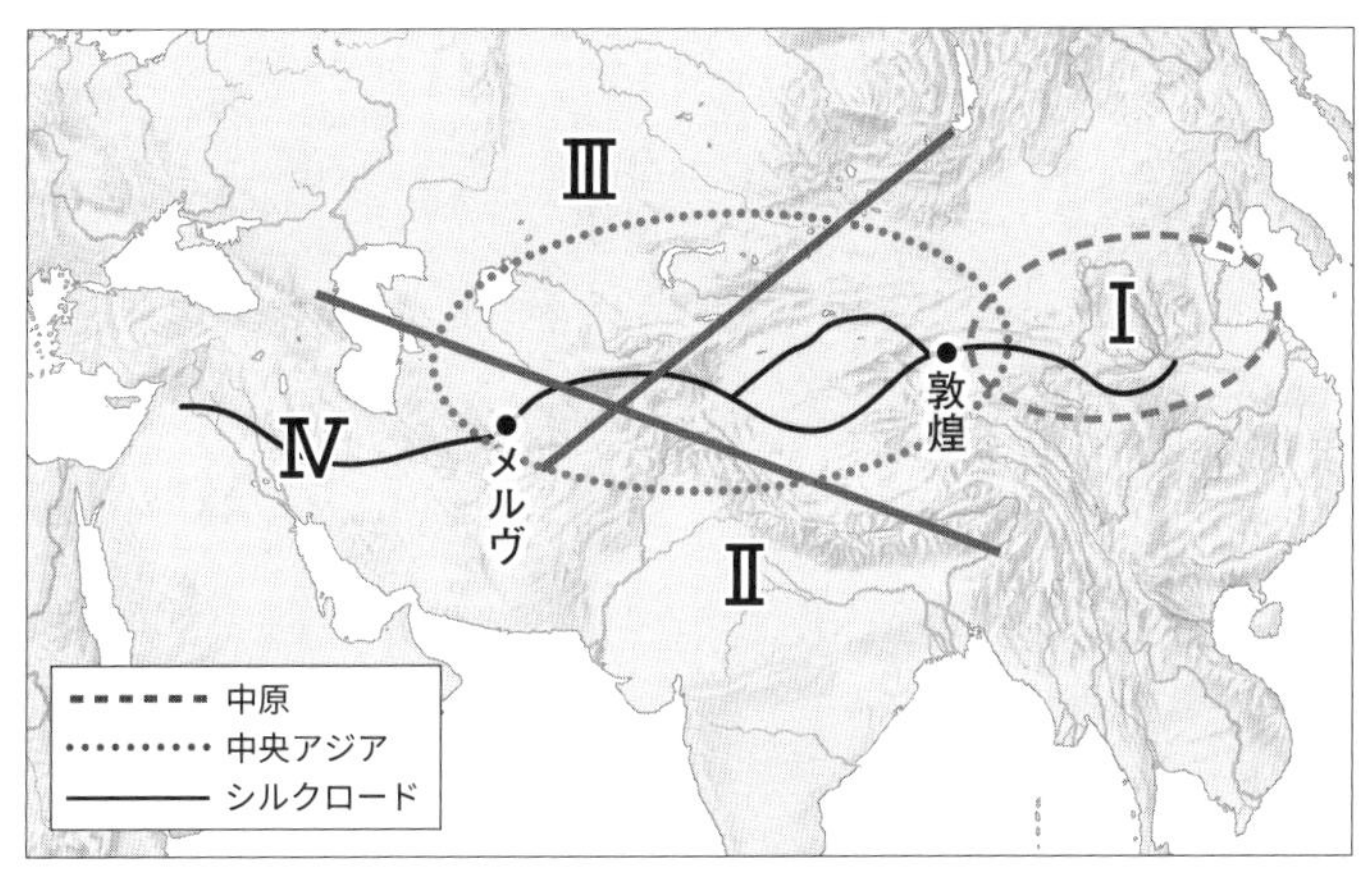

図4　梅棹文明区分の地理的イメージ

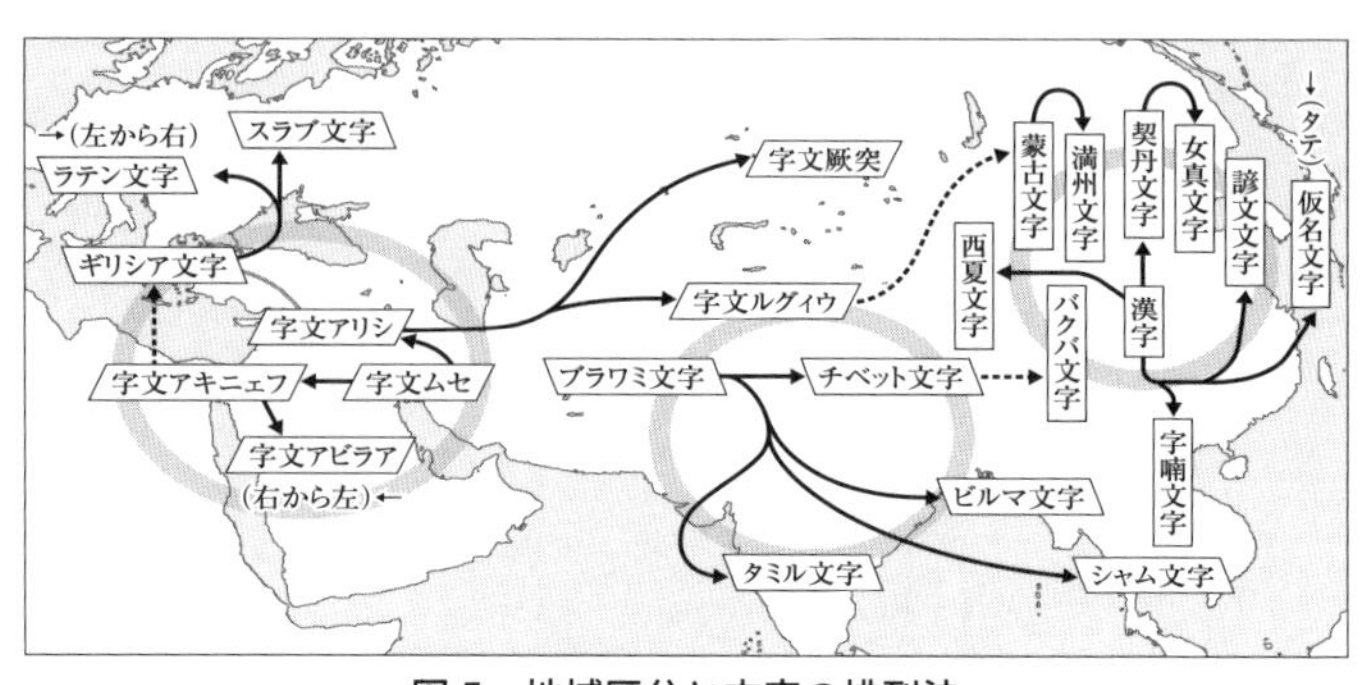

図５　地域区分と文字の排列法

明の成り立ちから始まる生態環境、それからライフスタイルということと、箸の話が出たのでこれはこれで面白いかなと思うんですが、それにも合致しているというのが興味深く聞かせていただいた部分です。五大文字圏の文字というのが上からかぶさって、ローカルなところをコントロール、管制しているというイメージでお話しいただきましたが、これもまさにその通りだと。

漢字圏の話が出ましたが、**図４**の地図に点線でくくっているところが、漢字が元々あった中原なんですが、逆にいうとここしかなかったんですよね、漢字は。江南の方もまったくなくて、遊牧の方もなかったわけですけれど、遊牧の方は違う文字をつくっていて、先ほどお話が出ていたモンゴル文字とか満洲文字とかっていうものができてきますし、日本列島とか朝鮮半島はそのまま漢字を使いながら、違うものをつくっていくというバリエーションがある。江南の方はまったく漢字圏そのままなんですが、言語はそれぞれ違う。でも漢字で管制されていて、その一帯全域を覆ったのが一八世紀の清朝というのが、中国史のあるいは東アジア史の基本的なプロセスという。

そう考えると日本人で科挙に受かったというのは、ものすごい辺境の方からということで、なかなか難しいですよね。モンゴル人が科挙に受かるようなもので。チャイナプロパーだけでヨーロッパに等しいぐらいの面積規模を持ち、人口はもっと多いので、それで考えてみると江南からいくらでも科挙に受かっていますから、その辺は「イタリアからソルボンヌへ、さらにドイツへ」というのとほとんど変わらないのではないかと思います。

漢字圏そのものを巡礼圏と呼んでいる研究者もいるぐらいで、おそらくベネディクト・アンダーソン※の『想像の共同体』の影響だったかと思いますが、そういう考え方ができるぐらいですから、ラテン文字とか、宮崎先生の言い方でいうと「左から文字」ですかね。その内側の人の移動について漢字圏だけでいえば、ほとんど変わらないかなという感じになります。

朝鮮半島は朝鮮半島で科挙をやっていましたから、やっぱり同じ感じで。日本人は漢字圏の中でも、「かなりおかしな人たち」という位置づけ方がいいのではないかと思います。

五大文字圏ですが、私自身はギリシアとローマ、キリル圏とラテン圏を分けるというのは、若干消極的なんですけど、ロシアが変な動き方をするというのは確かなので、東ヨーロッパ、もう少し遡る

ベネディクト・アンダーソン（一九三六〜二〇一五）　東南アジア地域研究者。コーネル大学教授。主著に『想像の共同体』など。

と東ローマ（ビザンツ）あたりからきているとと思うんですが、その辺りからと考えれば、それは一つの考え方として非常に成り立つ部分ですし、梅棹地図でいうところのⅢをどう捉えるかということとも繋がってくると思います。

今モンゴルがキリル文字ですから、そういう点から考えると、キリル文字をどう考えたらいいか、先生の著書に刺激を受けながら私も考えている途中で、まだ答えは出ていない部分です。

イスラム世界を考える

鈴木　生態的環境については別章で詳しくお話できればと思いますが、特異なのはイスラム圏と、「大航海」時代以降のキリスト教圏だけが生態的・地理的環境を超えて大きく広がったという点です。

岡本　東南アジアのインドネシアなどがまさにそうですよね。ただそこはやはり都市、点と線が基本になっているかと思います。なので農耕べったりな、土俗的なところは苦手なように感じます。むしろそういう意味でもっと越えて広がってくるのは、後から出てくる仏教でしょうか。地中海とか島嶼部なら、イスラムは広がりやすいのだと思いますね。

鈴木　イスラムは砂漠ステップ気候帯が出発点ですが、地中海性気候のところに入って、もう一方で中央アジアのステップの世界に入って、要するに旧ソ連邦から独立した新興の諸共和国、現在のアゼルバイジャン、トルクメニスタン、ウズベキスタン、カザフスタン、タジキスタン、キルギス、全部大まかに言うとイスラム圏に入るのです。それに加えて中国の西北端のいま色々話題になっている新疆ウイグル自治区でも、いまでもアラビア文字を使っています。毛沢東の時代に一時ローマ字にしたようなんですが。

岡本　あの辺りは元々漢語圏ではないですからね。新疆とかはイスラム圏の東端で、最も遅くイスラム化されたところでしょうか。あの地はそれ以前、仏教・マニ教とかで、人の入れ替わりも激しく、突厥※・ウイグル※以来、東方の遊牧民との関係が深い。いま一生懸命漢字をすすめていますね。

鈴木　こういうことを言っていいかわかりませんが、内モンゴル、新疆ウイグル自治区と呼ばれるところ、そしてチベットは漢字圏とはまったく異なる異文化社会で、チベットは政治的には中国と関係が非常に深いけど、文字はインドのブラーフミー系の文字で、しかも仏教が入っていてややこしいところですが、歴史的にはインドを中心とした梵字世界に属する面もあろうかと思います。したがって中国は、本来の中国じゃないところをまだ漢字圏に取り込めていないわけです。

突厥　六～八世紀にモンゴル高原から中央アジアを支配したトルコ系騎馬遊牧民の国家。アルタイ山脈西南からおこってモンゴル系の柔然を滅ぼし、五五二年に建国。勢力を拡大するも内紛と唐の離間策により五八三年、東西に分裂。

ウイグル　八～九世紀にモンゴル高原を支配したトルコ系騎馬遊牧民の国家。東突厥の支配から自立して八世紀半ばに東ウイグル王国を建国したが、内紛とトルコ系キルギスの侵入により滅亡。一派は天山方面で西ウイグル王国を建て、仏教文化が繁栄するが一六世紀までにはイスラム化が進んだ。

やはり完全に同化するのは五〇〇年ぐらいでは無理ですね。アナトリアには一〇〇〇年近くイスラム教徒のトルコ人が入っていたので、少なくとも一九世紀の後半には人口の三分の二はイスラム教徒となっていました。そのうち九割近くはトルコ語が母語になっていて、クルド語を母語にする人をどのくらいに計算するかというのはありますが、ここまで同化が進むのに一〇〇〇年かかっているのです。オスマン帝国がバルカンに入りはじめたのが一四世紀の後半で、完全に抑えたのは一五世紀半ばでしたから、一八世紀末以降に民族主義が入ってきてバルカン諸国が離れてしまったのは無理もないのです。支配下に入って五〇〇年もたっていなかったのですから。

岡本　五〇〇年のタイムスパンが必要ですか。

鈴木　やっぱりそれが大きいところがあって、一六世紀以降に支配地域に加えたところは大概ややこしいことになっています。オスマン帝国についてもアナトリアの最東部は一六世紀前半に支配下に入ったところで、クルド人問題※の中心になっているところです。日本の場合でも、一六〇九年に島津藩が占領して日本本土の支配下にはいった琉球（沖縄）にしましても、たびたび独立を唱える本が出版されています。

少し横道にそれますが、私は日本語というのは大和（日本）語と沖縄語から成り立っていて、沖縄の言葉は日本語の方言ではないというのが持論です。私がトルコ語の世界になじんでいるからかもしれませんが、トルコ共和国の公用語がトルコ語であることはみなさんご存じのとおりです。でも、中国の新疆ウイグル自治区のウイグル語も、キルギス共和国のキルギス語もトルコ語の仲間で、英語でこれらを総称するときはトルキック・ランゲージ（テュルク諸語）といいます。一方でターキッシュ・ランゲージ（トルコ語）と言い切る場合はアナトリアの、トルコ共和国のトルコ語を念頭においている方が多い。それにならうと、沖縄語と大和語の関係は、キルギス語とアナトリアのトルコ共和国のトルコ語のそれに近いのではないかと思います。詩の形にしても、大和（日本）も沖縄も定型の詩ではありますが、大和の和歌は七五調なのに対し、沖縄の琉歌は八八八六調です。

伝統的諸文化世界の並立と「西洋の衝撃」

岡本　それでは、文字と組織の関連の方にすすめていただければ、と思います。

鈴木　組織の方は、組織と組織へのリクルートメントのシステムの広がりが、文字に比べると普遍性が弱いというか、かなり限られているのです。漢字世界の中心部に特徴的な支配組織と、その支配組

クルド人問題　クルド人はトルコ、イラク、イラン、シリア、アゼルバイジャン、アルメニアなどの国に居住する民族で、一〇〇〇万人以上の人口を擁しながらそれぞれの国で少数民族として生活する。一九八〇年代以降、クルド人による独立や自治拡大を求める動きが活発化し、特に多くのクルド人口を抱えるトルコやイラクでは武力鎮圧が行われるなどしている。

織の担い手のリクルートメントのシステムはやっぱり「科挙※」だと思いますが、漢字世界の周辺部で科挙が入ったのは、大陸部の朝鮮半島とベトナムだけです。島嶼部の沖縄と日本は科挙が入らないで系図社会です。ただ沖縄は中国への国費留学生試験はあったのだそうで、日本では松平定信がおそらくは科挙の真似をしようとして、「素読吟味」というのを「御直参」の旗本・御家人を対象にして始めたものの、本格的なものをやったらほとんどみんな落第しそうなので、論語の簡単なところを白文で出して読み下したら合格ということになって、実質的な能力試験にはならなかったわけですが。

　沖縄と日本は系図社会で世襲が基本です。朝鮮半島の場合はやや自由度が低いかと思いますが、中国の科挙の場合は何代か前まで、俳優だった家の子は受けられないけど、それも何代かたてば受験できて、あとは中国人でなくても何人でも、漢文の読み書きができて儒学と詩文に通じていれば受験できて、新羅の人が随分受けて通っているというのを聞いたことがあります。ベトナム人がどうだったか私不勉強で存じませんが、ベトナムでは大越国の時に科挙が入っていますから。最後の阮（グエン）朝※の歴史も『大南寔録』『大南列伝』で、あれも漢文の歴史書ですから、日本人の場合は書けたら自慢だけど、あちらは書けて当たり前の世界だったでしょうから、日本人よりはるかにできたのだろうと思うのです。

　アラビア文字世界としてのイスラム世界でも、アッバース朝以来、大都市を中心にして、広い版図を持ち永続的な王朝は大概マムルーク※（奴隷軍人）を持ちます。ところが中央アジアとか東南アジアとかサハラ以南のアフリカには、マムルークは定着しません。アラビア文字世界としてのイスラム世界に最も特徴的な支配の組織とその担い手は、マムルークだと思います。オスマン朝にしてもイェニチェリ※（常備歩兵軍団）がどうだったかどうかというのは議論がありますが、あれはやはり奴隷軍人であったのだろうと思います。

科挙やマムルークの例で考えると、こうした組織にも一定の普遍性はありますが、組織は中心部だけに広がる傾向がみられます。一方の文字は、周辺部まで組み込んでいく。文字で組み込まれたところが、一つの文化世界になるというふうにみてはどうかと思うのです。その障壁を崩していったのが「大航海」時代以降の西欧で、一六世紀、一七世紀は拠点を得てグローバル・ネットワークを作っていくという段階だったろうと思いますが、一八世紀から一九世紀に入るとかなり「面」として押さえはじめ、特に一九世紀にそれがはっきりとしてきます。英領インド帝国が一番典型的だと思います。

科挙　隋代に始まり清末一九〇五年までの約一三〇〇年間、中国の歴代王朝で続けられてきた官吏登用試験制度。隋唐では不徹底だったが、宋代に地方の解試、中央の省試、皇帝臨席の殿試という三段階の試験制度が整備され、朱子学が科挙に採用されて体制が完成した。

阮朝　西山（タイソン）朝を倒したベトナム最後の王朝（一八〇二〜一九四五）。国号を越南国（ベトナム）と称し、清を宗主国として諸制度を取り入れたが、一九世紀半ばからフランスの侵略を受け、インドシナ連邦に組み込まれた。

マムルーク　アラビア語で奴隷をさす。アッバース朝で九世紀はじめより軍人として重用されるようになり、その後のイスラム圏の王朝はマムルークの軍団をもつようになった。マムルーク朝では少年奴隷を訓練学校で養育、軍事だけでなくアラビア語、イスラム諸学を教育した。騎兵中心でオスマン朝のイェニチェリ（歩兵軍団）は例外的。

イェニチェリ　一四世紀後半に創設されたとみられるオスマン朝の常備歩兵軍団。当初はバルカン半島などのキリスト教徒の少年を強制的に徴集して訓練を施した君主直属の精鋭部隊で、ヨーロッパの脅威となった。

つまり、独自の世界秩序のイメージをそれぞれの文字世界が持っていて、自分たちの世界と外の世界との関係のあり方も、外から来たものを自分たちの世界のやり方に従わせていたという恰好だったのです。ところが西欧世界の方が軍事などの「文明」の面で圧倒的な比較優位を持つようになったので、だんだん巻き込まれていくようになって、最終的には西欧側が作ったシステムに適応せざるを得ないというかたちになる。それによって従来の自己完結性は壊れていったと言えるのではないでしょうか。中国の場合はそれが一九世紀の半ば過ぎからだろうと思いますが。

岡本　もう少しあとかなという感じです。中国の場合はまた、あとで詳しくお話ししないといけないと思っております。

鈴木　そうですね。イスラム圏の場合、一八世紀の末までは従来のシステムでオスマン帝国は西欧諸国と付き合っています。大使館も一八世紀の末に一度は開きますが、相互性があるため「置かせてやっているからこっちも置く」というかたちで、通訳官は言葉ができるアルメニア人やギリシア人を使って、西欧側へ赴任するオスマン帝国の大使はトルコ語とせいぜいでアラビア語とペルシア語しかできない人が行っていました。現地では大使として遇してもらっているけれど、当初は外交官としての実質的な動きをあまりしていない人が多かったのです。ただ個人的能力の違いはあって、ハレット・エフェンディという人は駐仏大使の時に、やり手として知られている外相のタレーラン※をやり込めたことがあります。特別辛辣な人物だったのでそういうことができたわけですが、本格的に近代西欧ベースの在外公館を開きだすのは一八三〇年代のことです。日本よりはずっと早いのですが。

　世界がグローバル・システムに組み込まれていくとき、他の文化世界の人たちは西欧人の視野にはきちんとは入っていなかったわけで、他の諸世界が視野に入り出したのは、一六世紀の半ば以降だろうと思います。そして本当にその視野に入り出したのは一八世紀か、一九世紀であろうと思われます。西欧人からすると、自分達が原動力になってグローバリゼーションを進め、グローバル・システムの覇権を握っている。その立場から世界をみるので、世界史というのは我々の歴史だと思い上がるようになったように思われます。

グローバル・ヒストリーに宿る西洋中心史観

岡本　拙著『世界史序説』でも記しましたが、完全な西洋中心史観だったマルクス史学以後、前近代は西洋以外にも「世界帝国」が併存していて、近代になって世界の「中核（コア）」として発展する西洋と、それに従属する「周辺（ペリフェリ）」からなる一体の「構造」が成立したとするウォーラーステイン※の「世界シス

タレーラン（一七五四〜一八三八）　フランスの政治家・外交官。総裁政府・第一帝政・復古王政で外相を歴任した。
イマニュエル・ウォーラーステイン（一九三〇〜二〇一九）　アメリカの社会学者。アフリカ諸国の社会学研究を基に、西欧を中心とし、他地域を周辺とする資本主義分業体制が世界的規模の不平等な構造格差を再生産していくとする近代世界システムの理論を提唱した。

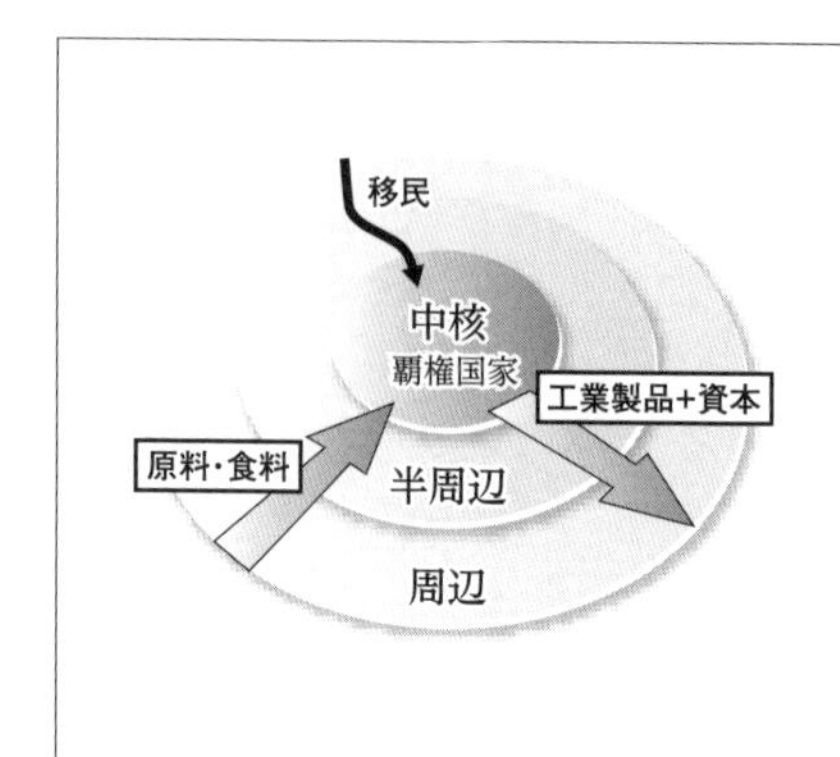

中核　経済的には製造業や第三次産業に集中。「周辺」との分業体制を通じてシステム全体の経済的余剰・利益の大半を握る。自由な賃金労働が優越。

周辺　鉱山業や農業などの第一次産業に集中。「中核」の工業製品と「周辺」の原料・食料の交換の形で貿易がなされ、格差をうみだす（不等価交換）。奴隷や契約労働者などの非自由市場が展開。外国資本が自由に活動する植民地的な状況がみられる。

図6　ウォーラーステインの近代世界システム

テム論」や、前近代に富を蓄積したのは非西洋、特に中国で、その富が西洋にもたらされたとするA・G・フランク※の『リオリエント』といった、従来の西洋中心史観を脱却しようとする動きのうえに出てきたのが、いわゆるグローバル・ヒストリーですよね。

　ところがその視角や概念、データの集め方や使い方が従前の西洋史の基準・方法そのままで、西洋以外の地域の事情を正確に考慮しているようには思えません。

　グローバル・ヒストリーの経済史版ともいえるポメランツ※の『大分岐』にしても、一八世紀まで「均質」だった東西・欧亜が、一九世紀に「大分岐」して西洋が優位に立つという話なのですが、東洋史学的にはアジアの先進性は自明のことですし、そもそも東洋史学の研究成果を無視して数値的なデータだけで東西を「均質」だと安易にすませてしまっているところがあります。彼らにしてみたら今までの西洋中心史観を脱却したつもりなのでしょうが、アジアを研究している我々からしたらとてもそうは思えません。

私が「グローバル・ヒストリーについて批判的なことを書いたときに、「それもひとつのグローバル・ヒストリーだ」というご指摘をいただいたことがありました。ただ、「グローバル・ヒストリー」という言葉の使い方の根源まで、その人は全然意識していないのだなと思いました。

鈴木　グローバルとは「全地球大」という意味ですよね。でもグローバリストたちがいっているのは、「ナショナル・ヒストリーじゃない」という程度の意味合いだと思うんですね。

岡本　そこなんです。ヨーロピアン・ワールドでもなくヨーロピアン・ネイションでもなくて、そこからもうひとつ外に出ているからグローバルだという、それだけのことで、頭の中はナショナルでありワールドでありヨーロピアンでしかないという。ここまで書いてもそれがなかなか伝わらないというのが、日本人がどれだけ西洋化してしまっているかという好例で、なかなか頭が痛いところです。

鈴木　岡本先生の「グローバル・ヒストリーというのは、所詮は西洋史だ」という指摘は、まさに名言だと思います。いまのいわゆるグローバル・ヒストリーでは、だいたい大航海時代以降が中心にな

アンドレ・グンダー・フランク（一九二九～二〇〇五）　ドイツ出身の経済学者。ラテンアメリカの従属学派の業績を基に新従属理論を提唱。主著に『リオリエント』など。

ケネス・ポメランツ（一九五八～）　アメリカの歴史学者。アメリカ歴史学会会長（二〇一三～一四）。主著に『大分岐――中国、ヨーロッパ、そして近代世界経済の形成』など。

ります。要するに西欧が原動力になって、唯一のグローバル・システムをつくり出していく過程がグローバル・ヒストリーで、他の地域も巻き込まれているから入っているというだけの話で。他の地域の文化的差異はあまり視野に入れていないように思うのです。

岡本　というか、みてないんですよね。

鈴木　やはり世界史をバランスよくみていくためには、文化圏の違いを認識して、横並びで各文化圏の歴史を追うけれども、一七〜一八世紀以降ぐらいは近代西欧を中心とする、まずはグローバル・ネットワーク、さらにグローバル・システムができてくるので、そのグローバル・システムへの組み込み過程としてのグローバリゼーションの新段階とそれぞれの文化を持った文化世界がそれがどう関わってきたかを、横並びでみていくという方が、よろしいように思われます。

ただグローバリストの方々というのは、そういうことをあまり自覚的になさっていないのではないでしょうか。そもそも「文化」の違いにあまり興味がないのです。だいたいウォーラーステインも文化にほとんど興味ありませんでしょう。もっぱら経済史なんですよね。

岡本　彼は元々イギリス帝国史からきてますよね。そのイギリス帝国史のシステムの発想なので、経済支配・分業体制なんですよね。

鈴木　しかもあの方自身は文明世界の歴史の専門研究をなさったことがなくて、西アフリカの現代史がご本職で、博士論文は西アフリカ・ガーナの現代史だったそうです。おかしいことにグローバル・ヒストリーの先駆者みたいな方は、A・G・フランクにしても近現代ラテンアメリカの専門家で、文明世界中心部の歴史の専門家があまりいないのですよ。ベネディクト・アンダーソンだって、専門はインドネシア近代史ですから。インドネシアって、表現は悪いですがイスラム世界の辺境です（笑）。イスラムが土俗化している世界で、支配組織などもおそらくそれほど整備されていないため、組織内のキャリアコースのような当たり前のことを「巡礼」などと奇妙な呼び方をしてしまうように思われます。

岡本　いまでは人数は一番多いですけどね。おっしゃる通りです。

鈴木　フランスの歴史家で『地中海』を著したフェルナン・ブローデル※なども、アルジェリアに高校の先生として何年もいたのに、難しいからとアラビア語をマスターしていないのです。ですからあの方の地中海史の中心はラテン文字世界の地中海部分、つまり地中海世界の「西北四分の一」の歴史なのですよ。ただ、それではまずいということはご本人もわかっていて。当時、オスマン朝の社会経済史を文書を使って研究されたトルコ最初の専門家でオメル・ルトフィー・バルカンという先生がおられて、フランス語でも論文を多数書かれていますが、ブローデルはバルカンと盟友で、バルカンの論文も読んではいます。

ブローデルの『地中海』、その初版をバルカンが読んで、自筆であちこち書き込みした本人の私蔵本

フェルナン・ブローデル（一九〇二～八五）　フランスの歴史学者。アナール学派の代表的存在として知られる。主著に『地中海』など。

を現地にある私の知り合いの古本屋さんが手に入れて、そのコピーをくれたので持っているのです。

岡本　あっ、そうなんですか。

鈴木　比べて読もうと思うんですが、まだできていません。私は緑色のハードカバーだった第二版を読んでいる途中でトルコに留学したので、半分ぐらい読んだところで友人に貸して出かけてしまいました。そのあと、イスタンブルにいる間に英訳が出て、それは全部読みましたが。フランス語の第二版は第一巻の途中までで、全部は読めていませんが、とにかくブローデルの『地中海』が中心的に扱っているのは地中海世界全体ではないのです。

岡本　本当にそうで、結局ラテン人はイタリアが好きで憧れているだけなんですよ（笑）。グランドツアー※にしても世界遺産にしても、その発想です。そうすると、近世・近代以来、全然「進歩」がないような……。

鈴木　しかもあの方は地理的環境を生態から論じておられますが、文化の違いがいまひとつわかっておられないところがあるようで。例えば、実際には同じ地理的環境で同じ生態的環境で同じ素材を使っていても、つくられる料理は全然違うのです。イタリア料理、スペイン料理、フランス料理、それからエジプト料理、シリア料理、トルコ料理など、同じ地中海世界でもかなり違っています。しかし一方で、トルコ料理と新疆ウイグル自治区のウイグル料理には、違いもあるけど共通しているように見えるところがあるのです。食というのは非常に重要で、食と食の作法というのはかなり決定的だと思います。着物や家がなくても、穴ぐらか木陰があれば裸でも暮らせますが、ものを食べずには人間は暮らせませんからね。人間も動物ですから。

自己世界史から普遍史へ

鈴木　西欧の場合、元々世界史というものがないかというと、私の考えでは世界史に近いものはあった、それはいわば「自己世界史」、つまり「自分たちの世界の歴史」だったと思うのです。ただ自己世界史でも創造神話、創造神の話を持った人々はかなり違っていて、ユダヤ教徒、キリスト教徒、イスラム教徒は唯一絶対の創造神があるので、天地創造から始まる普遍史があり、今度は真の信仰が伝えられてからのキリスト教世界の歴史、イスラム世界の歴史といった具合に、真の信仰の世界の個別史的な自己世界史に入るのです。

その世界創造、創造神話というものがない地域では、宇宙創世史、真の教えが生まれて広がる歴史という部分がいまひとつはっきりしないところが出てくるかと思われます。

岡本　中国がそれですよね。別の体系と考えた方がよいかと思います。ですので、一神教世界の方の

グランドツアー　イギリスで支配階級の子弟教育の仕上げとして、家庭教師を伴って行われた長期周遊旅行。一七世紀後半から一八世紀に盛んになり、イタリア、フランスが主な旅行先となった。

ヒストリオグラフィー（歴史叙述）の体系、それから中国史的なというか、漢字世界のヒストリオグラフィーの体系というのは、二分されるような感じ。

鈴木　はい。梵字圏がよくわからないのですが、あそこは歴史の本というのがほとんどないようなのです。

岡本　ないと思います。ないのがあの世界の……。

鈴木　特徴みたいなところがあって、スリランカなどの『マハーヴァンサ※』とかいくつかあるようですが、一般的には歴史などには興味がないような感じがします。

岡本　そうですね。時間的に何か記述をしていくということに関心がない。

鈴木　その点はギリシア人に似ているのかもしれません。ギリシアではこの世界は仮の世界で、真の認識は成りたたないからというのです。それでもギリシア人はそれなりに歴史を書くけれど、インドの人は多分どうでもいいことだと思っていたんじゃないかという気がします。ところがその地にイスラム教徒が入ってくると、主にペルシア語ですが歴史書がつくられるようになり、それがムガル朝まで書き継がれて、よくわかるようになります。それでも、インドのヒンドゥー教徒が自分たちの歴史を梵語系の文字を使って書くということについてはあまり熱心ではなかったようです。

岡本　ないですね。

鈴木　それと全然違ってイスラム圏の場合は一神教圏なんで、非常に熱心に歴史を書きますね。ただ書き出す理由が違って、歴史学として発達したのではないのです。神が人間に求められたことを求めていくときに『コーラン』だけでは足りないところがあるので、それを補うために預言者ムハンマドの言行についての伝承であるハディース※を集めます。そのときハディースが正しいか、正しくないかを見分けるために言行を伝えた人物について調べます。その人物が嘘つきか、そそっかしいか、真面目かなどという基準で分けて、ついでに絶対見聞きできなかったはずなのに見聞きしているというのを割り出すために、空間と時系列に人間をおいていくという作業をやって、それがもとになって歴史ができたようなのです。要するに、自世界中心史としての自世界史はあったけど、グローバル・システムに包摂される全てを包摂する世界史というのはなかったし、グローバリゼーションが著しく進んだ今でもまだないのかもしれないと思います。

岡本　でもどこまでいっても、自己中は自己中だというところは、歴史の場合はどうしてもしょうがない。先生がおっしゃったイスラムの教義を説明するために歴史ができる、儒教の教義を説明するために歴史ができるのは、当然ともいえる論理で、しかも儒教の場合は政治と密着していますので、い

マハーヴァンサ　古代スリランカの史書。五世紀末、修行僧マハーナーマの著とされ、インドで仏教が開かれて三世紀アショーカの頃までと、仏教がスリランカに伝わり四世紀マハーセーナ王の頃までの発展の歴史を叙述。
ハディース　預言者ムハンマドの言行についての伝承。イスラムでは『コーラン』についでムスリムが従うべき規範の根拠とされる。

よいよ政治的に凝り固まるような形で、王朝史でしかない。普遍史にはならないというところが、東の方の歴史の特徴で、自世界中心観というのはまったく同じなんですが、それでもやっぱりそれまでの思想宗教、いわゆる文字世界のくせというものによって、書き方とかというのが変わってくることは先生のお話を聞いて、なるほどな、と思いながら感じていたところです。

華夷思想は、中国あるいは漢字そのものがその形で世界を捉えることしかできないという部分があるので、歴史の書き方もそうなってしまう。それがもう少し広がってくる契機が中国史の転換になると思います。グローバリゼーションの時期、西欧人の軍事からはじまって、経済が後からついてくる過程で、東アジアの漢字圏はなかなか、その政治組織の変換だとか、あるいは文字思想の転換にはなりにくかったというところがあります。もちろん武器などは比較的に早く入ってきたりしますし、元々火薬とかを発明したのは東アジアの方なので、そういう点ではわりと受け入れています。一六世紀あたりは中国の人たちもオープンな側面も出てくるので、受け入れはするものの、それがなかなか全体的な転換にはならないというところが、東アジアの場合は面白いですね。

東アジアの方は、近代・西洋のイノベーションはすべて日本経由で入っていきます。日本の役割は非常に大きいと感じています。

西欧がなぜあれほど軍事力が大きくなりえたかとか、経済力が大きくなりえたかと言うあたりは改めて議論する必要があるかなと思います。西欧人の歴史観も自世界中心史観で変わらないので、それはそれで、歴史の書き方は文字と宗教思想に密着しているものなので、そこはしょうがない部分があるのだと感じます。

第2章

「世界」の捉え方——東西、華夷

自世界中心史観と序列

岡本　アジアとヨーロッパ、イーストとウェストという概念、ないし序列ですが、これらは要するにヨーロッパ人の見方ですから。先ほどの話とも関連する、西欧の自己中心史から出発する話になります。

鈴木　「アジア」というのは、ヨーロッパがまずあって、その東の方がとりあえず「アジア」になって、その知見が増えるとさらに東に広がっていくかたちです。東と西というのも、まず西があってどんどん東に、言い換えると「オキシデント」があってその東に「オリエント」があり、当初の「オリエント」は小アジア（アナトリア半島）程度をさすものだったのが、だんだん広がっていく。

それでユーラシア大陸の東端まで来ると、あんまり伸びすぎて「東」を分けないと困るというので、不思議なのが遠い方から区分していくのです。『オクスフォード・イングリッシュ・ディクショナリー』で前に調べたことがありましたが、ファー・イースト（極東）が一八五〇年代に出てくるのです。そのあとにニア・イースト（近東）がでてきて、ただこのときのニア・イーストにはバルカンが含まれています。オスマン帝国の残存部分がニア・イーストだったらしい。

さらにアメリカの海軍軍人で『海上権力史論』を著したアルフレッド・マハン提督が、インドが国際政治の焦点で、インド周辺の戦略的要点をさすためにミドル・イースト（中東）という言葉を使ったそうで、またジャーナリスト・外交官のバレンタイン・チロルという方がさっそくその概念を使って『ミドル・イースタン・クエスチョン（中東問題）』という本を一九〇三年に出版しています。その呼称がまずイギリスで定着して、イギリスでは戦間期ぐらいに「中東軍管区」がつくられたそうで、それがいまでいう中東の中核部分らしいのです。

古代オリエントのことはニア・イーストとしばしばいわれて、「古代近東の文明」などというのですが、だんだんアメリカでもミドル・イーストを使い出すようになります。また、このミドル・イーストとニア・イーストを総称するニア・アンド・ミドル・イースト（中近東）というのがあって、戦後日本の外務省は中近東課というのをつくったのです。ただその後やめて、中東課になったらしいです。ですからあれもみんな夷狄起源で、「西」が上で、さすがにそれほど自信がないから、こっちが中華であっちが夷狄とは言わないのです（笑）。

岡本　ただ序列は明確にあって、東より西の方が偉いのですよね、やっぱり。

鈴木　多分そうだろうと思います。ローマ人も自分たちのことをオキシデントと思っていた。ローマは中国に似ているかもしれませんね。一応、国境（リメス）っていうのはあるけども、本当の国境はないのですよね。

岡本　ローマの場合は明確に強大な外敵がいましたから、そういう点では境界ははっきりしていますし、ディオクレティアヌスのテトラルキア（四分統治）※に典型的にみられると思いますけど、ローマという中心が揺らいできますので、そういう点で中国とはだいぶ違うかなと。

鈴木　「人の住む世界」のことをオイクメネとは言っているらしいのですが、いわゆるローマ帝国の中でローマ化がどれだけ進んだかという実態がみえてきません。中国の場合は華化が本当にかなり進んでいたと思うのですが。

岡本　何を華化とみるかにもよりますが……。究極をいえば、漢字を使うだけですけどね。

鈴木　そうですが、やっぱり箸も使うし、自分たちは中華だと思い出しますから。ローマの場合、ラテン語が田舎っぽくなったのが俗ラテン語で、それが母語になってフランス語、スペイン語、ボルトガル語、イタリア語、ルーマニア語などができてくるので、それは華化したのに近いと思われます。一方で、ゲルマニアの南半分だとかブリタニアでは俗ラテン語が母語にならないで、ゲルマン系の言葉が残ってしまいます。ローマ帝国の南半分はそのままでいけばどうなったかわかりませんが、イスラム教徒がとってしまったので、アラビア語になってしまったのです。

　また東半分は結局、西ローマ帝国が滅んだ後にギリシア化が進んでしまって、公文書も基本的にはギリシア語で書くようになって、ラテン語と並列だったのが、ギリシア語の方が上になってしまいました。

岡本　だいぶ早くからそうなりますね。

鈴木　比べるとしたら、ローマでしょうけど、中国に比べるとずっと同化力が弱いのかもしれないと思うのです。イスラム圏も中国ほどでなく、南半はアラビア語になりますが、北半は母語が全然変わりませんから、やはり中国は非常に特別なように見えます。中国人は、元来は東西なんていわないで、あくまで自分たちが「中心」で東西南北すべてが野蛮人ですよね。ローマ人も西欧人も東西といっているところを見ると、それほど自信がないのでしょうかね。

岡本　そうですね。中国も本当に同化しているのかよくわからないところがありますけど。漢字・漢語という書記言語が特殊で、その威力は絶大ですよね。だからそこが全然違うんだと思います。

ものの考え方の違いかなと思いますけど、元々西欧って二極化と言うか、二つですよね。善と悪とか。それってペルシアのゾロアスター教※あたりからきているんだと思うんですけど、悪魔と神とかいうかたちなんで、西と東というのも、なんとなくそれでわかるかなという気がしますけど。

中国の場合はそれが一転しているというか、対は取るんですけど、その間というか中庸が一番偉いという考え方になって、どっちに行っても偏っているからダメだと、「過ぎたるは猶及ばざるが如し」というわけですけど、まったくそうなんです。中心でバランスが取れているという。中心が一番偉いという

テトラルキア　ローマで外敵侵入への対応と反乱防止のためにディオクレティアヌス帝が開始した、帝国を四分割して二正帝と二副帝で分担統治する体制。
ゾロアスター教　ゾロアスターを開祖とする、イスラム教以前のイランを中心に流布した宗教。ササン朝では国教とされた。善悪二元論、最後の審判を特徴とし、火の崇拝を重視することから拝火教と呼ばれる。中国では祆教と呼ばれる。

状態が一番偉いという考え方ですので、二極化してせめぎ合って、こっちが勝つみたいな考え方じゃないんで、そのところが全然違うんです。

「劇場」と一座（王朝）——中国史の特徴

鈴木　漢字圏には華夷思想みたいなものがずっと基礎にありますが、ただ中国の歴史というのは必ず中華の華化が及ばない野蛮人たちも視野に入る限りは中に取り込んでいって、要するに『東夷伝』などのように、同じ自世界史でも自世界だけではない広がりについて知りうる限り情報を集めるものが一方でありました。

それから王朝史というものがあります。内藤湖南※先生に中国の歴史の起源についての論考があって、ある王朝が天命を受けて成立し、天命を失っていった過程を、それに続いて天命を受けた王朝が天に対するレポートとして書くということになっていったと指摘されておられます。

ここで面白いのは、一〇年ほど前に中華人民共和国が辛亥革命一〇〇年を記念して中華民国史全三〇巻を編纂すると言い出したそうなのです。中華民国（台湾）の場合は日中戦争中も国共内戦中も、逃げ回るときに檔案（とうあん）（歴代政権の公文書）をたくさん持って逃げ回って、台湾に行くときにもごっそり持っていって檔案館をつくっておりまして、『清史稿』から清史を書き始めています。あれはやはり清朝の天命が尽きて、中華人民共和国ではなく自分たちが天命を受け継いだのだといいたいのでしょう。

私が思うに、中華の歴史というのは「劇場」の歴史だと思うのです。中国という「大劇場」はずっと立ち続けていて、そこに次々に登場する劇団一座が「王朝」であるというイメージです。要するに各一座が演目を始めてこれが終焉するまでの歴史としての王朝史ですので、「大きな枠」としての「大劇場」を常にどこか意識しつつ、天命を受けた王朝の「一座」がどんなであったかを描いているように思うのです。

イスラム圏の場合にも王朝史はあります。人類史、それから正しい教えが伝わったあとどうなったかという歴史、そしてその中で興亡した王朝史ですが、中国の王朝史にみられるような、はっきりした「大きな枠」への意識がないのです。大劇場を丸ごとある一座が請け負っていた歴史という具合ではなくて、その中でいろんな広がりを持った王朝があった、その王朝史を書いているという感じです。比べると、どこか意識が違うところがあるように思われます。

西欧の場合はキリスト教世界、もっともキリスト教世界といってもカトリック世界でカトリックの普遍世界が前提になっているけれど、その中で劇場がバラバラに分裂してしまうので、バラバラの王朝史になっている。それが近代になると、次第に国民意識と民族意識とがつながってくるので、自民

内藤湖南（一八六六〜一九三四）明治〜昭和初期の東洋史学者。新聞記者として中国問題の権威となり、京都帝国大学教授。主著に『支那論』『東洋文化史研究』など。

族による自国史のようなものになっていったところがあります。イスラム圏の場合もその「悪影響」を受けて、二〇世紀になると民族史としての自国史を書き出すのです。

その点、ローマ帝国やビザンツ帝国の場合もわりと中国に似ていて、「劇場」の歴史だと思うのです。ただローマとビザンツの王朝・政権は変転が激しくて、中国に比べるとまったく長持ちしていません。従ってローマなりビザンツでは「劇場」に登場する一座の多くが三、四代で潰れてしまうので、「なんとか朝史」という王朝史になりにくく、その中で権力の中枢を握ったのが誰かという具合になってしまうことが多いかと思うのです。ですからビザンツ帝国にしても一〇〇〇年続いたというものの、その中で去来した王朝は、朝鮮半島の新羅や高麗や朝鮮王朝みたいに、四〇〇年だの五〇〇年だの続いたわけではないです。

つまり中国の場合も、ローマやビザンツの場合も、根本的に「大きな劇場」があるという意識があって、その「大劇場」の外のことについても関係があったら触れるという姿勢ですが、その外への目配りが中国の場合は抜群にいいという特徴があります。ただローマなどは王朝の変わり方が早いので、歴史にしても「舞台全体の歴史」という意識が中国よりは薄いのでしょう。

岡本　そうですね。「中国」というぐらいですので、確固たる中心意識があるんです。

鈴木　はい。中国というのは普通の国ではない中心だと力説していらっしゃる。

岡本　中心なんです。ですからその中心を書くというのが目的なんですよね。ですので、先生は「劇場」と巧みに比喩なさっていただいて。劇ですから主役と脇役、シテとワキが必ず必要で、その主役兼演出の配役・役割は「中国」である、というような顔です。キャストは決まっていますが、誰がやってもいいわけです。中心の歴史ですから中心は一つでないといけないので、ただ中心であることを描こうとすると、中心だけではダメで、周りがないと中心ではないので、周りの支えているものとか、周辺に位置するものに目配りがいくという感じなんです。

その中心がどう変わっていったかというキャスティングが、先生がおっしゃった王朝交代という、そんな構造になっていると思うんです。その歴史の書き方とか、規範認識ないし秩序意識というのは、彼らが「中国」と名乗っている限りは多分消えない。「中国」至上・中心なので。

中華人民共和国もまったく同じことをずっとやっていて、だから「一つの中国」と言い募るのですよね。多分自世界中心史観というのはどの世界でも誰しも持っていて、みんな自己中なんですが、あれほど強くない。

というかあれは文字と思想とそれから人間誰しも持っている自己中心主義との往復、オーバーラップというか、フィードバックの繰り返しで、自意識として強く持っている。おそらくイスラムや西欧というのは、中心史観を持っていて自世界中心であるけれども、多分中心になりうるものがけっこうたくさんあって、それを受け入れつつ歴史を書いていると思うんですけど、中国はそれがすごく強烈ですね。そこにコントラストがあるような気もしていますし、いまの世界との軋轢なんていうのも、多分そういうところが作用しているのではないかなと。

中国のことは説明できるんですけど、他との対比でどこから分かれ道ができてきているのかはわかりにくいです。これからの研究課題という気がします。

自世界と他世界の境界

鈴木　イスラムの場合、自世界と他世界というのは、信心者が支配して神の教えが十全に行われているところが自世界で「イスラムの家（ダール・アル・イスラーム）」と呼ばれます。その外側の異教徒が支配して、神の教えが未だ行われていないところは「戦争の家（ダール・アル・ハルブ）」と呼ばれていて、後になるとジハード（聖戦）とは武力によるジハードより精神修養としてのジハードが先だと言い出す人も出てきますが、歴史的にみたら武力によって「戦争の家」を「イスラムの家」に包摂していく努力こそ、イスラム世界をつくり上げた原動力です。境界がはっきりしています。
西欧キリスト教世界の周囲との関係はイスラムに似ておりまして、「キリスト教信者の世界」と「異教徒どもの世界」があって、ある程度境界がはっきりしていると思います。中華の場合は要するに華が文明、すなわち「光」の中心で、その光がだんだん周辺に及んでいって、その光にひかれてやってくれば、頭を撫でてやるという。

岡本　まさにそうですね。

鈴木　よしよし、「倭奴国王」としてやるということになる（笑）。光の中心から遠くなるにつれて薄ぼんやりしていくような、でもいずれは華化されるかもしれないので国境や文化世界の明確な境がなく、中心と周辺のグラデーションだけがある世界のように思われます。

岡本　中国の場合、先生がおっしゃられた「異教徒かそうでないか」という境界というのは薄いですね。ただそれも濃くなってくるときと薄くなるときとがあって、歴史をみているとその辺の強弱が色々あるので一概には言えませんが、それは一神教かそうでないかというあたりの宗教的な性格の違いのような気もします。そこははっきり異なる部分だと感じますね。

鈴木　中国の場合は、少なくとも現在、漢字圏になっている世界や周辺の遊牧民、狩猟民の世界に対して、文明と文化における自らの比較優位について、絶対的自信を持っているのではないかと思われるのですが。

岡本　そうですね。客観的には自信過剰だと思いますけれど。

鈴木　しかし、周辺に中国に対抗できるような文化と文明のシステムを提供できた社会はなかったと思います。もちろん中国が周辺から影響を受けたケースがなかったわけではなく、趙の武霊王※のよ

武霊王（在位前三二五～二九九）　中国戦国時代の趙の王。北族の風習である胡服騎射を採用した話で知られる。

うに遊牧民の戦術を取り入れて胡服騎射するなどということもありましたが、あくまでもそれは部分的影響であって、本当に体系的に根本を覆すような力を持った文明・文化的イノベーションの中心が周辺にはなかった。だから中国の自信が余計に強くなったのではないでしょうか。

岡本 周りが色々影響を与えて、中国「本尊」もかなり変わっているはずなんですが、全部漢字に置き換えて自分たちでやったとか、自分たちの方が優位にあるとか、自分たちに同化したとか、本当は同化されているんですけど同化したという気になるというのが。

鈴木 「気になる」ということが、絶対的自信というか、自己中的自信なのだろうと思われますが。

岡本 自信過剰なんですよね。同化するのもされるのも結果は同じなので、同化されていても、した、と言い張っている局面は多いと思いますから、そこは自信過剰です。

鈴木 イスラム圏の場合は、唯一絶対の神の最後の教えを奉ずるものだというところのみに自信の基礎があるので、中国に比べると弱いところがあるように思われます。

岡本 やっぱり漢字文明が他と隔絶していますので、そこが問題なのかなと。

鈴木 キリスト教世界でいうと、一六世紀の「大航海」時代のスペインにホセ・デ・アコスタ※というイエズス会士・博物学者がいて、西欧人に「発見」されたばかりのアメリカ大陸に渡って『新大陸自然文化史』という書をまとめています。大航海時代叢書（岩波書店）の翻訳で読んだのですが、アコスタは中国を論じるなかで、あらゆる文明より中国が優れていると書いています。ただ、我々が誇るところはキリスト教だ、というのです。

梵字世界についていうと、これは宗教に関わる話になりますが、バラモン教というのは戒律の体系の宗教という性格があって、戒律の及ぶところと及ばないところをかなりはっきり分けていたのだろうと思うのです。古代インドの国際関係論などについての研究書をみても、不思議なことに外との関係のことがまったく出てこない。中国でいったら春秋戦国時代のようなところで、敵国（対等国）間関係に当たる話、つまり同文化世界内の対等国同士の関係についての話だけが出てきて、自文化世界とその外側との関係、つまり中国でいう「中華と夷狄」の関係の話がほとんど出てこないのです。

イスラムの場合は先ほどお話ししたように、「戦争の家」と「イスラムの家」との関わり方に主要関心があって、ルール体系があります。一方で西欧人の方は、異教徒との戦争についてのルールがないようです。イスラムでは異教徒との戦争についても、やっていいことと悪いことについての自己規制のシステムがシャリーア（戒律）の中にあるのです。例えば非戦闘員の扱いをどうするかとか、樹木などをどうするかというきまりがあって、敵対する異教徒に対して「なんでもあり」ではないのです。要するに昔の戦時国際法、今でいう国際人道法のようなものが、イスラム世界には戒律の中にある程度

ホセ・デ・アコスタ（一五四〇〜一六〇〇）　スペインのイエズス会士。ペルー、メキシコに滞在し、当時インディアスと呼ばれたアメリカ大陸が独自の自然・文化体系を有する独立した世界であることを論証した。主著に『インディアス自然文化史』など。

は存在します。その辺はずいぶん違っているように思います。

「文明化」の諸相――ローマ化、華化、イスラム化

鈴木 先ほどからの話で、華化というものがどのように進んだのかという点に戻るようですが、朝鮮古代史の大家として知られる李成市先生（早稲田大学教授）によると、朝鮮半島の地方で出土する古代の碑文の中には、かなりひどい漢文があるのだそうです。李先生とこの話をしていたときにサンスクリットの専門家も同席していて、その方の話では東南アジアのジャワ島で出土した碑文のサンスクリットは、出土する碑文の数は少ないし、出土する場所も限られているけど、非常に立派だったという。

こうした違いについて、私はこう考えました。朝鮮半島では華化がかなり進んで漢文がわかる人もそれなりに多く浸透していたから、地方の一知半解の人間が「見様見真似」でおかしな漢文を碑に書いたものが出てきたのではないか。一方で東南アジアの「インド化」「梵字化」は朝鮮半島の華化ほど進んでいたようには思えないので、ジャワに立派なサンスクリットの碑文が残っているのは、インドからの渡来人のような人が碑文を書いた。だから数が少ないけれど文字は本格派なのではないだろうか。そんな私の意見を申し上げたら、李先生も「面白い」と言ってくださいました。そういう、他世界と比較する視点でみていらっしゃらなかったようなのです。

私がみるところ、やはりローマ化というのは非常に弱いように思います。科挙官僚制についてずっと厳しいことを岡本先生は一貫して書いていらっしゃいますが、ただ民間とお上とあれだけ離れていても大きな枠が壊れないで、中華民族による民族国家としての中華人民共和国なんてものが考えられるような枠ができあがっているのは、やはり科挙のための受験勉強が枠を保つ役目になっていたように思うのですが。

岡本 華化とかローマ化、イスラム化、西洋化なんですが、「化」する方の主体の文明、中心というか、それが当然この中で重要で、それもわかる必要があるんですが、むしろポイントは「化」される方の姿勢・ベクトルというか、そこの問題だと私自身は思っていまして、ローマはローマとしてちゃんとあるんですが、ローマ化される人たちが、なんでローマたらんとするのかということの方が重要なのではないかと。

中国の科挙の問題は、科挙とか中華そのものにポイントがあるのではなくて、庶民の方が科挙を支持するというポイントの方が重要で、今の「中華民族」、実際には存在しないのですけど彼らがつくろうとしている「中華民族」を、支持しているのは当の中国人で、その方が自分たちにとって利益があると思っているんですよね。共産党は崩れないという、そういう構造になっているものですから。

多分イスラムが広がったというのも被征服民の方がイスラムを熱狂的に支持したわけで、そこの動機・モチベーションの方がこういう文明の交錯とかグローバリゼーションを考える上で、重要だという気がします。グローバリゼーションの波を起こしたのは西欧でアメリカだろうと思うんですが、それを積極的に受け入れてる我々自身の問題なんだろうなと。

そこの論理・相関関係というあたりが今後見ていくべき問題でして、起こした方の中心はいくらでも解析できると思うんですが、「化」される方の事情とかポイントというのは、それまたすごい多様だと思うんですが、その多様を一つずつみていくと、しらみ潰しになってしまって収拾がつかなくなりますので、そうではなくてどこにそういうモチベーションの共通する部分、あるいは異同がうまくつかめないかなという。そんなふうに思いました。

ですので西欧化とグローバリゼーションというのは一九世紀の後半から現在に続く一貫したプロセスですが、西欧化というのを熱狂的に支持してるのは我々なので、なぜそうなのかというあたりは、むしろ自分たちの問題だと思います。

鈴木　いま触れられた「グローバリゼーション」は、現今いわれている意味でのグローバリゼーションかと思われます。ただ私としては、それは、原人が東アフリカを出てまず「旧世界」の三大陸に広がりはじめて以来の、超長期のグローバリゼーションのひとつのフェイズかと思うのです。ここで一般に「イスラム化」といわれてるものについては、私は三段階で捉えています。イスラム化というのはイスラム教徒の支配が及んでイスラム的な要素が少しずつ染み込んでいく状態で、その次の段階がムスリム（イスラム教徒）化で、非ムスリムだった人々がイスラムを受け入れていく過程が進行し、そのムスリム化が進行するとアラビア文字化が進行します。

その後、今度は母語がどうなるかがあって、ローマ帝国の南半分だったところはアラブ化してしまいます。北東部にあたるアナトリアのトルコ人や、北半の中央部のイラン人、北半の東半のインド亜大陸の人々は母語は保つ。しかしムスリム化・アラビア文字化することで、アラビア語の語彙を大量に取り入れます。

それから「西洋化」については、華化に比べるとずっと緩いイメージです。近代西欧モデルの、文明の比較優位を持つ部分をとりあえず取り入れて、近代西欧に飲み込まれる、あるいは飲み込まれた場合には自立性を取り戻そうとする努力を行っているという段階が「西洋化」で、文明的な圧倒的比較優位を認めつつ、文化の面でも近代西欧の文化に関心を持ってある程度取り入れることになる。ただ「西洋化」とは「華化」、つまり中国に包摂された人々が漢文を習得してそれを読めるようになり、漢語が話せるようになり、自分も文明の中心を担う者たちの一員になったとまで思うようになったのとは違って、洋服を着て「西洋風」のものがわかるようになった状態ぐらいだろうと思います。それは「西洋化」した日本人をみればわかりますが、「西洋人」になることではないのです。

岡本　まだ二〇〇年も経ってないですからね。

鈴木　せいぜいで一〇〇年から一五〇年です。それで、「西欧」の優越がもう壊れてきていますからね。ですからこれはローマ化よりもっとゆるいことになるかと思います。

ローマの場合は、西ローマ帝国の北半分のうちで、地中海の西北岸はロマンス語圏になりましたから。母語がケルト系だとかゲルマン系の、主にケルト系ですが、その人々の母語が俗ラテン語に変わって、かなり浸透したのは確かなのです。ただローマ帝国は全ローマ帝国の自由民にローマ市民権を与えましたが、与えられた側がどんな人々だったかに非常に興味がありまして、それは形式的に与えられただけだったのではないかと思います。

岡本 西ローマの場合はローマ帝国のあともローマカトリックが引き継いでいますので、もっと長いスパンで捉えるべきだと思います。

鈴木 まだ東西に分かれる前のカラカラ帝が全ローマ帝国の全自由民に市民権を与えているのですが、市民権などという非常に緩いものでしか統合の基礎を提供できなかったのは、「ローマ化」が非常に緩かった証拠だと思います。ただ、西ローマ帝国滅亡後にその衣鉢を西欧人が継いだところがあることはすでに触れた通りで、私も短いタイムスパンで捉えているわけではありません。

漢字世界は「異様」か

鈴木 ローマのように市民権なんて野暮なことを言わないで、中国の場合、華化が進んで、「文化的な殻」がかなりしっかりしているから、お上と民が非常に隔離していて、民は大変な暮らしをしているかもしれませんが、「大劇場」は壊れずになんとかやっていける。それが世界からみたら大変なことで、東アジアのご出身で東アジアが御専門で、東アジアをみてらっしゃる方には、その「大枠」が超長期的に保たれているということの大変さがわからないのではないかと思うのです。

岡本 それはそうで、やはり南方の方ですけど、別に暮らしていけるんですよね。小さいコミュニティはずっとありますので。

鈴木 それはもちろんどこでもそうです。でも、「中華民族」たりうるかもしれない部分の版図が徐々に広がりながら、この部分がずっと一つの大きな殻・枠で保たれてきたことが特異だといえます。もちろん、それほど密接に統合されていなかったとしても、外との関係、外に対する殻としてという意味です。

岡本 本当に周りは弱小ばっかりなので、そこが西方とは違いますね。

鈴木 確かに空間の性格が閉鎖空間だったのが大きいですが、閉鎖空間でも守るのは非常に大変で、エジプトは閉鎖空間だったのに、プトレマイオス朝はなんとかかなりの程度に「エジプト化」できたものの、ローマ帝国期に「ローマ化」がどれほどだったのかはよくわかりませんがキリスト教化は進んで、ついには結局ムスリム化してアラブ化してしまいましたから。あれはやはり開放空間でできた空間拡張型の政治体が次々と入ってきて、だんだん揺らいできて、最後にムスリムが入ってきて壊れてしまうのです。

東アジアの方々というのは、多様な人々の大きな集団をまとめるのがどんなに大変かということが基本的にわかっていないと思います。日本人はとても異様な環境で暮らしている人間なんですよ。同じ王朝が一五〇〇年も続いていて、同じ王朝の支配下にあった空間が一〇〇〇年間以上揺るがないで保たれているのですから。そういう事態というのは西方からみると本当に「異様」で、朝鮮半島と日本と中国ぐらいではないでしょうか。

岡本 中国は中原・華北は色々ありますけど。

鈴木 あるけど大枠としての「大劇場」は保たれたわけですから。

岡本 あれを「保っていた」と言うべきかどうかは議論があるところで、漢語という古典・経典と不可分の文字体系がずっと続いているだけなので、中身は変わっています。そこをみな錯覚していて、精確な異同・変化には多かれ少なかれ、きわめて鈍感です。中国を絶対的停滞と断じたヘーゲルと同じ陥穽に落ちかねないかもしれません。

鈴木 それは変わってますけれども、あくまで大枠の殻の話です。殻が保たれるのが大変なことなんです。それが日本人も中国人も韓国人もわからないと思います。殻が保たれている世界で生きているから。これはオスマン帝国史に長年かかわってきた者として、痛切に感じるところです。

岡本 西方の基準・概念からみるとそうだと思います。

鈴木 しかし、西方の基準が今のところグローバル・スタンダードですし、それで東アジアの人間も文明だけでなく文化の少なからぬ分野でも受け入れているわけで、漢族が中心をなす中華人民共和国の共産党指導者までもが西欧由来の「民族」主義を唱えているのですから。漢字世界というのは非常に異様な世界です。それなのに東アジアの人たちは比較の視点を根本的に欠いているところがあります。よそと比べたら特異な世界だというのがわからないと、統合の基軸をなすアイデンティティの問題の深刻さが理解できないのです。日本人のナショナリズムを論じている方はそこがわかっていないと思います。

岡本　確かに「わかっていない」のですが、我々がわからないとか異様に見えるところの本質を、西方の人だけでなく、先生のように東洋史・日本史の人とも議論することがあるんですが、そろって漢字世界は全然違うから関係ないんだという扱いをされるわけです。

鈴木　それは失礼ですが、ハンパな「西洋かぶれ」だからそうなんです（笑）。私は西洋かぶれでなく、いわば「アジア」的近代主義者ですから。アジアという言葉を使いたくはないのですが、他にいい表現がないので。私は漢字世界とアラビア文字世界、そしてラテン文字世界の「三つの世界」を一般の「東アジア人」よりはよくわかっているつもりで、実証的な比較研究を考えているのです。

岡本　漢字世界でも日本や朝鮮半島は、本当に異様だと私も思いますが、中国、特に中原は西方の世界とかなり共通している部分もありますから、中国は多元的で複合的なんですね。そうした実情と思考表現手段としての漢語との関係、あるいはギャップを理解しておかないと、西方との比較そのものが難しいと思いますし、中国のことはもとより、また同じ漢語を使いながら、中国とは異なる方法で、それを「殻」としてきた朝鮮半島も日本列島も理解できないと思います。

鈴木　そうですね、五胡十六国になって南北朝になり、隋唐のあとでも、五代十国でばたばたしていて。

岡本　その点は共通しているというか、以後もそうなんですが、その部分が大きくて、そこはきちんと理解する必要が私はあると思っていて。

それを中華主義とか華化とか言って中国の歴史は別個なんだという。そこが「西洋かぶれ」であると同時に、実は逆に中華主義者でもあるんですよね。それはやはり繰り返しになりますが、漢語で書いてあるという部分が非常に大きいです。

鈴木　確かに、漢語で書いてあるものだけが大量に残っているので、そういうものだと思ってしまう。

岡本　そこをなんとかできないかというのがずっと私が考えてることなんですけど。

鈴木　そうですね。漢字世界の場合は周辺のイノベーションを受け入れた方でも、朝鮮半島では伝統的にはもっぱら漢文で書きますでしょう。ベトナムも大体漢文で書いて、日本は漢文でも書けないことはないが、和文のものが大量に残っていて、日本だけかなり特殊なのかもしれません。沖縄も日本の方に近かったかもしれませんが、沖縄戦で何もかもなくなってしまいましたから。ただ中国の場合、やはり何も「西洋」を基礎にしないでも、七〇〇万平方キロメートル近いコアになる部分の枠が保たれ続けている。秦・漢から隋・唐の時代にまで大体基本的な枠ができて、それが保たれ続けているというのは非常に異様で、「西洋」からみてだけではなく世界的に珍しいと思います。

岡本 「隋・唐の時代」とおっしゃるので、律令や科挙をご念頭に置いておられるかと思いますが、そこが我々の間でも難しいところですね。唐の「殻」「枠」ははじめから怪しいですし、以後は転変ばかりしています。やはり「保たれ続け」ているのは「殻」にみえる漢語の建前だけとみるほうが無難かと思います。もちろん朝鮮半島や日本列島は、別途考えるべきなのは当然です。

鈴木 隋・唐段階ではまだ科挙の影響の浸透度は大したことはないかもしれません。しかし、まずは政治的な直接支配の領域のコア部分は少なくとも隋・唐には固まったように思います。その証拠に五代十国の「一乱」の時代を越えて、いかにも漢族的な、軍事的に弱体な宋・明でもほぼ受け継がれているのですから。その土台の下に科挙の影響が「大劇場」内に染み込んだのだと思うのです。

東南アジアを文化世界からみる

鈴木 よく東アジア儒教世界というけれど、私は東アジアというとき、東南アジアをまとまりとして見ようとしている先生方からすると反発があるかもしれないですが、ベトナムは地理的・生態的環境は確かに東南アジアではあるけれども、文化的には「漢字世界」に属するとみなすべきだと思うのです。

岡本 そうですね。「漢字世界」に足を突っこんでいるところがベトナムの強みだともいえます。日本もそういえるかもしれません。しかしそれも東南アジアは、北ベトナムだけでしょうか。旧サイゴン（ホーチミン）など、南ベトナムは少し違うかもしれません。

鈴木　先ほど一九世紀の西欧人たちによる「イースト」の区分の話をしましたが、最初に「ファー・イースト」（極東）ができたとき、その中にベトナムが入っているのです。要するに中華圏なのです。だから地理的・生態的環境と引き離して、文化的・政治的・外交的環境については、ベトナムは中国の影響が非常に強いのです。あの世界を捉えるときは、東アジアといっても一九世紀の西欧人のファー・イーストを、東アジアと読み替えるようにすればと思うのです。だって一九六〇年の安保条約論議のときも、日米安保条約の適用範囲にベトナムが入るかどうかが議論になっていたわけです。歴史的にみたら、ファー・イーストに入っているのではないかというので。

岡本　東南アジアの人に怒られますけどね。

鈴木　でもベトナムは箸文化圏で漢字圏ですから、地理的・生態的環境の問題ではないのです。東南アジア研究者の方々が生態的環境を強調されるのは、東南アジアは地理的・生態的環境でしかまとまる軸がないところだからです。

東南アジアというのは三つの文化世界から成り立っていて、タイの南部からマレー半島、それから今のインドネシア、ブルネイのある地域はイスラム世界（アラビア文字圏）なのです。そして大陸部のミャンマー、タイ、カンボジア、ラオスが上座部仏教世界（梵字圏）で、東端のベトナムだけは漢字圏なのです。
イスラム世界をみたらわかるのです。イスラム世界には熱帯雨林地域から砂漠地域までほとんど全部あるのです。一度東南アジアご専門の先生方と研究会をして、そこがまったく噛み合わなかったですね。地理的・生態的環境を超えるような世界があっては困るようだったですね。
東南アジアの食文化をみれば明らかで、イスラム圏に当たるはずのマレー料理、インドネシア料理はインド由来のカレーが入っていますが、ベトナムにはカレーは基本的にはないのです。日本のベトナム料理店では東南アジア料理だからというので日本人向きにライスつきのカレーを出していて、ベトナムでもカレーを食べることはあるそうですが、麺にかけるようです。食の作法は漢字圏と同じく箸で食べます。

岡本　東南アジア学という学問体系を成り立たせるためにはそういう主張をせざるを得なかったというところは多分あって、なかなかつらいですよね、彼らは。東南アジア、特に日本の東南アジア学は中国から独立しないとはじまらなかったというところがありますので、なかなかその辺が彼らとしてもそれを強く言わないと、自分たちのアイデンティティがなくなるというところがあります。

鈴木　ですが、ひとつの地理的・生態的環境にはひとつの文化圏しか成立できないと考えるのは、いささか不思議なのです。私は共通の地理的・生態的環境に複数の文化世界が成り立つのは可能だと思っていて、例えば「地中海世界」がまさにそうです。東南アジアは現代に入ってからアセアン

（ASEAN・東南アジア諸国連合）としてのまとまりができつつあるのは事実で、そこは「地中海世界」の現状とは異なりますが。

近代に遡ると、そもそもインドシナという概念はフランス領インドシナができたからです。

岡本 それもベトナムの世界観ですからね。元々は。

鈴木 ベトナムはスモール・ドラゴンで、中国には朝貢して、対中的には越南王などと称して中国の年号を使って、外交文書をつくっているけれど、国内では皇帝を称して独自の年号を持って法典をつくっていましたね。

岡本 そうです。それで他の仏教圏の国・王朝に、夷狄といって朝貢させて。

鈴木 させているつもりなんですね、あれも。つきあいがあるので、タイにも朝貢させているつもりでいるけど、タイはただ相手に合わせてつきあっているだけで、さらさらそんな気はないのですが。

岡本 そうです。先ほども言いましたが、やってるつもり的なのが漢字圏、儒教のいいところというか、それは当の中国「本尊」がまさにそうなので、遊牧圏を従わせているとか思っているけど、実は中国の方が従わされているような。そういうことはたくさんあって、面白いところかなと。ベトナムあたりは漢字圏で、それが東南アジアのひとつのありようをつくって、それをフランスが受け継いでという形をすごく感じます。

今おっしゃった通りで規範的な意識とか、自己中心史観というのがどのように現れるかというあたりが、文化とか文明を考えるうえで非常に重要なポイントなのかなと思います。私は中国のことしかわかりませんが、ひとつの比較軸にはなるかなと思います。いまのお話でよくわかったんですが、漢字とか儒教的な考え方の持つ意味というのが、改めて認識できました。非常に境界が曖昧だとか中心のつもりになれるとか、そういうのがあらためて認識できた気がします。それがどのように、特にグローバリゼーションで変わっていくか、というあたりが次のポイントになる。あと政治との関わりですね。そこが重要なポイントになるかなという感じがします。

「アジア」と「東洋」

鈴木　ただ近代になって西欧がのしてくると、とりあえず西欧を「西」ないしは「ヨーロッパ」として捉えると、今度はヨーロッパ人から「アジア」と称される側から、ヨーロッパに対して「アジア」だとする意識が出てきます。それからヨーロッパから「イースト」「オリエント」といわれている人間たちが、自分たちを「東」だといい出す。さらにそこから「大アジア主義※」などが出てくるし、特に日本人の間でそれを強調して、岡倉天心による「アジアはひとつ」という考え方が登場したりもし

大アジア主義　明治以降、欧米の植民地支配に対抗するため、日本を盟主とするアジア諸民族の連帯を求める主張。日本の右翼団体の綱領に取り入れられ、のちの大東亜共栄圏の理念ともなった。

ます。ただ「東洋」とか「アジア」というのは、「西洋」や「ヨーロッパ」が出てきたため生まれた対抗軸にすぎないのです。「我々は西洋ではない」「我々はヨーロッパではない」というためにみんなをまとめる言葉が手持ちの語彙の中にないものだから、東洋とかアジアといい出しただけで、「ひとつの東洋」「ひとつのアジア」などというものは元々存在しないのですから。

中国では、いつ頃から自分たちのことを「東洋人」「アジア人」と認識するようになったのですか。

岡本　はじめはないですね。やっぱり日本の影響だと思うんですよ。日本人が西欧語を直訳してアジアとかいい出して、もう一つの翻訳なんでしょうかね。中国語の「東洋」は日本のことをさします。

鈴木　中国語の「西洋」も、せいぜいインド洋あたりまでをさす概念だと聞きましたが。

岡本　元々は「南洋」があって、南の方しかないので、それを東西に分けるんですね。東南洋と西南洋。それを略して東洋と西洋というのが元々の意味です。ですので東の方にあるところというので、東洋が日本なんですよね。だから中国より西の海だったら、みな「西洋」なんですけど。

「東洋」「西洋」という漢語をヨーロッパとアジアに当てはめたのが日本人で、それで歴史学でも「東洋史」と「西洋史」という分け方になって。そうした日本人の用字をそのまま中国人が取り入れたのが、だいたい二〇世紀はじめの清末です。

ですから中国の世界観が本当に変わるのは、日本漢語の影響だと思うんですね。そういう意味では、東アジアのいまの漢字世界の世界観とかは日本を抜きにして考えられない。

鈴木　要するに日本が媒体になって、西欧語を漢語に移したことから、影響が広がるという感じですね。
オスマン帝国の場合、「西洋」に当たる言葉として「ガルプ」があります。現代語では「バトゥ」ですが、ガルプというのはアラビア語からきた言葉で、一九世紀の末から近代西欧モデルを取り入れて改革を進めるのを「ガルプ化する」（西洋人のようになる、の意）という言い方をするようになります。
ただ自分たちのことを「東洋」「アジア」だという意識は、当時の日本などと比べると、文化概念としてはそれほど強くないように思います。地理的・空間的概念を表す言葉としてアジア、アジアル（アジア人）という言い方は入ってきて、例えば日本人に対して「お前らもアジアル（アジア人）だ」という人はいますが、一九世紀末期のころで考えるとあまりアジアということを意識していない。
岡本　それは中国も似たような感じですよね。二〇世紀にならないと、というのはありますので、やはり日露戦争が大きいんですかね。日本語が大きな影響を及ぼすに至るのは。
鈴木　「旧学は体、新学は用」であるとする、清末の洋務運動の方針として出てきた中体西用論がありますね。ここにある「西用」の「西」というのは、我々日本人がイメージする「西洋」に近いものですか。
岡本　「中体西用」という言葉が出てくるのは一九世紀で、「西」は西洋をさします。ただ日本のような「洋学」という言い方はなく、もっぱら「西学」です。

鈴木　容閎※の『西学東漸記』もそうですね。日本だと西学という言い方はあまりしないように思います。

西欧諸国との交渉　清朝とオスマン帝国

鈴木　日本には制度的に、長崎に唐通詞、オランダ通詞が置かれていました。清朝ではオランダが朝貢国に入っているということを岡本先生が論文にお書きですが、確かに中国の故宮展で朝貢国の使者が勢ぞろいして行列している絵をみたら、オランダが入っていました。中国でも、当時の清朝側の訳語館などにオランダ語を専門にする人たちがいたのでしょうか。

岡本　制度的にはどの国に対してもないですね。やりとりしているのは、イギリスの場合もそうですが、会話はピジンのようなすごいブロークンなものです。それで筆記の際には漢字で書くわけです。

鈴木　オスマン朝の場合、西欧人との交渉では、話すときはイタリア語の通訳を一八世紀初頭まで使っていたみたいです。はじめは西欧から亡命・移住してきたキリスト教徒やユダヤ教徒を使っています。のちに帝国内のキリスト教徒やユダヤ教徒の臣民を起用して、これを通訳にしています。

通訳については一七世紀の末ぐらいからギリシア系がほぼ独占するようになって、旨味のある職になっていったのですが、ギリシア独立戦争※が起こると謀反人であるギリシア人に通訳をやらせられないというので、オスマン朝のムスリムの若手エリート候補たちにフランス語教育を始めます。あそこは便利すぎたもので、元来はムスリムのオランダ通詞のようなものなどもおりませんでした。

岡本　中国の場合は制度的に通訳とかいうのは置かないというか、だいたい朝貢ですと貢物を持って首都まで行くというのが普通ですので、できるような人間を外国側で探してくるんですね。貿易の場合だけですと全部商人にやらせますんで、商人崩れのような人たちが、変な言い方ですけど適当にやりあっているという。その後、外交関係を持つようになってから、通訳あるいは外交官を養成しないと、というので学校をつくるという流れですね。

鈴木　オスマン帝国では、当初はイタリア語でしたが、一八世紀半ばからはフランス語になり、あとは一貫して西欧諸国、ロシアとはフランス語でやりとりしています。

岡本　中国の場合、相手が主にアングロサクソンでしたから英語とフランス語だったと思いますね。ただロシアとはずっと交易をやっているので、ロシア語ができるという人がいなかったわけじゃないと思いますけど、ロシア側が満洲語を勉強してくる方が通常だったようです。清朝とロシアとのやり

容閎（一八二八〜一九一二）　中国最初のアメリカ留学生で、西洋学問の早期提唱者。帰国後は曾国藩の洋務運動に協力、駐米副公使などとして対米外交、留学生指導で活躍した。

ギリシア独立戦争　オスマン帝国支配からの独立をめざしたギリシアの戦い（一八二一〜二九）。イギリス、フランス、ロシアがギリシアを支援し、ナヴァリノの海戦（一九二七）でオスマン朝が破れ、ギリシアは一九三〇年に独立を実現した。

とりというのは、伝統的にモンゴルと満洲だけでやっていたので、ワーキングランゲージは満洲語でした。

鈴木　漢語でなく、満洲語なんですね。清朝が国境の画定のためにロシアと結んだ、欧州諸国との最初の対等条約といわれるネルチンスク条約がありますが、あれは確かラテン語でしたね。

岡本　ラテン語が正文テキストなんですけど、ロシア語と満洲語のテキストもあります。ロシアと清朝の場合は漢語でやっていないので、朝貢とか属国とかいうのとはかなり違う関係です。ちゃんと「隣国」と呼んでいますし。ただ儀礼としてはロシアが清朝に朝貢はしていますし、満洲からロシアへ行った場合は叩頭していたみたいですね。今、満洲語を使って露清関係をやるというのが我々の研究の潮流になっておりまして、それで色々わかるようになってきました。

鈴木　オスマン朝の場合ですと、他国から使節がきた場合は、少なくとも一八世紀の末ぐらいまでは、玉座の前に跪かせて、着物の裳裾か地面に口づけさせるのが慣例なんです。行った方は片膝をついて、挨拶しているようなのです。同じかたちじゃないのですね。ただ言葉を伝えるときは、オスマン帝国では君主には大宰相が中継ぎして、ハプスブルクに使いに行ったときは、皇帝にライヒス・カンチェライ帝国宰相が声を出して伝えているようなのです。それは似たかたちなのですが、外交儀礼は一八世紀の末まで、中国式の三跪九叩頭（さんききゅうこうとう）に相当するような礼をとらせているようなのです。

しかも外国からの使節にはカフタンと呼ばれるオスマン朝の官服を着せるのが習わしでした。けっこう高価な絹製で、御下賜品としてくれるのですが、オスマン帝国の王様のなかには、西洋人も自分たちと同じ格好をしているのだと思っていた人だっていたかもしれません（笑）。中国ではそんなことやりませんでしょう。

岡本　そうですね。野蛮だとわかった方がいいというか、野蛮な奴が跪いている方が絵になるという感じなんですね。

鈴木　ただ、そのオスマン朝の儀礼がどう変わるかについての研究がないのです。近代と前近代を結ぶ幕末史みたいなことをやった先生方があまり興味を持たれなかったのでしょう。

ここで少し「西洋化」とオスマン帝国の歴史観について触れておきますが、西欧人が西欧中心史観でやってきて「近代」西欧の歴史学が出てくると、その方法は確かに習いまして、オスマン朝でも「ターリヒ・メデニエット（文明史）」というのが出てきます。一九世紀中葉以降のオスマン朝ではフランス語を読める人間が多くなっていたこともあり、その影響でフランス式の文明史を少しイスラムに向けて変えたようなものが出はじめるのです。要するに自分たちが西欧中心史観にはまるかたちで、普遍人類史として正しい教えが伝えられてからのイスラム世界史とは違った西洋風の歴史が一九世紀後半に出てくるわけで、それは日本の状況と同じかと思うのです。

アタテュルク以来の路線は近代西欧文化を徹底的に取り込んで、近代西欧の文明上の比較優位を詰めていこうという路線でしたから、トルコ民族主義に立脚した西欧中心史観への批判はあるものの、基本的には西欧史観に則ってしまいます。一方で西欧中心史観批判というのは、イスラム派の方にみられるようになります。最近は政治的にイスラム派の方々が極めて優勢で、「西洋化」一辺倒の歴史を批判するようなことはやりやすくなっています。イスラム中心史観はさすがに出てきていませんが、それはそれで別のバイアスがかかるかたちで自己中心史観が出てくる状況のように思います。

保護国と併合

岡本　最初の方で、文明・文化に同化するには最低でも五〇〇年のスパンが必要だとおっしゃられましたが、それはそうだろうと私も思います。ただ問題は移民が大量に入ってしまっているようなケースです。それは例えばクリミア半島がそうで、キプチャク・ハン国※の末裔のクリム・ハン国※があったところを、ロシアのエカチェリーナが独立させた上で併合するという、ちょうど日本が朝鮮半島を扱うときにやったのと同じです。というか、日本はあれを勉強したんだと思うんです。

鈴木　東ウクライナやクリミアというのがまさその中心で、ロシア人が多く住むようになり、今日のクリミア危機やウクライナ東部紛争などにつながっています。西ウクライナはもっぱらウクライナ人が住んでいるところです。確かに明治のころの日本人はわりと勉強家なので、不平等条約体制も、エジプトだとかオスマン朝の体制もかなり勉強しています。

岡本　それで日本は朝鮮半島の場合、保護国化しようとするとき、基本的に「エジプト」にするんだとずっと言っています。

鈴木　ただエジプトは混合裁判所※ができるんですね。エジプトは第一次大戦が始まるまでは、高い独立性を認められてはいたものの、完全にオスマン朝の一州です。ムハンマド・アリー※家のエジプト総督にはオスマン朝からヘディヴという称号が与えられておりまして、ただこのヘディヴを「副王」などと訳すのは、スペインのペルー副王などから類推しただけのいい加減な翻訳です（笑）。オスマン朝には「副王」などという概念はありませんし、あれは世襲の独立性の高い、オスマン朝としては「総督」扱いなのです。

岡本　エジプトの事例といっても、日本人がその時勉強していたのは西欧経由ですからね。どこまでオスマンの内情を知っていたか、ほとんどわかってなかったのではないかと思います。ただ保護国に

キプチャク・ハン国　バトゥにより南ロシアに建てられたモンゴル国家。ジョチ・ウルスともいう。トルコ化、イスラム化しながら、一四世紀末にはティムール軍の侵攻で弱体化、のちに分裂。

クリム・ハン国　キプチャク・ハン国の分国。一五世紀にハッジ・ギレイが黒海北岸に建国、のちにオスマン帝国の保護下で繁栄したが、一七八三年にロシアに併合された。

混合裁判所　治外法権の一種であった領事裁判（領事が駐在国で自国人を裁判する制度）の裁判所のうち、被告・原告双方の国家から裁判官を出して構成するもの。

ムハンマド・アリー（一七六九～一八四九）　オスマン帝国のエジプト総督でムハンマド・アリー朝の始祖。一八〇五年エジプト総督に任命され、「西洋化」改革を推進。

するプロセスだとか統治の仕方というのはよく勉強しています。

鈴木　エジプトはウラービー・パシャの乱※（一八八一〜八二年）の後、イギリスが出兵して占領しますが、国際法上の根拠・権限なしでスエズ運河防衛軍を残しています。おそらく大日本帝国の関東軍はあれを真似したのだと思われます。面白いのは、イギリスがオスマン朝に一度エジプトを返還するといったら、オスマンが断ったようなのです。要するにイギリスの駐留軍がそれこそ「満洲国」の関東軍のようなかたちで残るのを厄介だと思ったようで。

ですからあそこはちょっと特殊で、ムハンマド・アリー家も別荘をイスタンブルに持っていまして、そこにときどき来ているんですね、ヘディヴは。しかもイスタンブルでなにかあると義援金とかをはり込んで出します。ヘディヴの息子たちの間でもヘディヴ位争いをして負けると、オスマン朝の中央で何を狙うかというと大宰相となることを狙うのです。だからあれはまったく独立国ではなくて、ただ独立したあとエジプト人も早くから事実上独立国だったと言いたいのです。

植民勢力の方も、オスマン政府がいたのに占領したと言うとまずいので、非常に独立性が高いところを押さえていたので、それは相対だって言いたいのです。これはどこもそういうところがあって、独立した諸国の側も「自分たちは元々独立していた」と主張したいし、占領した諸国のほうもそれを強調して利害が一致しているのです。

それに加えて植民地史観で、何でもオスマン朝が悪い、支配した側の植民者が悪いのだという話にして「我々はちゃんとしていたのに、占領されたのが悪いのだ」ということになる。バルカン諸国もなんで自分たちが遅れているかというと、オスマン朝の支配が悪かったから、という話になるのです。

ウラービー・パシャの乱　エジプトの軍人ウラービーに率いられた反英民族運動（一八八一〜八二）。「エジプト人のエジプト」をスローガンに武装蜂起するがイギリス軍に鎮圧され、エジプトは事実上イギリスの保護国となった。

第3章

統合とアイデンティティ

人間集団と空間の関係

鈴木　ここではいわゆる「国家」とその統合のためのアイデンティティの問題、また多様な集団をどう共存させたり、一方では排除したりといったことが、文化世界によってどう異なるのかというテーマでお話してみたいと思います。

前もってお断りしておきたいのですが、私は「国家」という言葉をあまり使いたくないという意見で、できるだけそれを「政治単位」「政治体」と呼ぶようにしています。なぜかというと、「国家」という表現がどうしてもモダン・ステイト（近代国家）を連想させてしまうように思うからです。スイスの文明史家ヤーコプ・ブルクハルト※の著に『イタリア・ルネサンスの文化』がありますが、その有名な最初の章題が「芸術品としての国家」です。これについては「人工物としての国家」と訳すべきだというご意見もあるようですが、それはさておき、ここで「国家」と訳されているのがシュタットです。このシュタットとは要するに「機構」を意味する言葉であり、それが英語ではステイト（国家）になるわけです。

ステイトというのは、私が思いますに、基本的には政治体の外側の「皮」とか「殻」に当たるもので、カニなどの甲殻類に例えると外側の固い殻がステイトで、内側の柔らかい身がネイションになるのだと思うのです。このネイション・ステイトについては別の章でお話することにして、ある程度自律的な政治体のことは「国家」という言い方ではなく、政治単位（ポリティカル・ユニット）と表現したいと思います。

近代国家以前の「国家」、すなわち「政治単位」は、文化世界のなかでそれぞれ相当違う姿をしていました。イスラム圏の場合は、聖俗一元・政教一元だけではなくて、はじめはイスラム教徒たちの支配している、神の教えが行われている単一の政治体だったのです。それがおよそ一世紀の間、そのまま「アラブの大征服」までひとつの政治体として拡大していきますが、アッバース朝ができてすぐの八世紀の中ごろ、ついに割れていきます。

ムスリムの支配下にあって神の教えが十全に行われる「イスラムの家」はムハンマドの没後、全世界の信徒による共同体（ウンマ）の唯一のリーダーで、「イスラムの家」の唯一の支配者たるべきカリフの下にある単一の政治体であるべきだというのが、本来のイスラムの理念です。ところが歴史的現実では、唯一のカリフを擁するアッバース朝のほかに、アッバース朝がウマイヤ朝を倒したあとにその残党が後ウマイヤ朝をイベリアに立ち上げ、今度は北アフリカにシーア派のファーティマ朝が出てくる。そしてファーティマ朝に現れたカリフが「自分だけが正統なカリフだ」と言い出すと、アッバ

ヤーコプ・ブルクハルト（一八一八～九七）　スイスの歴史家。古典主義の立場から文化史を研究し『イタリア・ルネサンスの文化』を著した。

ース朝のカリフに遠慮してアミールを名乗っていた後ウマイヤ朝でもそれに対抗してカリフを称するようになり、ついにイスラム世界に三人のカリフが並立する事態となってしまうのです。

このように割れてできてきた政治体はダウラと呼ばれるようになります。ダウラというのは「くるくる回る」という意味からくるそうで、それから「順番」「幸運」という意味もあって、それが「王朝」に変わって、トルコ語でもダウラをトルコ語化して、デウレットというようになりました。「王朝・国家」とでも訳すべき政治体であるこのダウラ、デウレットいうのは、基本的には空間を含まないかたちでの「人間集団」をさすのです。でも東アジアだと、感覚的に「国家」とか「国」といったときに、空間と人間集団がほぼくっついているイメージではないでしょうか。

岡本　うーん、農耕世界はそうですね。

鈴木　イスラム世界の場合は人間集団なので、動きますし、空間的には伸縮自在なのです。

岡本　遊牧国家はそうですね、東アジアでも。

鈴木　あれは遊牧民でなくてもそうなんですよ。

岡本　もちろんソグド※とかウイグルとか、商人もひっくるめていっているつもりです。

鈴木　西欧の場合もネイションというのは本来的には人間集団で、基本的に空間は関係ないのです。ネイション・ステイトとすると、空間が入ってきますけれど。ネイションというのはナシオからきていて、「生まれたところ」みたいな感じですね。出身地についてある程度は意識があるけれど、基本的には人間集団ですよね。東側ははじめから空間と人間集団が密接にくっついてしまっているように思われるのです。

岡本　農耕社会はやっぱりそうなんで、ヨーロッパもステイトとネイションを互換的に使う。ネイション・ステイトとか言いますし。農耕民の発想ですよね。

鈴木　農民は作付けが必要だから、画然とした空間を必要とするのでしょう。遊牧民・狩猟民はテリトリーといっても「縄張り」ですから。テリトリーというのは近代になると「領域」という意味ですが、元来は「縄張り」で、だからわりと伸縮自在です。だいたいの「縄張り」は決まっているけれども、一線で画するものではないですね。ただ実際上は一方では防衛線があって、一方では徴税線と治安維持線が必要だから、実際は線にはなっているけれど、緩やかですよね。

岡本　商業民や遊牧民というのはアバウトで、動線とその周辺という感じです。

鈴木　あれが、非常に東の方と西の方では違っていてですね。日本人はくっついているのが当たり前と思っているので、誤解が生ずるように思います。

岡本　それで日本人が作った「国家」とか「国」という漢語がネイションとかステイトの翻訳語です

ソグド　中央アジアのソグディアナ地域を原住地としたイラン系住民。オアシス諸都市を結ぶ商業民として、トルキスタンから華北内部までの各地に植民集落をつくって財界を牛耳った。中国では胡人と呼ばれ、ゾロアスター教やマニ教、西方の風俗を伝えた。

ので、いよいよ混乱しますよね。オリジナルの中国の「国家」というのは、「王朝」の意味でしかありませんから。先ほどの鈴木先生による中国史の比喩的な言い回しを拝借すれば、中華という「劇場」の中の一座、アクターでしかない。

鈴木 日本は何しろ易姓革命※がなくて万世一系なのが特徴だと、『通義』の中で頼山陽※までが言っている始末ですから、くっついてしまっていますよね。

岡本 本当にそうですよね。中国の場合は遊牧国家も含んだりする場合があって、これいよいよややこしくなってきますけれど、ネイションとかステイトという概念は、ステイトは若干近いかもしれないですけど、ないですよね。

共存の諸相——一神教世界と中国

鈴木 空間性があるかないかは置いておくとしても、ひとつにまとまった政治単位になるには少なくともコア部分はまとまらなければならなくて、何を軸にしてまとめるかがあって、まとめるには、まとめられ方も基礎になるアイデンティティがそのまとめ方と合っていないとギクシャクすることになると思います。

イスラム圏の場合は基本的には世界を分けるときには、不信心者がまだ支配している世界と、信心者が支配している世界に分けて、人間も基本的には信心者と不信心者に分けます。不信心者は二種類で唯一神を持っているけど、古い「御使い」の伝えたものにとどまっている連中は程度のいい不信心者だというので、唯一神の啓示の本を持っている「啓典の民（アフル・アル・キターブ）」という言い方をします。それがキリスト教徒、ユダヤ教徒で、彼らをイスラム世界に包摂するときはムスリムの共同体と契約を結んで、貢納の義務と一定の行動の制限に従うといえば、イスラムの戒律であるシャリーアの秩序の許す範囲内なら、固有の信仰と、それからイスラムの場合は信仰上の戒律と法が一体化してますから、固有の法と生活慣習を保って暮らしていいというかたちになります。

幸い包摂された相手の方も、ユダヤ教徒は、あれは民族か宗教意識か微妙ですが、宗教意識でつながっている人たちですから、当時のユダヤ教徒はわりと簡単にそれで包摂されます。キリスト教徒もこれで包摂されますが、宗派が同じキリスト教徒同士はかなり宗教的アイデンティティが軸になっていることがあったのではないかと言われます。

つまり宗教的意識を軸にしてアイデンティティが成り立っていて、それを違ったアイデンティティ

易姓革命　孟子が唱えた王朝交替の理論。天命を受けた天子が悪政を行えば、天は天命を「革め」（革命）、別の有徳者を天子とし、姓（王朝の名）を「易る」とする。禅譲、放伐の二形式がある。

頼山陽（一七八〇〜一八三二）　江戸後期の儒学者・詩人・歴史家。『日本外史』『日本政記』で勤皇思想を主張し、幕末の志士らの歴史意識・尊王思想形成に多大な影響を与えた。

を持った人をまとめるときも、宗教を基軸にして統合していたように思うのです。その場合の共存のシステムは、共存できる範囲の宗教集団とは差別しながらも共存する、ただ無神論者だとか偶像崇拝者は排除するというシステムになっていきます。

もっともイスラムの場合、偶像崇拝者に見えるような人たちにも融通をきかせるのです。例えばヒンドゥー教徒に対しては、アッラーは無数の「御使い」を遣わされたので、ヒンドゥー教徒というのも無数の「御使い」の教えを奉じているものではないか、神仏像などの偶像を拝んでいるけどあれは神仏として拝んでいるのではなく、もっと普遍的なものの象徴として拝んでいるんだということにして、キリスト教徒などと同じ「啓典の民」扱いしようということになって、強制改宗とかはやらせないで取り込んでいくのです。

これはキリスト教とは違います。西欧キリスト教の場合はカトリック以外を認めないし、出ていった先が文化的抵抗力が弱いと、相手方の固有の価値体系を徹底的に粉砕してしまうというのを「新大陸」でやります。ただ抵抗力が強いところではできないようで、東アフリカや東南アジアの沿岸部などで征服したところでは、完全にはカトリック化できないままになるのです。そのあたりは東の場合はいかがですかね。統合の軸になるものと、それを支えるものとしてのアイデンティティは。

岡本　宗教というのが西のように基軸になるということでもないですよね。ただ儒教圏、漢字圏で、政治システムの中に組み込まれているというのが、王朝支配の基本的なかたちですので、その点はなんていったらいいんですかね。いろんなやり方がありますが。戸籍なんですね、元々は。いまの我々と同じですけど。

鈴木　税金を取るための戸籍ですね。

岡本　それが要するに支配なんですけれども、そういうシステムで、中国の場合は秦漢帝国ができ上がるという。元々は封建制度というか、小集団があってそれが主従関係を結んでというようなことだったようですけれども、それを組み替えて、戸籍支配というか一般民衆支配にしたというかたちで。その上下秩序を支えるべく儒教が裏打ちしたという。

多分その書記言語の運用というのも、その辺りで確立するように思います。それを官僚組織というか、我々は貴族制と呼んでいるんですが、名族の支配にだんだん転化していって一般人民に対しては間接支配的なかたちになっていくのを、遊牧民とかが入ってきて、取ったり取られたりというのが、南北朝の時代のイメージで。それで家柄、有力者とかをもう一度解体して、もっと王朝に従順な手足に仕立てるんだというので、科挙が出てくるという。そういう変遷を経てきていますで、宗教というようなかたちでのアイデンティティのつくり方とはおそらく異なっているんだろうと思いますけども。ただなにをアイデンティティといったらいいかというとなかなか難しい問題がありまして、中国の場合は。

中国の統合と科挙

鈴木　西の方の世界ですと、言語や民族については、西欧でも東欧でもイスラム圏でも非常に違うのがいて、ただ西欧とか東欧の場合はカトリックと正教があって、宗教が上を覆っているので一応、各々が各々の普遍世界のイメージを持てるところがありました。

イスラム世界の場合は宗教・宗派としてはイスラム、キリスト教、ユダヤ教、さらにはゾロアスター教徒までいて、キリスト教もほとんどあらゆる宗派がいるのです。ネストリウス派※ですとか、西欧・東欧では消えてしまったような宗派もいまして、しかも言語・民族も非常にバラバラでして、これをまとめるには、もうひとつその上に普遍的な原理が必要になってくる。そういう役割を宗教としてのイスラムが果たしたように思います。

つまり母語が違って、暦も生活習慣も何もかもが違うという、包摂する集団の多様性をいかしつつ、その上に上手に乗っかるシステムで、これは「平等と参加」が問題にならず、「安全と安定」さえ得られれば仕方ないと思っている間はある程度機能したものの、「平等と参加」が求められるようになるとシステムの脆弱性が表面化します。

自分たちの間でだけの平等と参加、その受け皿が民族主義としてのナショナリズムに基づいた民族国家としてのネイション・ステイトということになると、非常に多元的で文化的差異の大きな人々からなっていたため、バラバラに壊れてしまったように思います。

東の漢字世界の場合、強いのは、文化的同質性を高めていくような方向で全体が動いていて、特に中国の場合、科挙ができると、エリートたらんとする野心的な人々は、人口の数パーセントでしょうけれど、これが一所懸命になって儒学と漢文を勉強して、文化的に徹底的に同化するシステムができていったように思われますね。

岡本 そうですね、非常に見返りが大きいですので、科挙に合格すると。中国での東方での、先生もおっしゃったイノベーションがまさに起こっている時に科挙ができた、つまり非常に生産力がガッと上がって、経済力がついたときにそのシステムが安定したかたちです。同質になるとリターン、見返りが大きいというシステムができましたので、同化力も働くという方向になるんですかね。

鈴木 やはりその基礎ができていたのは非常に大きいと思います。中国というのは秦が壊れて「一乱一治」の「乱」になって、漢ができて「一治」になって、三国から南北朝までまた「一乱」が続いて、隋・唐で「一治」になって、五代十国で「一乱」になって、あとはずっと「一治」が続きますね。

ネストリウス派 四三一年のエフェソス教会会議で異端とされた大司教ネストリウスを祖とするキリスト教の一派。正統派の圧迫からペルシアに逃れ、ニシビスを中心に発展。中国に伝えられて景教と呼ばれ、今日でもアッシリア教会としてイラン、イラクに信徒を持つ。

岡本　やはり、秦・漢でまとまっているのはイノベーションがあったからなんですよね。それでシステムが変わって、ひとつかたちができあがると。ただそれが永続はしないで、さきほど申し上げたような家柄のシステムにだんだんと変わっていくんですけど。中国人としてはわりとデプレッション（不景気）になった時期で、ですから遊牧民とかも入ってきて、どうやって統合するのかというところに、さっきの仏教が入ってくる。それでなんとかさまざまな人々を、遊牧民とか商業民とかも含めて一つにまとまれるようなシステムができないかといろいろと頑張ったのが、さきほどご指摘のあった隋・唐のかたちになるかと思います。

そのときにそれこそまったく違う半島とか列島、遊牧民などを含んだまとまりというのは東のほうにできあがって、やっぱりそれ以前とは違うかたちになりますが、仏教とか隋・唐のまとめ方は弱くて、すぐに馬脚が現れて五代十国になる。その時にイノベーションがもういっぺん起こってきて、新しいシステムにつくり替えてできたのが科挙と官僚制で、これで基本的に長持ちするんですけれども。ただ下の方の民間の世界とか経済界というのはどんどんとまた変わっていっていて、特に大航海時代以降はかなり変わってきて、モンゴル帝国か明朝のやり方なのか、それとも清朝のやり方なのかということで、いろいろ試行錯誤していたという感じなんでしょうね。

中国はなぜ再統一できたか

鈴木 すごいのは、第一次世界大戦の前後に昔からの四帝国が潰れますでしょう。まず一九一一年から一九一二年にかけての辛亥革命で清朝がつぶれて、第一次大戦中に戦勝国になるはずだったロシア帝国が革命で潰れ、大戦後には敗戦国になったハプスブルク帝国とオスマン帝国が潰れます。ただロシアは、私に言わせると看板を掛け替えたので長持ちしたのだと思います。正教とロマノフ家が核だったのが、共産主義と共産党が新しい核になったので、七〇年なんとか生き延びたけど、ソ連の崩壊で結局ばらばらになってしまいます。

帝政ロシアとハプスブルク帝国、オスマン帝国はよく似ていて、一方の軸が宗教で、オスマン帝国はイスラム、ハプスブルクはカトリック、ロシア帝国は正教で、ロシアはロマノフ家、オスマン帝国はオスマン家、ハプスブルク帝国ではハプスブルク家があって、民族・言語は多様ですが、宗教・宗派的にみたら、まあ一番ばらつきが少ないのはハプスブルク帝国でしょう。ボスニアをのぞいたらムスリムはおりませんし、あとはキリスト教徒で、カトリックが圧倒的中心で、プロテスタントと正教徒が多少いるというところでしたから。

しかし中国の場合は辛亥革命のあと、中華民国ができたけどまとめきれず軍閥割拠時代から日中戦争、国共内戦時代と「一乱」が続いたにもかかわらず、中華人民共和国ができたら沿海州を除けばほとんど清朝の版図を保った形で、香港と台湾は別ですが、また「一治」を成功させました。

ハプスブルクの場合は、中国でいったら満洲（東北三省）と蒙古（内モンゴル自治区）、新疆ウイグル自治区とチベットだけで国全体が構成されているようなものだったので本当にバラバラになってしまいましたが、中国は少なくとも漢族といわれる人たちが住んでいるところの方が、土台がしっかりしていて、文化的粘着力が非常に違うようにみえるのですが。

岡本　そうですね、まあバラバラといえばバラバラなんですけど、ひとつに見えているというか、やっぱりそれも漢字の力だろうとは思うんですが。中身はやっぱりバラバラですよね。ただ無駄だとわかってか飽き飽きしたのかわからないですが、もう中で殺し合いはやめようというコンセンサスはどうもあるみたいで、辛亥革命とかから数えると半世紀ぐらいずっと続いていたわけですので、ただバラバラなのはたぶん変わってなくて、だからいま、それを習近平は一生懸命やっていると捉えることも可能なんですね。

それが近代的なインフラとかそういうものをどんどん導入していくことによって、本当にここ半世紀ぐらいで中国ってひとつにまとまってきたかなという感じが、チャイナプロパーですが、しますよね。それをチベットとか新疆あたりに広めて、香港も、というのがたぶんいまの段階なのかなという感じがしていまして。先生がおっしゃっている「一治」のプロセスとしては、いまはまだ途上というふうにみるのが正しいんじゃないかなと思います。なのでまだまだバラバラ。まったく違う国になってしまうということはないですが。

やっぱり漢字を使っているのが大きいですね。数と漢字の浸透度というのがかなり、二〇世紀に入ってから多くもなりましたし深くもなったという。ですからハプスブルクにしてもオスマンにしても、そういう意味での人口比とかですね……。

鈴木 人口比はですね、オスマン帝国は最大で人口が三〇〇〇万人を超えたことがないようです。その約三分の二がムスリムで、残りが非ムスリム、エジプトのコプト教徒※とレバノンのマロン派※、それとユダヤ教徒を除くとだいたい大体北半分に偏っています。バルカン半島では人口の多くがキリスト教徒で、アナトリアの場合は約三分の一が非ムスリムでした。

オスマン帝国のムスリムのうち、そのほぼ半分に当たるのがシリア・イラク以南に住んでいる人たちで、ベルベル語が母語の人もいますが、アラビア語を母語にした人が圧倒的です。帝国北半分の東半、アナトリアを中心にした部分のムスリムの九割近くはトルコ語を母語とする定住トルコ人が中心

コプト教 キリストが人性を持たず神性しか持たないとする単性論はカルケドン会議（四五一年）で異端とされたが、その単性論の立場にたつ教会。エジプトのアレクサンドリアを拠点に、現在でもエジプト総人口の一割がその信者とされる。

マロン派 アンティオキア式東方典礼に服するカトリックの一派。レバノン、シリアに信徒を持つ。

で、ごく少数ですがテュルクメン人という遊牧トルコ部族がいますが、いずれもトルコ系の言葉を母語にしていて、残る一割ぐらいのなかでは印欧系のクルド語を母語とするクルド人が圧倒的に多く、それからあとはラズ語だとかバルカンではアルバニア語、セルボ・クロアティア語などを母語とする人々がいたのです。

宗教的には人口の三分の二がイスラムの多数派のスンナ派に属していて、それで宗教を軸にした統合がなされているところがあるので、ムスリムが全人口の三分の二というのはかなり大きかったのです。中国の場合は、面積からいうと三割ぐらいが非漢族系の世界になりますでしょう？　内モンゴルと新疆ウイグル自治区、チベットと合わせると二五〇万㎢くらいあるのではないでしょうか。

岡本　かなりあると思います。東三省も違いましたから。あそこは移民ばっかりですので。

鈴木　そうですね、あそこは元々満洲人のお国だったのが、どしどし漢族が入ってしまって漢化が進んでしまった。

岡本　面積的には漢人地域は半数なんですけれども、人口的には九割ぐらいでしょうか。

鈴木　そうですね、そこがまったく違っていますね。

岡本　そういう部分がポイントになってくるかなと。

アイデンティティと統合の基礎　ローマと中国

鈴木　古代ローマの場合、西欧人の歴史家のなかではその支配組織のあり方をずいぶん高く評価して「組織のローマ」などといわれてきたわけですけど、中国にみられるような、一五〇〇年とか二〇〇〇年にわたるような組織づくりの「決然たる意志」のようなものが欠けているように思います。

そもそもローマのリクルートメントのシステムがはっきりしないところがありまして、半端に身分制度が入っていたりして、はじめはパトリキ（門閥貴族）ないしは超上級平民が加わったノビレス（貴族）が中心になり、そのあとでエクイテス（騎士。新興の富裕市民）が出てくるというそのあたりはわかるんですが、キャリア・コースというのが日本の今の警察機構のような、キャリアが地方の警察署長を実務にかかわらないでやって、中央の本庁に戻って偉くなるというシステムに似ているのです。実際は下士官がやっているんですが、形式上のトップになって地方で軍務に何年かついたのが中央に行って、家柄とコネと運と親分子分関係、そして幾分かは能力才覚で出世するというかたちでして、支配組織の支配エリートの中枢において、能力に基づく恒常的リクルートメントのシステムはつくれなかったのではないかと思います。

ローマ帝国史についていろいろな先生の書かれたものを読んでも、どちらかというとチャンバラ劇

（戦史）と政変劇が中心で、組織の変遷史があまりないのです。社会史的な面で詳しいのはA・H・M・ジョーンズの「後期ローマ帝国」（Later Roman Empire）なんですが、あの本でもローマの官僚制組織についてあまり詳しくないのです。中央に直属してる官僚というのが数百人しかいないようです。

岡本　中国に「組織づくりの決然たる意志」があったかどうか（笑）、むしろ変えるのを嫌う、尚古主義や祖先崇拝・孝道という志向からきているのだろうと思います。ですから、ローマと同時代の秦漢帝国だって、後代からみれば組織は幼稚なものかと思います。しかしローマについて、やはり官僚組織の詳しいことはわからないですか。

鈴木　それがないんですねあまり。ローマ帝国がだいぶ怪しくなってから全ローマの官職表は出るらしいんですが、清朝の『縉紳全書』（官僚名簿）みたいなものは少なくとも残っていないようです。

ローマ帝国のインペラートル（総司令官）というのは、基本的には命令権、特別軍事命令権を持った人で、インペラートルとしての命令が通用するところがインペリウム、つまりローマの「命令圏」だと思うのです。「ローマ帝国」の呼称について、共和制の帝国はおかしいという論があるようですが、正しくは帝国じゃなくてローマ「命令圏」でしょう。それが帝国化していくとダメになったというのがだいたいの先生方の見解みたいで、トインビーもそう思っているようですが、ローマが中国と比較できるような「帝国」的なかたちになったのは、ディオクレティアヌス帝以降のように思います。ディオクレティアヌス改革からコンスタンティヌス改革があって、初めて支配組織がある程度系統化される。しかし支配組織は系統化されたけれども、能力を試験して支配組織の担い手を補充し、中央と地方を結びつけるような、中国の科挙のようなシステムがつくられなかったところに非常に大きな問題があったように思われます。

支配組織としては弱いけど一応のシステムができたころに、ローマでは西と東に帝都があったわけですが、東方化が進んで実際上は東の帝都の方に重心が移っていく。そこではかなりローマ帝国なりにはしっかりした支配組織ができていたので、東半分の方がその後の混乱を生き延びたように私は思います。おまけに当初は食料供給地としてエジプトを有していたのが大きかったのではないでしょうか。西ローマでは、今では信じられませんがチュニジアが非常に豊かな属州だったということになっていて、でもヴァンダル※にとられてしまって西ローマの食料供給地は乏しくなってしまいます。ローマ領としたのにどのくらい実質があったかはわかりませんが、東半分のビザンツ帝国の場合はチュニジアもユスティニアヌスが取り返して、何よりもエジプトを保っていたのが生き延びるのに大きく貢献したように思います。

そもそも、西欧人がいう「組織のローマ」という評価は、ギリシアがほとんど無組織だったので、そ

ヴァンダル バルティック海沿岸に定住していた東ゲルマンの一部族。四世紀前半にコンスタンティヌス帝からパンノニア（ハンガリー西部からクロアティア）の地を受けアリウス派キリスト教に改宗。五世紀には北アフリカを征服して地中海を制覇。五三三年ビザンツ帝国に滅ぼされた。

れで目立ってそう見えるようなもので。しかも「中世」西欧では小さな政治体・組織しかなく、絶対王政になった以降のヨーロッパでないと、まとまった大きな支配組織を持つ政治体が出てこないので、それで「組織のローマ」というようになったかと思われるのです。これも西洋中心史観のひとつといえるかもしれませんが。

岡本　そうしますと、やはり西洋（史）だけの基準で「組織」とかいっているわけですね。そもそもギリシア・ローマが西洋の前身だという前提も、かなり問題だと思っていますが……。

鈴木　「組織のローマ」というけど、中国史における郡県制のようなものが浸透していって、地方のエリートが中央向きの共通の教養を備えたエリートになったかどうかという点が、ローマ史ではどうもよくみえません。

四大文明という言い方は疑問が出ていて最近は使わなくなっているようですが、メソポタミア、エジプト、インダス、中国という古代文明について、そこで生み出された文字で捉えれば、私は「四大文字世界」とは言えないことはないと思います。インダス文字を生んだインダス文明は消滅してしまって梵字世界に取って代わられてしまいますし、エジプトのヒエログリフ、メソポタミアの楔形文字も消滅して、この「四大文字世界」でもとの文字を保って生き延びているのは中国だけなのです。生き延びられたのは、組織がしっかりしているのと、アイデンティティと統合の基礎がしっかりできあがっており、しかも文化的同化力が非常に強かったことが大きいように思われます。

ローマ帝国の場合、特にアイデンティティの基礎を市民権で基礎づけようとしていたのが非常に弱いように思われるのです。

岡本　わたしは「中国が生き延びた」というよりは、むしろ「漢語が生き延びた」、漢語の体系をオリジナルの中国以外が支持したために、中国が同化したように見えるだけだと思っていますが、少数意見かもしれません。ともあれ、ローマの文化・同化力が永続しなかった事実はそのとおりで、相対的な強弱はおっしゃる通りでしょうか。

鈴木　宗教についても、被征服民の宗教はたいていは万神殿パルテノンに入れてしまって、「八百万（やおよろず）」がさらに「八百万」になっていくようなところがあります。ギリシア人が「ローマ人は非常に信仰心に厚い」といったとローマ史の先生が書いておられましたが、ローマ人の信仰心が、イスラム教徒やバラモン教徒ほどあったようには思えないのです（笑）。

岡本　思えないですね、それは確かに。

鈴木　しかもアイデンティティの基礎が少なくともタテマエ上はローマ市民権にあって、とりあえず元々のローマ市民しか持てなかったのが、今度はラテン人の中の自治都市の市民たちに、最後になって全ローマ帝国内の自由民に与えているのですね。市民権というのは要するに親分子分の輪に入るということになるかと思うのですが、市民権というのでは、アイデンティティと統合の基礎としては非常に漠然としているように感じます。

岡本　求心力として働いていないということはありますよね。

西方とは異なる統合の軸

鈴木　中国であれだけの文化的な粘着力ができたのは、村落秩序の要（かなめ）にすわっていた地主層が、同時に読書人層の基礎になっていたのがかなり効いているのではないでしょうか。貴族が出てきて、政治的には割れるように見えているけど、文化的にはつながっている分子がむしろ根をさらに下ろすもとになっていたように思えるのです。

岡本　なんといっても「中国」ですから、一つにまとまりたいっていうのが……。

鈴木　それが非常に特異だと思うんです。西の世界ではそういう意識がないわけですから。東では朝鮮半島の場合、新羅の時代にほぼ「韓」化が進んでしまって、高麗・朝鮮王朝で完璧に「韓」化してしまうんじゃないでしょうか。

岡本　一つにまとまったうえで、その枠組みを守ろうとしますよね。

鈴木　朝鮮半島でも、その粘着剤としてはやはり科挙と両班（ヤンバン）※が相当大きい役割を果たしているように思います。日本の場合、北海道などの蝦夷地と琉球王国を除くと、少なくとも鎌倉時代には奥州藤原氏も征服されてしまって、本州・四国・九州はほぼ完璧に「和」化したといえるのではないでしょうか。そのため粘着力が非常に強くなって、戦国時代も非常に割れているようですが、割れてまったくの独立国になってしまうということはありませんでした。キリシタンが浸透していたらまた違っていたかもしれないですが。

岡本　なので江戸時代の研究者は日本の枠組み、何を以て日本人とするかという定義は、非キリシタンだって言っていますね。

鈴木　うーん、それはやや偏った理解ではないかと思います。

岡本　特殊事情ですが、要するに檀家制度と宗門改という戸籍、それは非キリシタンを証明して初めて登録されるということですので、非キリシタンが日本人の証(あかし)という研究者もいるくらいです。

鈴木　それはあまりに宗門改を重視しすぎているように思います。確かに住民の管理システムとして宗門改制度は大きな役割を果したのかもしれませんが、この制度のせいでお寺さんは「区役所」のような存在になってしまい、放っておいても檀家はいるので「魂の把握」の手抜きをするようになり、今日の「葬式仏教」化を招いたところがあるようにも思えます。当時の観念で「日本人」と思っていたかどうかは置くとして、「文化を共有する仲間」というアイデンティティとそれを踏まえた統合の基軸は、すでにそれ以前にかなりの程度に形成されていて、宗門改の役割はそれほど大きくはないので

両班　高麗・朝鮮王朝時代の特権身分の官僚たち。自らを士族と称し、科挙の受験を独占した。

はないでしょうか。住民管理とアイデンティティという統合の基軸の問題はまったく別物と考えるべきだと思います。今の日本国土になっているところで、平安朝のときに日本国土の中に入ってなかったところは北海道と東北の北部と、あとは琉球列島だけです。言語と文化を共有しているという意識があって、文化的同質性の基礎がかなりの程度に発達していたので、イスラム圏のイスラム教のような、統合の軸になりうるさらに何か普遍的な原理原則、つまり宗教のようなものが必要なかったと考えるべきではないでしょうか。

日本史の先生方はどうも日本のことしかご存じないところがあって、比較するにも漢字世界に限られた「近似比較」ですまされてしまう傾向があるようです。イベリアでキリスト教徒に改宗した「ふり」をしていたユダヤ教徒が南蛮時代の日本にいたそうで、スペイン官憲がそれに気づいて、メキシコに連行して異端審問にかけることになったけど、連行途中の船上で死んでしまったという事例があるんだそうです。それを東大史料編纂所の助手だった研究者の方がみつけたところ、日本史の専門の方々からは「恥知らず」だと相手にされなかったとか（笑）。我々だったら「当然だ」といったと思うのです。

岡本　それはそうなんですけれども、そこのあたりは宗教をどう見るかということで、そういう意識がないのは、中国でもまったく同じなので、なかなか……。統合の原理そのものが、やっぱり西方とは少し異なるというのはあると思います。

鈴木　非常に違うと思います。あんなにバラバラになることはないわけですから。こういうテーマを考えるときは「遠近比較」が非常に重要で、中国と日本とでは同じ漢字世界の「近似比較」にとどまってしまいますから。

岡本　おっしゃる通りです。逆にいうと宗教に頼らないで済むという状況になっているのでまとまりやすいという。

鈴木　そういうことだと思います。しかも長い時間をかけて同化力が強いかたちで基礎ができているので、少なくともお互いのコミュニケーションがまったく成り立たないということがないのが効いているように思います。日本の場合も江戸時代に確かに方言が強いですが、文章言語としては候文があって、あれは全国的に字を書ける人には共通ですから。

会話の言語でも、エリートの間で武家言葉というのがどれくらい共有されていたかというのは調べる必要があると思うのです。私の母の先祖は対馬の宗家の家老家なのです。私の曽祖父はごく若いころはご家老さまで登城していた人で、「黙らっしゃい」とか言う感じの武家言葉を使っていたらしいです。だから薩摩とか弘前のお武家様が仲間内と、一方で江戸勤番などになったときに他藩の侍や江戸の町人とどういう言葉でしゃべったか興味深いのです。おそらく武家言葉がかなり入っていたのじゃないかと思うのです。武家言葉にも、例えば薩摩人の場合など時々ビンタとかお国言葉が入ってしまいますが。他藩の御家中の人とは、武家言葉で基本的なところの意思疎通はできたのではないかと思います。

岡本 共通のコードがあるわけですよね。

鈴木 そうでなければ、幕末の京都で日本各地から集まった「勤王の志士」の間でコミュニケーションが成り立つはずがありませんから。中国の場合でも、書き言葉は漢文で、識字率がどうだったのかわかりませんが、仮におよそ三億人の人口の一％だったとしても三〇〇万人ですから、半端じゃない数の人々が漢文を読めたわけです。それで上奏文などを読むときに、どんな読み方したのかとても興味があるのです。日常会話になると方言が出て困ったのは、宣統帝溥儀※の『わが半生』に、家庭教師についたおじいちゃんが高級科挙官僚出身ではあるのですが、どこかの田舎の出の人で、すぐにお国言葉が出るのでわからなくて困ったと書いているのをみると、日常会話になるとお国言葉が出てしまうのですね。

岡本 そうですね。あときちんとしゃべっていても発音が聞き取れないとかはあって。私もこのあいだ和訳本（『梁啓超集』岩波文庫）を出しましたけど、梁啓超※も彼は広東人ですから、皇帝にお目見えしたとき、言っていることが伝わらなかったっていう（笑）。我々風に言えば「なまり」なんでしょうけど、音韻体系が違いますから。

鈴木 広東語は唐の頃の音韻体系に近いといわれていますね。中古音風に漢文読まれても、皇帝陛下は北京官話しかわからない人ですから大変ですね。

岡本　そういう事はやっぱりいくらでもあるみたいです。

鈴木　共通の「つなぎ」があるのは、やはり非常に大きかったのではないでしょうか。それがネイション・ステイトができるときの割れ方に、かなり繋がってくるように思うのです。そのあたりはまた、後章でお話できればと思います。

宣統帝溥儀（在位一九〇八～一二、のち満洲国皇帝一九三四～四五）　清朝最後の皇帝。姓は愛新覚羅。三歳で即位、辛亥革命で退位。のち日本の保護を受け満洲国皇帝。四五年ソ連軍に捕えられ東京裁判に出廷。戦犯として中国に引き渡され収容所に入れられたが五九年特赦で出所。

梁啓超（一八七三～一九二九）　清末民国初期の啓蒙思想家・政治家。康有為に師事し変法運動に参加、戊戌の政変後日本に亡命し、文筆により立憲運動を展開。民国成立後は進歩党に参加、司法総長などの要職を歴任した。

第4章

「宗教」を考える

西欧起源の「宗教」概念を再考する

鈴木　まず宗教というのにはいろいろな定義があるかと思いますが、私の場合はもとから「宗教」というのがあったわけではないと思うので、「知識」から話を起こしてはどうかと思います。

ここでいう「知識」とは、この草は食べられるとか、これは毒だとか、この木の実は甘いといった人類が経験的に蓄積してきたもののことです。そうした個別的な知識がとりあえずはあって、それが次第に体系的な知識になっていく。当初はもちろん、体系的な知識を「超自然」であるとか「自然」であるかで分けていないわけですが、現在の視点からは「超自然」も「自然」も混じり合っていたかにみえる「体系的知識」ができはじめます。原初の宗教というのは、まさにそのようなものではなかったかと思います。

そのような体系的知識が次第に超自然的なものと自然的なものに分けられてくるようになり、そこから「自然的なものについての体系的知識」が分離されて、それがいま私どもが「科学」と呼んでいるものになります。一方で超自然的な基礎を残したままの体系的知識が次第に、いまでいう「宗教」となったのであろうと考えます。

岡本　知識と宗教の関係はご所論で異存ないところですが、私自身は「宗教」というくくりとか概念とかいうのが、一つは宗教学という学問的なことも含めてなんですが、西欧・キリスト教を基準につくられたものですので、例えば我々のフィールドですと、イスラムはそういうことはないかもしれませんが、そもそも「儒教とは宗教か？」という、古くて新しい……。

鈴木　先生方みなさんが議論なさっている問題ですね。

岡本　ええ、ありていに言えば、「そんなこと、あまり意味がない」かなと思っておりまして、こんなことを言ったら、私の大学の、部屋の隣にいらっしゃるのが中国哲学の先生で、そういうことも議論なさっているので、怒られそうですが。

鈴木　私は、岡本先生の今のご意見に全面的に賛成です。

岡本　要するに、信仰とかモラルとかの供給という点では、どこの世界でもあるはずで、その形態が例えば絶対的なものに帰依するだとか、唯一神や超越的なものを考えるだとか、あるいは、そうではないとかということで分かれているだけで、キリスト教を基準にして「こういう要件を満たしたものが宗教である」という考え方の方がおかしい。その辺は宗教に備わっている機能とか役割とかで、いろいろと世界全体にある、仏教なり儒教なり、キリスト教なりイスラムなりを考えていく方がよほど、少なくとも歴史学的には正しいだろうなと考えています。

世に言われている宗教と、先生がおっしゃっている知識とか科学とかの関係というのはまさにその通りでして、知識とか科学という、実用的な部分とそうではない、私の先ほどの言葉で言うと信仰であったり、神頼み的なものだったりということが、いわゆる「知」というか、あるいはむしろ本当に「教え」という文字「教」っていうことで、渾然一体になっていたのが原初形態で、目先というか即時に役に立つものと、神頼み的に「風が吹けば桶屋がもうかる」みたいな、巡り巡って何となくよくなっていいて信じられる信仰というものとがだんだん分化してきます。それが極端まで行きついて「政教分離」というところまで行きついて、「宗教学」を言い出したのがヨーロッパ人でしょうか。

人々の信仰なり知識なりといったものを供給しながら、人々の行動とかものの考え方を律している作用が宗教にはあります。西欧的な見方からすればいわゆる「祭政一致」の状態であったり、科学的な知識と宗教とが分離していないケースがアジアでは見られますし、それを彼らは「未分離だ」「遅れている」とか、「宗教とはこういうもので、おたくのそれは宗教ではない」などと考えるわけですけど、そうではなくて別に分離しなくても社会としてやっていけている、分離しないのが当り前な社会がもう一方ではあるはずで、どちらが進んでいるとかという問題ではなく、そういういろんなバリエーションがあり得る。それまでの環境とか、条件とか、それからそういうのが複合的に相まってできてきた歴史のプロセスというものに規定されていると考えた方がいいと思います。

元々政治とか他のいろんな組織にしても、一方では血縁という本当に生物的な、あるいはフィジカルな紐帯で組織が成り立つという部分がある半面、メンタルな精神的にあるいは、思考とか思想とかで人々が結集するという、あるいは組織だつという側面があって、そういうのが目に見えるかたちで組織化されると教会とか教団とかいうものになっていって、それが経済的な役割を果たしたり、政治的な役割を果たしたりというのが、元々の原初形態だったと思います。そういう宗教であるはずなのに、その中からいわゆる「宗教」だけを分けて取り出すということは、およそ歴史学的ではないと考えます。

鈴木　いまの目でみると、「宗教」というのは「意味づけ」であり、また「癒し」「救い」が本来の宗教の関わるところだというイメージがあります。しかし、宗教を論ずる場合に重要になってくるのは、人を結びつける統合の基軸になるという社会的側面と、内面的・精神的側面という二つの側面で、それが超自然的なものの存在を前提とする場合と、しない場合があります。

私は、超自然的なものの存在を前提にしている場合に、それを「宗教」と考えたらいいのではと思います。つまり、人々をまとめ上げていく軸であり、その一方で、して良いことと悪いことをより分け、あることに意味づけを与えつつ、「救い」までは難しいかもしれないけど「癒し」まで与えられるようなものが価値体系（ヴァリュー・システム）となり、そのうち超自然的なものの存在を前提にしたものが、とりあえずは「宗教」であるということです。

ただ宗教といっても、一方でアニミズムというのがあります。万物に精霊が宿るという。これは非常に一般的にどこにでも存在しているのだと思います。もう一方は西欧人が「宗教というとこれだ」と思うのは一神教系の宗教で、それを「一番進化した形態だ」というのですね、西欧人は。つまり彼らのいう宗教とは、それと同じような機能を持ったもののうち、並立するものであると考えているように思います。

文明・文化の中心とか周辺をどうやって見分けるかというと、持続的にイノベーションを生み出して、周辺に及ぼしていくところが中心で、それを受け取って取り込んでいくところが周辺だと思います。とりわけ中心でどういうかたちの超自然的なものを前提にした価値体系が力を占めているか、というのがかなり重要だと思います。

先ほど少し「儒教は宗教なのか」という話が出ましたが、文字と宗教の関わりという点で私の「五大文字世界」論をふまえて俯瞰しますと、基本的に超自然的な存在を基本的な前提にしないような価値体系がイノベーションの中心で基軸をなしていて、それをもとにこの文字が普及して受容されてきたところというのは、東アジアの漢字圏だけのように思います。

西方のラテン文字やギリシア文字、ギリシア・キリル文字については、ことにラテン文字の場合、西ローマ帝国が崩壊して西欧キリスト教世界になっていくというときに、一方でローマ・カトリック教会がその精神的な軸となり、他方でラテン文字が崩壊してしまった西ローマの文明・文化の継受の媒体となります。特に教会が文字技術に関してほとんど独占的な供給組織となり、ラテン語とラテン文字が周辺へと広がっていくうえで一役買ったところがあります。もちろん、西ローマ帝国で公文書がラテン語で書かれていたというのを、西欧キリスト教世界が受け継いだ面もありますが。

梵字世界の場合は、文字が出てくるのが非常に遅くて、口承が非常に重要視されていると思うんですが、やはり宗教がかなり強い関わりを持っていたのは確かだと思います。その場合、中心がどういう超自然的なものを基礎にした価値体系、つまり宗教としてどういうものだったかということが、大いに意味を持っているのではないでしょうか。

宗教が中心となって、宗教に関わるものがその文字で書かれるがために文字が広がったことがもっともはっきりしているのは、現存の五つの大規模かつ体系的で、広汎な地域・人々を包摂する文字体系としては、アラビア文字世界になります。そこでは基本的に宗教と絡んでアラビア文字が広がったといえるでしょう。

生態環境を超えて広がった仏教

岡本 イスラム圏が非常に広がるというか汎用性があるというのはおっしゃる通りで、私の愛読書だったんですが、先生が講談社現代新書の通史シリーズをコーディネートされ、しかもかなりの部分をご執筆もなさっておられる『新書イスラームの世界史』(全三巻・一九九三年)があり、その第一巻が「都市の文明」から始まっています。つまりイスラムというのは、やはりすごい文明的、普遍的というか、都市の宗教なんですよね。非常に汎用性のある、漢字圏における儒教などとはかなり違う特徴が

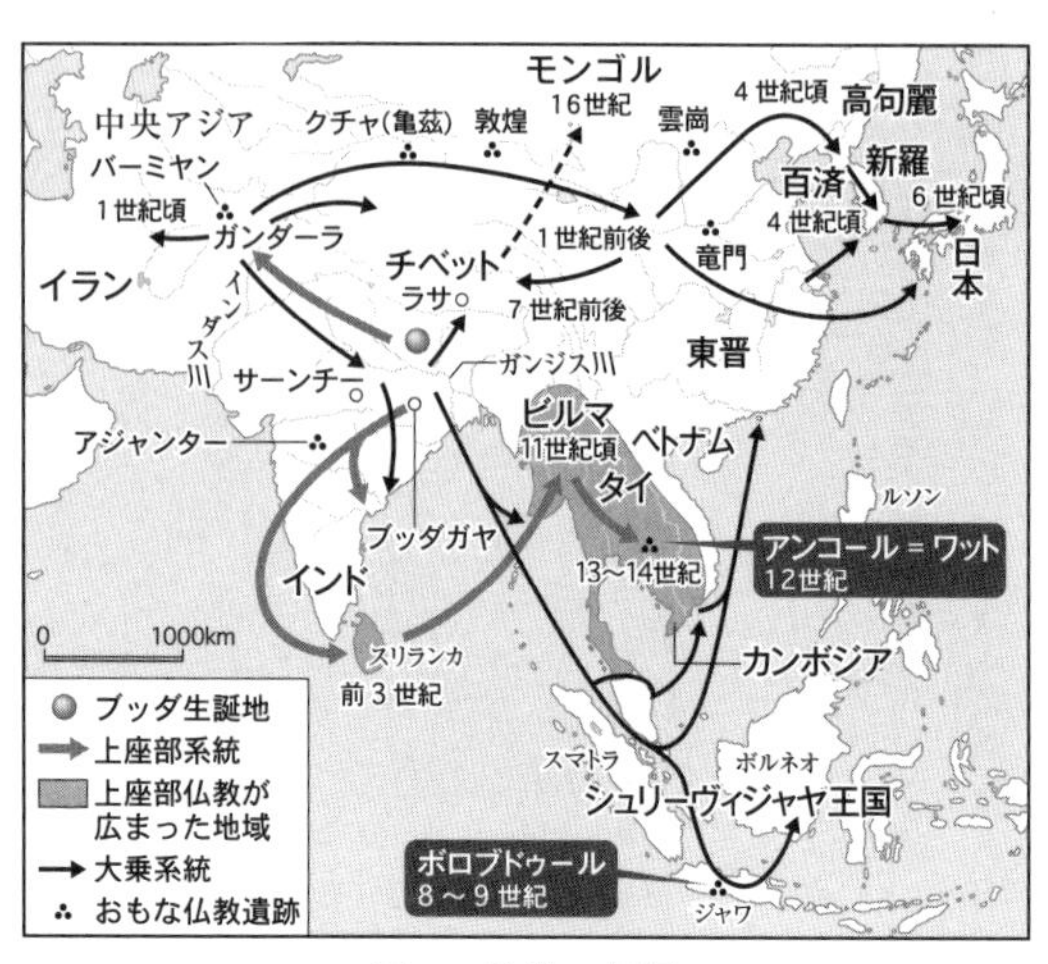

図7　仏教の伝播

あり、それがおっしゃった「くせ」、つまり「文化」ということになるかもしれないですが。

中国の儒教は漢字と表裏一体で、私は儒教をあえて「土俗的」と表現します。儒教は、広がらないですね。なぜかはわからないですが。むしろ東アジアで汎用的だったのは、生態的環境を超えて広がった仏教であろうと思います。それは元々のインドの都市文化・文明というところからできて、乾燥圏にも入りましたし、南方の熱帯にも入りましたし、両方から中国に入っていくという形ですよね。生態環境を超えるというその点は、イスラムと同じになります。もちろん海陸で、教義も大乗と上座部と異なってきますが……。

ただ中国の内部では漢字に変換されないと広がらなかった、逆にいえば漢字に変換したことで広がったという意味で、やっぱり仏教そのものはすごい汎用性があって、ユーラシアの全体をみると西半分はイスラムで東半分が仏教という基本的な構図で捉えることが可能で、その両者が交錯する部分が中央アジアだと。ここはトルコ化しますけど、西半分はムスリムで、東半分は民族的にはウイグル、宗教的には仏教という、非常に大きな色分けができる。あのあたりが象徴的ですよね。

漢字べったりの儒教なんていうのは本当に土俗的で、儒教がもう少し外に広がっていくというのは、儒教が仏教化したからだ、というと中国史の人に怒られるんですけど（笑）。

それが南宋の時代に朱子学になってから初めて日本人も勉強しようとするようになる。半島の人たちも取り入れようかという流れになっていきますので、仏教のインパクトというか、文明的なということを考えた場合には、イスラムに匹敵するのは仏教なのかなという感じがしています。

そういう意味では七世紀、八世紀あたりの世界地図というのがわりと象徴的で、アッバース朝と唐が並んでいる感じですが、それがすごい、先生のおっしゃった話にしっくりくる感じがしています。

唐の最大版図という歴史地図がありますが、これはおおむね仏教圏をまとめたというのと同じ意味になるでしょうか。面積的には直轄、ないし実効支配していない地域の方が圧倒的に広い。その観点からすると、西嶋定生先生が昔言われた「東アジア世界」というのはやはりおかしくて、唐は漢字圏ではなく仏教圏で、遊牧のテュルク、商人のソグドなど、非漢語系の人々も含めて考える必要があろうかと思います。それで初めて当時のユーラシア・アジアがわかるという感じですね。

漢字圏の「東アジア世界」という概念・論法は、当初の史料的な情況を考えると、実証的な手順としてはやむをえなかった側面はあるにしても、やはり日本人のごく日本史的な発想だったと思いますし、日本史の方々はいまようやく反省して、東洋史学の成果を意識して「東部ユーラシア」なんてことをいいはじめていますが、これが体系的でないので、うまく時代的に前後・空間的に東西とつながってくるかどうか、研究の進展に注目しているところです。

ともかく日本人は仏教を取り入れましたし、みな身につけてますけれど、儒教なんか誰も知らない。そういう感じです。だから誰も科挙に受からないですよね。いずれにしても広がるものと広がらないものがあるっていうのを考えてみるのは面白い。

それとその儒教が広がらないのは、政治の組織・イデオロギーというものに非常に近いというか、儒教というのは政治と結びつかないと天下を取れなかったようなものですので、そういう点でも社会そのものに密着したものにはなりにくかった部分があるかなと。

中国の場合でいうと、儒教と史学というのが密着して育っていきますので、はじめから自己中というか、そういう形になっていくので、いよいよカバーする範囲としては狭くなってくるというのが、中国のヒストリオグラフィーの特徴かなと。

東アジアの漢字圏では、史書とか歴史観というのはそこからきているので、なかなか難しいですよね。中国で先生がおっしゃった天地創造から始まるっていうものが体系的にでき出すのは、時期的にはやっぱり朱子学以降となります。

元ネタの『史記』や『資治通鑑※』などにはそういう話はまったくないんですが、『十八史略※』とかには天地創造とかがあります。宋学※の洗礼を経てから、というところでしょうか。やはり宋学ができて初めて、歴史の書き方という発想ができてくるのだろうと思うので、そういう点からしても、中国とか漢字圏の文明がもう一回り大きくなるには、仏教などの外からのインパクトはどうしても必要だったという感じがします。

一神教世界と「聖俗」「政教」

鈴木 キリスト教世界の場合は、まず原初のキリスト教があり、それがかなり大きく変容したかたちのキリスト教がローマ帝国の後継の世界に受け継がれたところがあるように思います。原初のキリス

資治通鑑 司馬光が著した編年体の通史。皇帝の治世の参考となるよう、戦国時代の始まりから五代宋までを二九四巻にまとめ、『史記』とならぶ中国の代表的史書とされる。

十八史略 『史記』以下一七の正史に宋代の記録を加えて概述した通史。宋末元初の曾先之の撰で、簡易に中国史の大要を知るのに適当な入門書とされる。

宋学 宋代に成立した哲学的な新儒学。宇宙の理法が人間の則るべき規範であるとする性理学、孔子・孟子の学統を継承して儒教精神を発揮しようとする道学などを特色とし、南宋の朱熹によって大成された。朱子学ともいう。

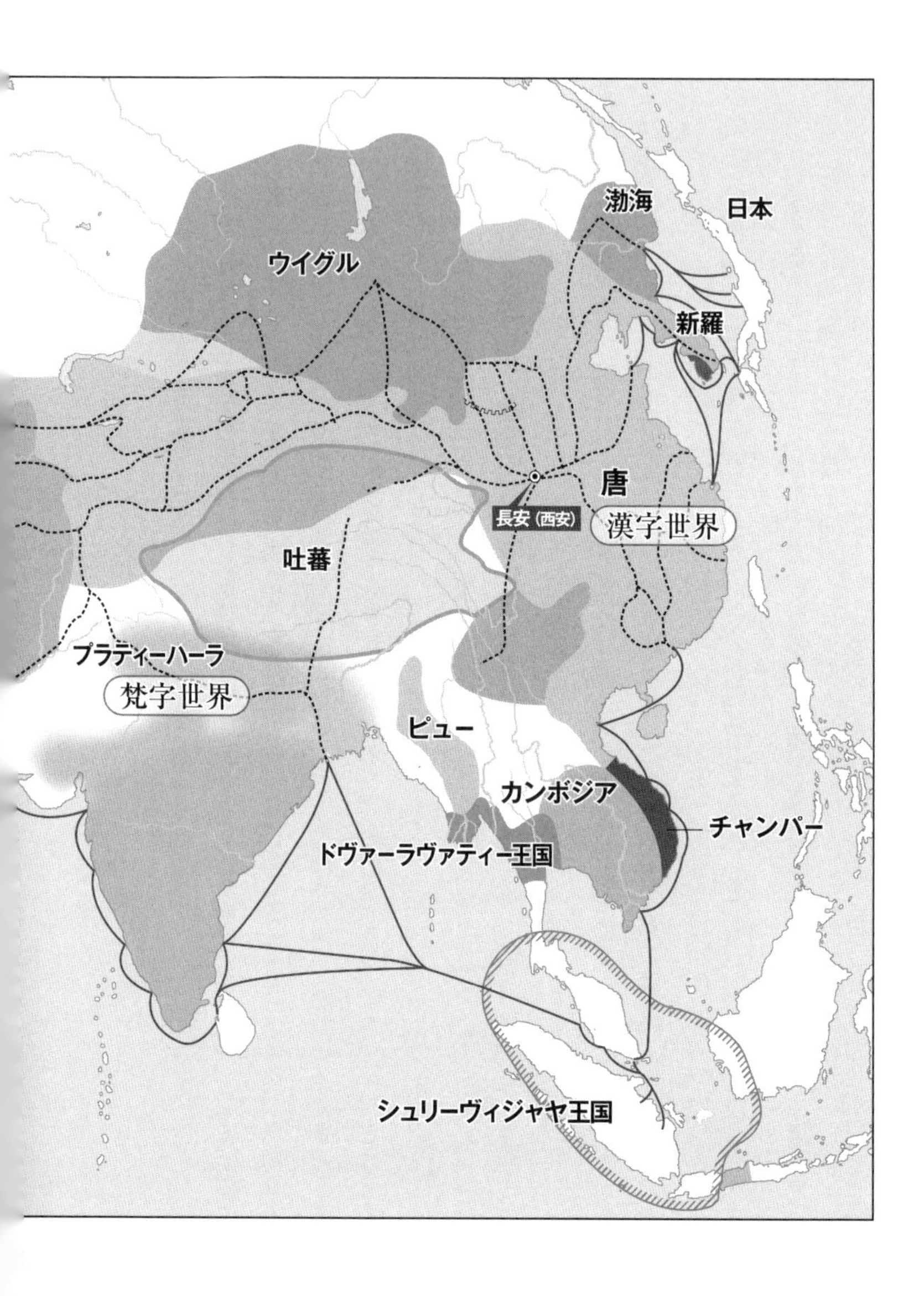
渤海
日本
ウイグル
新羅
唐
長安（西安）
漢字世界
吐蕃
プラティーハーラ
梵字世界
ピュー
カンボジア
チャンパー
ドヴァーラヴァティー王国
シュリーヴィジャヤ王国

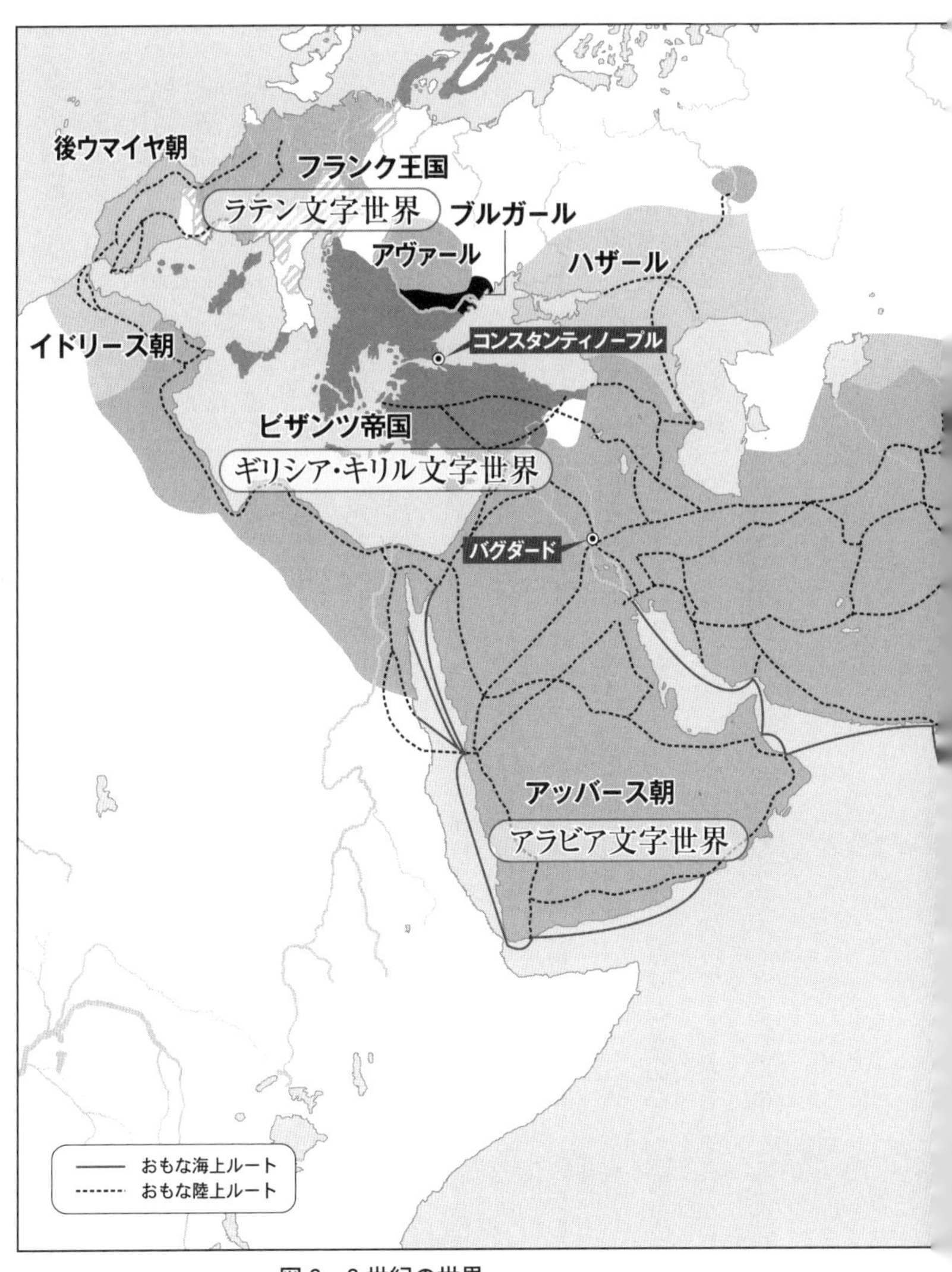
後ウマイヤ朝
フランク王国
ラテン文字世界
ブルガール
アヴァール
ハザール
イドリース朝
コンスタンティノープル
ビザンツ帝国
ギリシア・キリル文字世界
バグダード
アッバース朝
アラビア文字世界
おもな海上ルート
おもな陸上ルート

図8　8世紀の世界

ト教は「カイザーのものはカイザーに、神のものは神に」ということで、聖俗は二元で政教も二元であったように思うのです。ただローマ帝国がすり寄ってきて公認して国教にした段階で、相互補完の関係になる。そこでキリスト教が変わった一番いい例は、イエスのころは「絶対戦争否定主義」であったものが、ローマ帝国の国教になったあと、「義戦」というものを見つけて認めるようになったことです。「義戦」を一度見つけたことで、「何が義か」というのは極めて主観的ですから、戦争一般が容認されるようになったと思います。キリスト教の場合はユダヤ教の異端的改革者としてイエスが出てきたという事情があったので、権力とキリスト教が結びつくのは、キリスト教が社会的に非常に有力になったというフェーズにおいてだと思うのです。

イスラムの場合はまったく違いまして、初めから聖俗の別というのはないんです。京都大学におられた小杉泰先生（イスラム研究者）発案の言を借りれば聖と俗は一元で、「神の言葉が下されれば、それが宗教の領域になる」のです。それに加えて、預言者ムハンマドが六二二年にメッカからメディナに移ってまもなく、メディナで政治権力を手中にして以来、現実にも政教も一元です。しかも「教」を支えるために「政」があるというのが基本原則です。

同じ一神教といっても、キリスト教とユダヤ教があり、イスラム教の祖型の最初の一神教はユダヤ教だと思いますが、ユダヤ教はキリスト教よりはずっとイスラムに近いのです。おそらくユダヤ教も政教一元であると思います。ただユダヤ教の場合は古代ユダヤ王国が滅んだあと、権力を実際握った

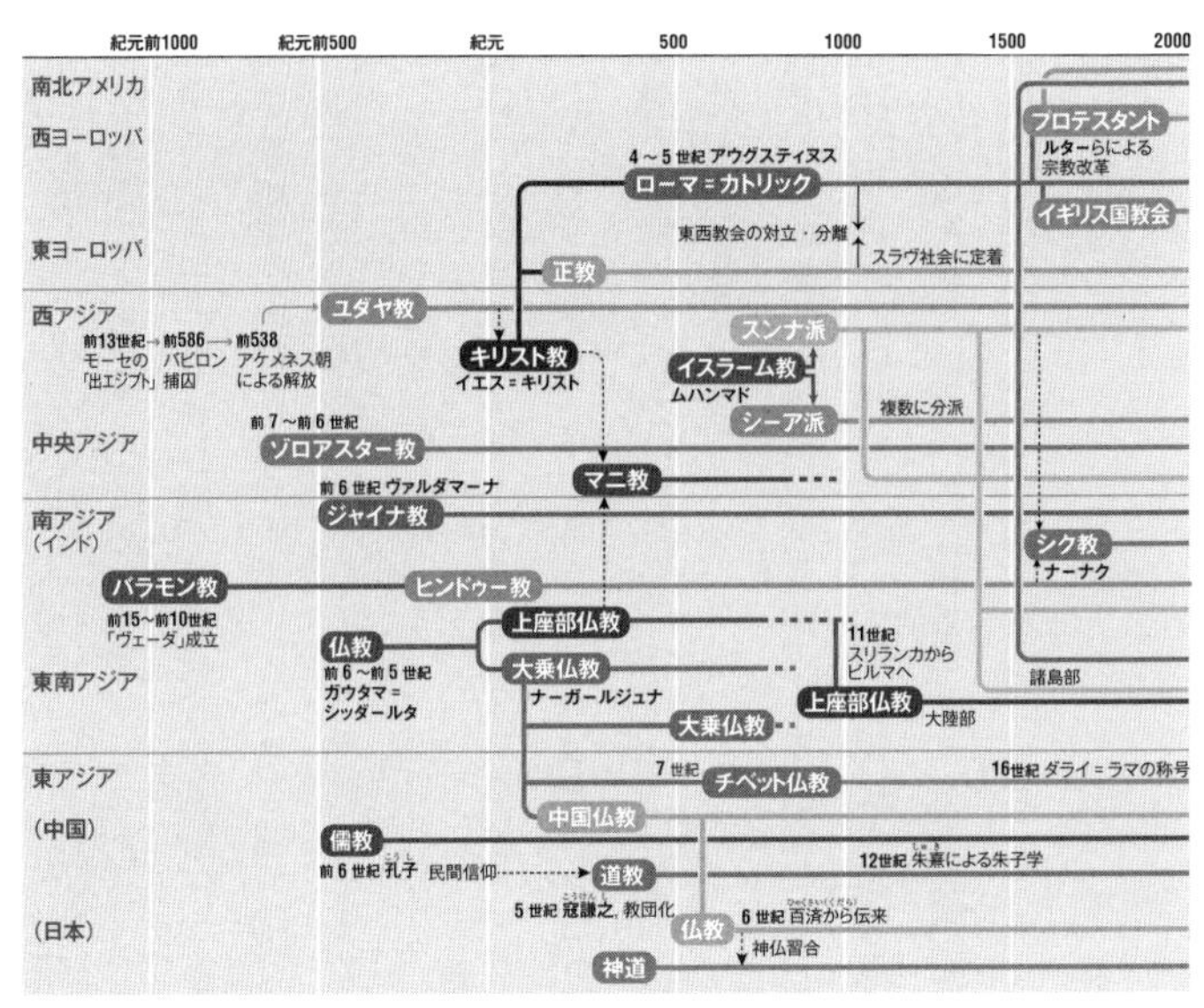

図９　おもな宗教の流れ

ケースというのがほとんどなくて、しかも近代に入りイスラエルを立ち上げたときの中心が社会革命党などの社会主義者から民族主義者になった人たちだったので世俗的民族主義国家になり、「ユダヤ教国家」というのはできていないのです。ユダヤ教の原則は突き詰めれば政教一元となるけれど、実現されたことはほとんどなかったであろうと思います。

　イスラムの場合は、イスラムが宗教として立ち上げられてから十数年で権力を握って政教一元の理想が実現されてから、そのあとずっと実現され続けて、その状態に疑問符がついたのは二〇世紀に入ってからです。特にトルコ共和国ができて、初めてかなり本格的に政教一元が否定され、内面の信仰として、要するに近代西欧型のキリスト教に近いものにしていこうとしたので、一元が切り離されて政教二元になったと思います。

ですからその意味では、社会統合の基軸になるものとしての一神教の中で、政教一元が当初から実現され続けたのがイスラムで、キリスト教の場合はローマ帝国と合体してから政教一元にはならないけれど「政教一体」になってより合されたままで、フランス革命のあとぐらいで本格的に切り離されはじめたのではないかと思います。

岡本　イスラムが一元というのは宗教集団が天下をとったもので、例えば本願寺が織田信長を負かしていたら、ああなっていたかも知れませんけど。それはある種の冗談ですが。

鈴木　さようですね、だいぶ違ったかたちでしょうけど、日本も少なくとも一時的には教団国家になっていたかもしれない(笑)。

岡本　なのでイスラムは一元が当たり前というのはおっしゃる通りですし、ローマ帝国がキリスト教団にすり寄っていって二元、元々二元なのが、ローマ帝国がなくなったことで一元になって、政教分離になるんだというのはこれもわかりやすい説明で、私もなるほどなと思いながら聞かせていただきました。

宗教と戒律、法の関係

鈴木　宗教には、私の個人的な見解ですが、戒律を非常に重視する宗教と、戒律より信心を重視するタイプの宗教があるように思います。

ユダヤ教には、あれを食べてはいけないとか、何をしてはいけないという多くの厳しい戒律があります。金曜日の日没から始まり、土曜日の日没までの安息日（サバト）には、一切労働をしてはいけない、料理をつくってもいけないという。でき合いの料理を盛って食べるのはいいというのが不思議ですが、いまでもそういった厳しい戒律を守っている人がたくさんおります。キリスト教というのは、ユダヤ教にあるような戒律を極限まで減らした「改革派」で、しかも聖典をギリシア語で編んだので非常に多くの信徒を獲得できたといえます。

ところがイスラムは三大一神教の第三で、独立だけど先代の二つの一神教の影響下にできていて、とりわけユダヤ教に非常に似ています。戒律が非常に厳しいところがあって、その戒律がシャリーアですね。シャリーアとは「水場への清浄な道」という意味で、預言者ムハンマドの口を通じて伝えられた唯一神アッラーの人類に対する最後の教え、およびそれを補足する要素が加えられたもので、裁判規範になる部分を含んでいます。

日本語では「イスラム法」と訳す場合がありますが、あれはいわば誤訳でして、戒律というべきなのです。イスラム研究者の小杉泰先生に以前、シャリーアは単なる法律みたいに軽いものじゃないのだから、「イスラム法」などより、もっと真意が伝わるような適訳を考えてくださいとお願いしたところ、自分も気になってはいるがなかなかいい日本語がなくて、とおっしゃっていました。あの方はご自身がなかなか開けたムスリムですから、そのあたりが非常によくおわかりなのです。つまりシャリーアはただの法ではなく「戒律」で、そこに法としての部分が入っているのです。

ユダヤ教の戒律も同じですが、先ほどお話したようにユダヤ人が政治的支配権を持っていた国家というのが、古代のユダヤ王国が滅んでしまってからイスラエルができるまでほとんど存在しなかったこともあり、ユダヤ教としての戒律は法律としての面でいうと、あまり大きな力を持っていないようです。

ただ昔ラジオが普及したとき、イスラエルでは世俗的民族主義者が天下をとったばかりの時代だったので問題なく土曜日も放送できた。ところがその後テレビが出てきたときは宗教派がイスラエルでかなり力を持つようになっていたため、安息日である土曜日にテレビ放送をするべきかどうかで大論争になったことがあったそうですが。

インドの場合は、バラモン教は非常に厳しい戒律の宗教で、それの改革派がジャイナ教だとか仏教として色々出てきます。ジャイナ教※はごく少数派として生き残ったけど、仏教はインドでは生き残れなくて、北回りで漢訳仏教になって漢字世界に広がって、他方でスリランカへ渡ってパーリ語の正典ができたので東南アジアに受け入れられましたが、仏教は相対的に戒律がゆるい宗教であるように思われます。

当のインドではバラモン教が再編成されてヒンドゥー教になって、ヒンドゥー教には相変わらず非常に厳しい戒律があって、しかもその戒律の中に法規範を含んでいるもので、イギリスの統治下ではヒンドゥー教徒はヒンドゥー法、イスラム教徒はイスラム法で裁判が行われるという状態であったようなのですね。

儒教の「礼と法」

鈴木 ですから戒律が非常に厳しい宗教と、それほどでもない宗教があって、戒律の中に法律的なものを含んでいる宗教と、それほどでもない宗教がある。中国の場合は外から見ておりますと、礼と法というのは全然別のものになっていて、礼の秩序で、徳治で治めることが望ましい。それが建前ですけれど、礼だけでは下々まで治められないので法もいるということで、ただ法治より徳治の方が圧倒

ジャイナ教 ヴァルダマーナを開祖とする、きびしい不殺生主義を特徴としたインドの宗教。断食などの苦行を重視し、西インドを中心とした商人層に信者が多い。

的に重要だということになってきたようにみえます。イスラムの戒律のシャリーアに当たるものは、中国では礼と法の二本立てでできていると思われますが、いかがでしょうか。

岡本　戒律とは基層社会の日常を秩序づける、律するという意味合いだと思いますので、そういう点が西方ではユダヤ教から始まって、濃淡はあるけれども基本的に一定してて、インドは徹底してるという、そういうお話だったですけれども、そういう点からするとやはり仏教が東アジアに広まったというのは、おそらく一般信徒に対する戒律がゆるかったからですね。

一方で儒教がそういう意味で宗教性とか戒律を伴っているか、という点については、超越物があって、それへの帰依・信仰、それが生活まで律するという、先ほどの先生の定義で考えますと、たぶん儒教は宗教ではない。というのは、神のような超越的なものがないのです。「天」とか「上帝」というものはありまして、後者は「ゴッド」とも訳されますけど、これはあとからつけたしたようなもので。

鈴木　祖先崇拝、祖先祭祀だけが宗教にみえるところでしょうか。

岡本　みえるところですが、人間社会であれば、祖先崇拝的なものは何かしらありますので。そういう点からすると儒教はやはり宗教らしくないですし、いわゆる戒律というのが、祖先崇拝から派生してきたもの以外にはあまり見受けられません。要するに人間関係を円滑にするための礼・儀礼というようなものは発達するんですが、それは先生がおっしゃっているようなかたちでの戒律ではない。

鈴木　エチケットの体系と考えた方が。

岡本　エチケットの体系ですが、エチケットよりはかなり重いというか。やはりモラル、秩序を維持する機能はあって、ただ弱いものですので、民間の有象無象の人々までは縛れない。エリートというか、ものわかりのいい人は礼で縛れる、秩序づけられるんですけど、そうではない一般の民に対しては、これは強制力あるいは懲罰でもって言うことを聞かせないといけないので、その礼の転化のかたちとしての法というものができる。だから日本の訓読では、両方とも「ノリ」と読むんです。

漢字の礼と法というのは中国では表裏一体的なかたちになっていて、それで礼でもって縛れるのがエリートで、法あるいは刑罰を伴わないと縛れないのが民ですね。こういう言い方はいけないのですが、民という字のもとは盲（めくら）という意味です。要するに、見えないから、礼がわからないので、体罰で言うことを聞かせないといけないという。

戒律の律ですけれど、あれは刑法とか訳されるんですが、元々は礼の裏返しみたいなところがあるものです。ある時期の律令の律というのは、ほとんど礼に等しいといわれています。それが明律とか清律になると全然違って、律という漢字を使っていますが律でもなんでもなくて、あれは天子の命令を成文法にしているというだけのもので、法に等しいものになっているわけです。

儒教はそういう教理でもって人々の社会生活まで縛るという発想がそもそもないというか、そういうシステムになっていない。ですのでエリートと非エリートというのはスパンと別れてしまうわけですね。やはりいわゆる宗教的な側面でも、西方の社会のつくり方とはかなり違うかたちになってきて、そんな教えですから本当に人が住みにくくなったとき、三世紀から四世紀あたりに深まってくる寒冷化とか自然災害とかいうときに、儒教じゃすがっていけないので仏教が広まるということになる。

鈴木　イノベーションとして中国に儒教が出てくると周辺の漢字世界に広がりますが、朝鮮半島の場合は礼の秩序が非常に浸透して、有名な韓国ドラマ「冬のソナタ」に出てくる貧しいお母さんまでが儒式で祖先祭祀のきちんとした儀式をやるシーンがあります。日本の場合は、儒者でも儒式で葬式をしたり、儒式でお墓つくる方って少ないと思うのです。

岡本　やっぱりもう仏教が身についてしまっているっていうのが大きいですね。半島は朝鮮王朝のとき徹底的に朱子学に純化しましたから、そこはまったく日本と異なっていると思います。

鈴木　伊藤仁斎※・東涯先生の古学の家礼の本とかが出ているようですが、特に日本では、ゆるいとはいえ仏教にも戒律があるのに、それが根づかずに理屈だけが定着する。儒学にしても、ほとんど理屈だけで儒式の礼は広まらず、日本人の儒学者でさえあまり知らないというか、朝鮮王朝の庶民レベルの知識すらないように思います。

中国・日本の「宗教」

鈴木　日本で宗教を論ずるときには、わりあい近代になってからの内面的な心の支えとしての宗教が問題にされるので、社会統合の基軸という面はあまり意識されていないように思います。ただ世界史的にみると、社会統合の基軸としての宗教というのが、カトリック世界と東方正教世界を合わせた東西キリスト教世界とイスラム世界では、極めて大きな役割を果たしていたように思います。

日本の場合は幸か不幸か、宗教的でない価値体系を元来持っていた漢字世界のイノベーションの中心である中国の影響下にあったことと、社会内で文化的な異質性がある要素が許容限界内だったので、文化的な同質性に基づいた統合の基軸がかなりの程度に成長していて、さらに高次の統合の基軸としての宗教を必要としなかったともいえます。

中国の場合も三五〇〇年ぐらいかかって、少なくとも漢字を共有し、漢語を共有し、文化を共有する世界ができ上がっているので、周辺部分は別ですが、中心部分は宗教というようなものでさらに統合を強化しないでも、ある程度、統合とそれを支える文化的アイデンティティが成立していたため、宗教の持つ意味が西欧などとは違うのではないかと思います。

日本の場合は、とにかく常に周辺で、中国という文明・文化の中心からイノベーションを受け入れ、それを改善していくというやり方でした。だから改善型のイノベーションについては非常に活発であるけれど、創造的で普遍性のある、まったく新しいイノベーションを起こすことがほとんどなかった

伊藤仁斎（一六二七〜一七〇五）　江戸前期の儒学者。『論語』『孟子』などの原典を研究し、京都に学塾を開いて独自の儒学「古義学」を構築した。東涯は仁斎の長子で、仁斎の古義学を継承、荻生徂徠に対立して古義学派を大成した。

ように私は思います。

丸山真男※先生はご著書『日本の思想』の中で、日本の思想には色々なものが入ってきてはそれが積み重なっていて、相互に対決して一つの軸があるというかたちではない、西欧の場合は一つの軸があるとおっしゃられています。このあたりのことを私の言葉でもう少し普遍的な言葉で表現しなおしますと、先ほど述べたように創造的なイノベーションを思想の世界で行わずに、常に外の中心から流れてくるイノベーションを受け入れていくかたちだったので、日本で「思想が対決せずに積み重なる」のは当然だと思うのです。

中国の場合は自らがイノベーションの中心であり続けたので、中国的価値体系の世界では、一貫した軸があるのだろうと思います。西欧・東欧の場合はイノベーションの中心だったローマが滅んで消えてしまいましたから、ローマから受け継いだ遺産をベースに自ら創造的イノベーションを行っていかなければならなくなったので、次々に思想的対決が進行して「一貫した軸」が生まれ、そのうえでひとつの伝統ができていったように見えます。そう考えるとやはりローマ帝国が死んでしまったのが東西ヨーロッパ世界にとっては大きかったし、それに対して、いわばローマ帝国が生き続けた格好で、中国が清朝末期までかなりの程度にイノベーションの中心であり続けたのが私たちの漢字世界の特徴だろうと思います。

また丸山先生は『古事記』などの日本の神話などまで分析されて、日本の思想の「古層」には、一神教世界のように「神が宇宙をつくった」という主体がはっきりした「つくる」という観念ではなく、自然に生命などが生まれ、変化していくことを意味する主体のない「なる」という観念が支配的で、それが日本人の歴史意識を規定しているとも論じておられます。

こうした「なる」世界というのは、アニミズム的な世界がかなり強く残っていて、そこへ次々にイノベーションの中心から新しい価値体系が流れ込んでくると、どうしても接合することになりますし、ベースとして古くから土着のものとしてあったアニミズム的なものが生き続けているので、「なる」世界が成立できる。

それはイスラム圏でも、インドネシアなどでは多分にそういうところがあると思いますし、上座部仏教のタイでも、アニミズムのピー信仰（ピーという精霊の信仰）が、仏教が入ってからも民衆の間では広く生き続けているということがある。ですからイノベーションの「中心」とそれを受容する側の「周辺」との関係と、「周辺」部の前提条件がどういうものだったかを念頭におくと、日本だけが特殊だったとは言えないように思います。

漢字世界の周辺の場合、初めは思想と関係ない形で文明が流れ込んでくる。それから仏教が、続いて儒教が流れ込んでくるという流れです。それは北魏あたりから南北朝、唐の中期ぐらいまでの一時

丸山真男（一九一四～九六）　昭和・平成期の政治学・政治思想史学者。東京大学教授。日本政治思想史研究に大きな業績をあげ、主著に『日本の思想』『日本政治思想史研究』など。

期、仏教にかなりふれて、その後に揺り返しのようなかたちで儒教に新儒教ができてきて、装いを新たにするという中国のイノベーションの影響によるもので、要するに日本では内発的に生み出されたものではない思想が次々に積み重なっているので、思想的対決がないように見えるのでしょう。

岡本 日本が「意味不明」なんですけど、ほんとにシナ海で隔てられていますから、仏教は精神的でハイカラで、儒教も似たようなときに入ってきて、でも儒教はいまいちだったんでしょうね、日本人にとっては。かなり後になってから学問としてやりだす感じになりますけど。

仏教なんていうのも、日本の場合は土着化・土俗化し、アニミズム的なものにくっついてしまって、本当に意味不明なものになってまして、日本史学の方々はその意味不明な中で精緻な研究をやられているものですから、我々にはますます意味がわからない感じになってしまっているというのが、日本の宗教史研究の現状なのかなと見ています。

日本の寺院建築なども、京都のシンボルは東寺の五重塔みたいで、あれはストゥーパから来ていますが、「五重」なんていうのは元々存在しなかった構築物で、中国で勝手にこしらえられて、くっついた感じのものです。元々は先端にあるものだけで、お釈迦さまの骨を安置しているというのが元々の形態だったらしいので。これも漢訳仏典と同じで、チャイニーズ化されて日本で土着してるみたいな。建築面にもやっぱりそういうものが現れていますよね。

中国の東アジアの方なんですが、これもほとんど先生からご説明のあった通りでして、価値体系とそれからモラルと、秩序の供給という部分は儒教が担ったんですが、それ以上の機能がなかったので、皇帝政治とくっついてしまう。元々政治志向的なところがありましたので、そういうかたちになる。漢語と宗教が関係ないかどうかは難しいところですが、現行の宗教概念なら、ひとまずおっしゃるとおりでしょうか。

原始儒教と漢字の成立あたりが、多分それほど時が隔たっていないというか、儒教が宗教かどうかはともかくとして、宗教では必ず真理を説いた経典がありまして、儒教にもそれが一応あるので、それが漢字の運用の基本的なマニュアルになってしまったものです。後に漢訳仏典ができて、漢字化した仏教用語が例外的に漢語・中国語の中にとりいれられるという部分があるにせよ、基本的に儒教の経典が、漢字・漢語を運用する際のベースになってしまいますので、基本的に中国の文字世界、あるいは思考っていうものはそこから抜け出ることができない宿命がある、そういう形態になっています。

そういう意味で儒教は、漢字の価値体系・論理構造の中に、どうしてもビルトインされている形になります。その点で原初的な形態ではキリスト教みたいな、教団と政権がカップリングしたというようなことになっていますけど、運用としてはイスラムみたいな一体型で、政教分離というのは、なかなか難しいのだと感じます。その「政教」ということばは、同義の文字を合わせた熟語で、この二字はそもそも分離できるものでも、すべきものでもない。よくわからないですけど、そのようになっていますので、その辺が東アジア的には漢字の運用という点での特殊な部分があると思います。

周辺諸国は中国的なシステムとどういう距離の取り方をするか。漢語の運用をどうするのかというので、やっぱり儒教の経典から離れられないところがあるとともに、日本みたいにそういうのはまったく無視して漢字を運用するという社会もあって、一方では漢字をまったく受け付けずに自分たちで文字をつくった遊牧民たちもいたりして、そこでバリエーションが分かれてくるかなというところになります。

日本の場合は漢訳仏教を徹底的に土俗化させ、自分たちの言語思考の運用に十二分に応用したというところに、つくづく日本人は変わった人たちだなとも思います。

なぜ儒教は日本に根づかなかったか

鈴木　やはり漢字・漢語の運用と価値体系というものが、少なくとも大陸部で非常に強く結びついていたのには、おそらく科挙制度がかなり絡んでいるように思われるのです。

朝鮮半島では高麗王朝で一〇世紀前半ぐらいに、ベトナムでは一〇三五年、大越国のときにそれぞれ科挙が一応は始まったことになっています。科挙が定着していくと、文字を扱う技術の中心的担い手の上層部が儒学の専門家ということになるわけで、それが非常に大きな意味を持つことになる。

日本の場合は、結局は江戸時代にしても朱子学に基づいて体制ができたのではなくて、体制ができあがったところで飾りとして朱子学が出てくる。それも本格化したのは、徳川綱吉のときぐらいだろうと思います。新井白石の時代にかなりかたちを変えて唐様風に集権化をやろうとしましたが失敗して、今度は和風改革によって実質的に実現したのが吉宗だと思います。

ですから日本では、儒学というのは基本的な日本人の心の世界に食い込めていなかったように思います。武家にしても、儒学にかぶれているのは、本来の戦闘者としての武士の精神から少し外れた人々ではないでしょうか。

私の母方の曾祖父が対馬藩の家老で登城していた人だったという話をしましたけど、その父親、つまり私の玄祖父は対馬のお家騒動で殺された人なのです。その後、逆クーデターが成功したとき、殺された玄祖父の側の家来たちは長柄の槍を持って敵討ちに出かけて、御堂の中に逃げ込んだ敵どもに「出てこい」と呼びかけ、出てこないので敵どもをしまいには外から突き殺したのだそうです。これは明治生まれの私の母が、ごく若いころに実際に敵討ちに加わったお国の人から手柄話として聞いたという話ですが、その精神というのは儒学的な忠孝の精神などではない。田舎の善良な侍はそんな「高級」なことは考えていないのです。おそらくそれは「もののふの精神」なのです。儒学が本当にどのぐらい武士たちを涵養していたか、かなり問題があるように思います。

岡本　おっしゃる通りで、日本の武士のモラルは、結局のところ武士道、先生のおっしゃる「もののふの精神」になります。その武士道を中国人が漢訳したら、「任俠」「義俠」になるんです。これを今で言うヤクザや反社会的勢力と同一視されますと、たいへん困りますが（笑）、しかし日本・日本語だとどうもそんな感じにならざるをえない。このように「俠」がわからないのも、日本人が漢語・中国を知らないことの一例です。

その「俠」というのは、元々儒教が敵視する墨子※が代表した概念でして、儒教は春秋戦国時代からの「任俠」を潰して、初めてできあがったものです。ですからほんとうの儒教は、教義的にも歴史的にも、武も俠も排斥するものですので、日本の武士が一生懸命、儒学を学んでいたというのは、とてもおかしいわけです。結局、日本人はわかっていないのですね。

さすがに朱子学に純化した朝鮮王朝の士人たちは、それに気づいて、日本の武士など最下等の「兵」にすぎず、「士」ではない、と断じていますが、儒教の論理でいえば、まったくその通りです。その武士が少しものわかりがよくなって、最後に儒教と中国にアレルギーを起こして、西洋の騎士道に乗り換えるのが明治維新ということになるでしょうか（笑）。ともかく武士と儒学は、二律背反とみてよろしいかと。

鈴木　儒学がそれほど日本人の心の中に浸透していなかった証拠に、日本では近代になって新解釈の儒教で世直ししようという新儒学運動のようなものが、大きな政治運動として出てまいりませんでしょう。新神道は明治維新の前後の騒乱の時に天理教とかいろいろ出てきたし、第二次世界大戦後は新仏教が出てきて、政治的にも大きな意味を持つようになってきていますが、新儒教が大きな意味を持つような運動になっているようには思われません。『論語と算盤』で知られる渋沢栄一の再評価でどうなるかわかりませんが。

岡本　渋沢といっても『論語』だけですから。直情径行で正直者の日本人が『論語』が好きなのは、単純明快であたりまえのことしか書いていないからですね。でも『論語』だけでは、儒教そのものにはならないです。

しかも『論語』にしても、正統な朱子の新注に拠らず、古注の方を好んだということで、それはやはり哲学宗教ではなくて、単なる実用とみていることを意味します。渋沢の場合も経学・礼学の精華である『大学』『中庸』を棚上げして、あえて『論語』を選んでいるくらいですので、別に儒教を儒教としてやっていたわけでもないかと思います。

渋沢もそうでしたが、日本の武士・庶民が学問をする、あるいはリテラシーを身につけるというときに、当時は結局中国の学問しかなかった。学びの実践ができる体系的な学問ってそれしかなかったんですよね。それまでの日本的な文化というものは全部お公家さんとお坊さんが持っていて、いまさら武士がやるようなものじゃないというところがあって、じゃあ武士が武士なりの何かモラルや知識を身につけねばということで、朱子学なり漢学なりが入ってきて、一生懸命勉強したんですけど、や

墨子（前四八〇頃～前三九〇頃）　中国戦国時代初期の思想家。墨家の祖。儒学の階級的形式主義を批判して兼愛（無差別の愛）や交利（相互扶助）など独自の思想体系を立てた。

っぱりあわねえや、といってアレルギーを起こして、こっちの方がいいや、って見つけたのが蘭学ですよね。

蘭学はいいけど、オランダ語ができないと話にならん、嫌だということになって、よく考えてみたら儒学は中国、蘭学はオランダのことで、日本のことではない、というので国学を始めてみました的な流れというか（笑）。ですので、その心を云々カンヌンというのはほとんどゼロに等しいですよね。本当に「お勉強」としての儒教しか日本にはなかったと思いますし、周辺国で科挙をとりいれたところだけがまともに中国の儒教に向き合っていたというか、向き合わざるを得なかった。それで儒教がそれほど支配的になったのは、朱子学以降だと思いますし、それが宋学というところで始めて科挙とシンクロするようになったと思います。

結局それ以前も中国の精神世界、特にエリートの精神世界っていうのは多分仏教なので、その点は日本と似ているわけです。中国の仏教の場合は精神世界を支配しましたけれど、外来的なものであると同時に、それを運用する漢字というのが半面は儒教で支配されていたものですので、それを儒教の教義に取り込んで改めて、新儒教、つまり朱子学ができる。そうすると、仏教は本当に単なる辺境の仏学みたいな形になってしまうというプロセスをたどって、その一方で、朱子学が政権とコラボして永続したというのが科挙になるかと。

こうして科挙が民衆社会から利権のシステムとして支持されるようになった結果、それが新しい価値体系と利権のシステムに代替されない限り中国では科挙がずっと続くということになります。

その科挙を代替するシステムが二〇世紀になって、ようやくできてくる。ただその運用は漢字じゃないといけなかったので、その漢字を供給したのが日本だったという、そういう話になってくるかなというところですね。

なぜイスラムに「原理主義」が生まれるのか

鈴木　イスラムに話を戻しますと、キリスト教のカトリックとの大きな違いは、イスラムにはカトリックのような教会がないのです。カトリックは神と神の言葉と信者を結ぶ結節点として、教義上定められた聖職者とその組織としての教会があるので典型的な組織宗教で、組織があるからこそ世界中に広まってもバリエーションがあまり出てこない。
イスラムでは、原理的には『コーラン』（クルアーン）を間にして神と人が個人契約で直接相対するのです。ウラマーと呼ばれる学者はいますが、彼らは「戒律学者」で、わからないことを聞いたら頼りになるけど「よく知っている人」にすぎず、カトリックの聖職者のように神と人との中継ぎをしてくれる人ではありません。ですからカトリックと違ってイスラムは所によって随分バリエーションがありまして、キルギスのイスラム教徒などはクムズという馬乳酒を通常平気で飲みますし、それが禁忌だとは全然思わないみたいです。それでも基本的にはシャリーア（戒律）を共有しているので、カトリックのような教会組織はないけれど、かなりの程度に統一性が保たれたのはシャリーアとその専門家であるウラマーがそのつなぎになっているところがあるようです。同じ一神教系の宗教でも、組織宗教と非組織宗教があって、非常に興味深いです。

岡本　でもやっぱりカトリックはおかしいですよね、組織が。

鈴木　イスラムの広がり方で特徴的なのは、シャリーアとウラマーです。征服地にイスラムが入るとまずシャリーアが入って共有されます。そうすると戒律をどう解釈したらいいのかに精通した専門家が必要になるため、ウラマーが入ることになります。たいてい、このウラマーが地元で学塾を開きまして、地元の人々を弟子にとる。その中からウラマーが育って、周辺のまだイスラムが入ったばかりの地へ赴き、そこでウラマーとして後進を育てるという具合で、だからカトリックのような教会がなくても広がることができるのです。つまりイスラム世界はシャリーアの共有と、ウラマーのネットワークが形成されることで統一が保たれているのです。

そもそもカトリックのような教会がないため、イスラムの宗教改革は「教会改革」ではなく、原典に戻るというかたちになるので「原典主義」、いわゆる「原理主義」に向かいます。それは例えば『コーラン』の解釈が間違っているというもので、これはプロテスタントに似ています。プロテスタントというのはカトリック教会のような人と神を媒介する教会がなく、もっともイギリス国教会※（アングリカン・チャーチ）の場合はカトリック教会の首長をヘンリ八世が乗っ取っただけの話で少し違うかもしれませんが、プロテスタントには懺悔を聞く権利を持った聖職者などがいないですから、イスラムに似て原典に戻る、原理主義的傾向が強いのだと思います。もっとも西欧の宗教改革というのは、カトリックの教会改革がどうしようもないということでルターやカルヴァンが教会から飛び出したところから動き出すわけですから、イスラムでイスラム原理主義者が出てくるのとは違いがかなりあるのではないかと思います。今のローマ教皇はどちらかというと「解放の神学※」の系統の方ですが、とうとう本拠に乗り込まれたんです（笑）。

世界史的に珍しいカトリックの不寛容性

鈴木　今の日本人は、開国後に入ってきた寛容な「愛と救いの宗教」というイメージをキリスト教に抱きがちですが、それは宗教改革から宗教戦争を経てかなり「アク抜き」されたあとのものです。歴

イギリス国教会（アングリカン・チャーチ）　一五三四年の国王至上法でローマ教会から分離して成立したイギリスの国定教会。国王が首長となり教会は国家に従属するが、カトリック的要素が残ったため、プロテスタントによる国教会批判が一七世紀のピューリタン革命につながった。

解放の神学　社会不正・貧困・人権抑圧との戦いや社会改革を求めたカトリック教会の潮流のひとつ。一九六〇年代にラテンアメリカで広がった。

史的に中世西欧のキリスト教というのは「聖書か剣か」の宗教で、異教を絶対に認めない不寛容な宗教でした。だから一六世紀、南蛮人がやってきて布教しはじめたカトリックが日本で危険視されたのはある意味で当然なんですね。

例えば西欧キリスト教世界で、ユダヤ教徒は異教と異端の間として、徹底的に隔離して差別しながら残置されていました。これは私に言わせると、最近の流行り言葉での例えで恐縮ですが、いわゆる「3K労働」的なことをさせるために置いていたのだろうと思うのです。つまり金を借りたい人はいっぱいいるけど、キリスト教の倫理で利子つきの貸し借りは禁止されている。ユダヤ教徒も仲間内では禁止なのだそうですが、異教徒から利息をとるぶんにはどうもかまわないようなので、キリスト教徒ができない「金貸し」をユダヤ教徒にさせていた格好なのです。シェークスピアの『ヴェニスの商人』にユダヤ教徒の金貸しが出てきますが、なにも強欲だから高利貸しをやっていたわけではなく、キリスト教徒が生業にできない金貸しを仕方なくやるはめになっていたのです。

イスラムでもお金を動かさないで果実を生むのはいけないのですが、事業に投資をして果実を得る、ないしは買い戻し契約つきでモノを買って、一年後に利息分にあたる金額を上乗せした金額で買い戻させるのはいいのだそうです。だからイスラム教徒は「脱法行為」でお金を借りられるのです。「中世西欧」のキリスト教徒はイスラム教徒みたいに融通が利かなかったのかも（笑）。

カトリック世界の異教徒・異宗派って、ユダヤ教徒しかいないのです。あの世界ではカトリックであっても非正統と認めたら異端審問で捕まえる、民間信仰が混ざり込んだりしても魔女狩りのように捕まえるという具合で、あんなに大きな文化世界で単一宗教、単一宗派しか認めない世界というのは世界史的にも珍しい、極めて不寛容な世界だったのです。

一方でやたらに図像とか彫像とかを多用するようになったのは、あれはゲルマン化したせいだと思われます。文化程度が低い人たちに信心を起こさせるには「偶像」を見せないとダメだったからでしょう。元々のキリスト教は絶対平和主義だったのに、ローマ帝国がすりよって「義戦」を認めるようになったことはすでに触れましたが、それが堕落のはじまりで、キリスト教はローマ帝国と「結婚」して堕落した、というのが私の意見です。

岡本　でもまあキリスト教も正教の方もあるわけですし、やはりローマとかヨーロッパがいかんのだと思いますが。

鈴木　とにかく、イエスが悪いのではなく、ローマの権力がすりよったおかげで堕落したということでしょう。もちろんそれはキリスト教だけの話ではなくて、仏教にしても、国家がすりよって鎮護国家だということになると、殺生がいけないはずなのに殺生を許容してしまいますから。そもそも政治権力と距離があった宗教がそれと癒着した結果、変なことになるのだと思います。

イスラムの場合は元々が政教一元ですから、対立する異教徒を征伐するのは何ら問題ないのです。ユダヤ教もそうで、モーゼの十戒で「汝殺すなかれ」というのは、まともな人間は殺しちゃいけないといっているだけの話で、異教徒であるファラオの軍隊を大勢溺れ死にさせて平気なんですから、あれは不殺生主義、殺生全面禁止じゃないのです。イエスのころのキリスト教は、人間については殺生全面禁止だったのだろうと思います。

聖典を記した文字の重要性

岡本　やはり宗教が秩序の源泉になっているというか、個人でいえばモラル、人間集団になれば秩序というのが宗教の役割だというのはそうだと思います。そしてずっと先生もおっしゃっていたように、西と東で大きなバリエーションがあって、西の中でも組織化されたものとそうでないものがあって、あるいは権力との距離の取り方によってかなりのバリエーションが出てくるというのは確かですし、たぶん科学とか知識の体系にも関わるんだと思いますが、宗教は真理を書いた経典というかそういうのが重要になって、それが最初にお話しされた文字とか、あるいは世界観に繋がってくるので、全部一本に繋がってるという感じはします。

宗教とかそれを文字化した経典とかっていうのが、人々が結集する核にもなり得るというような感じで、世界史というのが考えられるというふうに受け取りました。儒教・仏教による東アジアの漢字・漢語圏もそこは同様だと思います。

鈴木　いま、岡本先生がいわれた文字の話に関連しますと、神の言行や教えなどが記された聖典がどんな言語で書かれているか、そのことが非常に重要な宗教とそうでない宗教という違いもあるかと思います。言い換えれば、聖典の翻訳を許す宗教と許さない宗教という違いです。

一神教だと、ユダヤ教とイスラム教が聖典の翻訳を信用しないことで知られています。とくにイスラムでは神の言葉はアラビア語で伝えられて、聖典『コーラン』がアラビア文字で記されたということが決定的に重要で、それが、アラビア語とアラビア文字がこれだけ広がった理由でもあります。しかもイスラムの場合、一〇〇％正しい翻訳はありえないという前提があるため、翻訳は許されません。ただアラビア語が読めない人がいると困るというので、アラビア語の原典と並べて、原典対訳の現地語注釈というかたちだけが例外的に許されているだけです。アラビア語原典と注釈ならいいけど、現地語だけの翻訳はダメという方針なのです。

キリスト教の場合はイエスが何語で話されたかわからないそうで、たぶんアラム語だろうといわれていますが、証拠はないのです。パウロ※が実在の人物かどうかはさておき、彼はバリバリのヘレニズム系知識人だったので、布教戦略としては非常に正解で、ローマ帝国の東半分でちょっとした人なら誰でも読めて、西半分でも知識人なら大概は読めるギリシア語で『新約聖書』を編集したというこ

パウロ　（？～六〇以後）　原始キリスト教でペテロとならぶ二大使徒。ローマ市民権を持つユダヤ教徒だったが回心してキリスト教徒となり、東方の異邦人への伝道に尽力。彼の書簡は『新約聖書』に加えられている。

とです。つまりキリスト教の聖典ははじめから翻訳で、しかもあれは聞き書きですから、本当のイエスの言葉かどうかわからない上に翻訳になっているのです。そもそもアラム語なんかで聖典にしたら誰も読めなかったでしょうし、その意味ではとてもうまい布教のための「営業作戦」だった（笑）。カトリックの場合はそれをさらにラテン語訳したもので、ローマ教会が「これが唯一の訳だ」としたもの以外は認めませんが。

岡本　そうです、嘘つきです（笑）。

鈴木　翻訳聖典、しかも重訳が唯一の聖典になった珍しい例がカトリックなんですね。実は仏教もキリスト教に似ていて翻訳はわりあい平気で、北に行くと漢訳仏典になって、漢字圏の朝鮮半島、日本、ベトナムの人間はサンスクリットやパーリ語は読めないので、漢訳仏典だけ読んできたわけです。梵字を勉強する方はたまにいたけど、それはよっぽど奇特な方で、日本でも明治になって西欧で本格的に学んだ先生方が勉強なさって、サンスクリットやパーリ語を読める人が出てきたわけですから。

岡本　漢訳仏典の影響力は多大です。儒教よりも仏教の方がはるかに汎用性・普及力がありましたので、漢語圏の世界は、むしろそれでできたともいえます。もちろんときと場合が違えば、そこにも濃淡があります。日本の漢語は仏典ばかりで、本来の儒教の方はあまり知らないという時系列的にみれば、逆転現象になっています。これが日中韓の違いの根本になっているとみることもできます。

鈴木　だいたいお釈迦様は何語でしゃべられたかわからない。プラクリット（古代インドの俗語）だったのではないかと思うのですが、聖典としてもっともらしくするためにサンスクリットで書かれて、それが漢文に翻訳されます。パーリ語にしたものが南に伝わって、スリランカでパーリ語正典となって東南アジアへ伝播するのですが、現地語には翻訳されずパーリ語で読まれていたようです。ですから仏教も翻訳についてはわりと平気で、そうするとイスラムが一番厳格ですかね。

岡本　そういうのもだいぶ違いますよね、バリエーションが出てくる感じで。

ルール・オブ・ローと中国の「法治」

鈴木　次に法ですが、世界の法の歴史をみるときに比較法、比較法制史というのがあります。この視点も非常に重要で、そもそも宗教の戒律の一部に法律も含まれていたところと、法律が宗教から独立したかたちで存在していたところなどがあったわけですが、それがグローバリゼーションによって異なる文化世界同士の交流が盛んになっていくときに、重要になってくるのが商取引、契約の問題で、それから刑法のあり方が問題になってくる。またグローバリゼーションの中で、西欧の法に対して異文化世界がどう対するかというのが問題になってくると思われます。

例えばイスラム世界の場合、商法が非常に弱いのです。そもそもイスラムのシャリーア（戒律）では自然人以外は法律行為の主体になれないことになっているため、「法人」を認めていません。だから法人としての会社というのも、本来のシャリーアからいうとありえないものなのです。

ですから、例えば世界最大の石油会社として知られるサウジアラビアのサウジアラムコは法人格を持った法人で、株式会社ですが、法人を認めていないイスラムのシャリーアとどういう整合性を持たせて会社として成立させているのか、興味があります。

岡本　そこは重要で面白いですよね。そもそも商法を系統的に発達させるのも、「ヨーロッパの奇跡」の一面ですから、イスラムのみが「弱い」ということもできないかと思います。

鈴木　幸か不幸か、行政法に当たるものもあまりシャリーアにはないのです。ムハンマドが六三二年に亡くなるまでは祭政一致の政治をやっていただけで、そんなにかっちりとした組織とかがあるわけではないので、そちらは非常に漠然としているんです。

逆に詳しいのは親族相続法と刑法です。刑法は西欧人との関係があって、おたくの野蛮な法律で文明人が裁かれたら困るということで、西欧による治外法権がずっと続くことになりますし、いまでもパキスタンやサウジアラビア、イラン・イスラーム共和国といった厳格なイスラム教国家では、刑法は非常に問題になりうるのです。もう一方の親族相続法というのも非常に身近なものですからね。

オスマン朝も西欧諸国と条約を結んでいったときに、向こうからお前のところの裁判が公正ではないので条約改正を認めないといわれたことをきっかけに法制整備をしようという機運が高まり、民法典論争が起こります。新しい法典なんかいらない、今まで通りにシャリーアを適用すればいいという人たちと、思い切って西欧法を受容してしまえという、明治日本で民法を編纂しようとしたグループに近い考えをもつ人たち、それからシャリーアの中の民法的部分を成文法化したらいいじゃないかという中間派の人たちなどで喧々諤々の論争に発展するのですが、シャリーアの規定を条文化してそれで成文法にするという中間派が勝ってメジェッレ（オスマン民法典）というものができます。ただオスマン帝国が崩壊してトルコ共和国になったあと、メジェッレは廃止されてスイス民法に則った新民法ができます。オスマン帝国領からイギリスの国際連盟委任統治領になったパレスチナでは、しばらくメジェッレが法典として通用していたそうです。

法というのは面白いもので、社会生活のルールで社会秩序の基本ですから、基本的には文明としての面も持っているけど、文化が違うと法律も違ってくるところがとても重要な側面であろうと思います。

中国の場合は礼こそ大事だとは言っていますが、法律も律令体系が漢のころからだんだん整備されてきて、非常に体系的な律令体系が隋・唐の頃にできてまいりますね。

岡本　律令って刑法とか行政法といわれていますが、結局、律は礼を換骨奪胎したというか、刑罰で強制力を持たせたものです。令は命令の令ですから、元々は強制命令というような形で、曖昧というかガイドライン的なものをまとめたというだけのものですよね。

東アジア、中国でイノベーションが起こってきて経済が変わってきたりすると、律令ではまったく対応できないようになって、日本でも律令体系の末期のころの律令を取り入れたものの、やはりすぐ日本社会で適用できなくなってポシャるんですけど、中国でも基本的に同じで、日本が取り入れたころの律令というのはもう、そのあたりから通用しなくなっていくのです。

それ以降は、天子の臨時の命令がそのまま法律としての効力を持つようになります。特に経済面の、先ほどのお話の、商法とか民法典といったものについては、天子の勅令がそのまま法としての、臨時的にその都度その都度出すというやつですね、それがある時期にきたら一旦まとめてというかたちで法典化していくというプロセスをとるようになってきますよね。天子で、儒教の元々の教義という、やっぱり徳治の部分は変わらない。法とか刑罰の運用に関しても天意に従うようにという姿勢で、よく「情理」っていいますけど、「人情天理」というものが判決基準になったりするっていう面で、法治にはならないという。

イノベーションとかグローバリゼーション的な文脈で、そういうところに対応しないといけない部分は当然のことながら東にも西にも出てきて、対応の仕方というのがそれ以前の宗教戒律とかに規定されている部分は大きいのは、中国でも確かかなと思います。今のルール・オブ・ロー（法の支配。Rule of Law）というのはアングロサクソンの発明ですし、イギリス人はカトリックでもプロテスタントでもないすごく変な人々なのに、彼らのつくり出したものがいまの世界のグローバル・スタンダードになっているので、これまたおかしな話なんですよね。だからルール・オブ・ローとか法治とかいっても中国人は、その本質が全然わかっていなかったりしていて、非常におかしな現象が生まれたりしているというのは、先生がお話になったようなこととか、あるいは中国の状況とかの前提がないと、憲法学者とか法学者に任せていたら、おそらく全然わからない話だろうと思っています。

鈴木　日本はアングロサクソン的なルール・オブ・ローじゃなくて、明治改革でプロイセン流の「法治主義」を受容してしまったので「悪法も法である」ということになりかねない。このルール・オブ・ローとは、法は正しいものであるべきだという前提があるからルール・オブ・ローなのです。日本人が法と思うのとは違うのです。その日本式法治主義のお手本になったドイツだとそれでも、ドイツ語のレヒト（recht）一語に「法」「権利」「正しいこと」の三つが同義として含まれています。アングロサクソンの英語だと、ドイツ語のレヒトに対応するライト（right）には「権利」「正しいこと」がありますが、「法」にあたる言葉はlawになってしまっていますが。

岡本　そうですね、だからLawとかConstitutionとか、その本義は日本人もふくめ漢語圏の人々にはたぶんわかっていないですよ。漢語で「法治」といってしまうと、そのあたりがものすごく曖昧になりがちです。「法治」は習近平政権の常套句でもありますので。

鈴木　礼は日本にどうも体系としては入らなかったようですが、律令は一応入れたということにして、換骨奪胎してルール体系をつくろうとしたし、今度は明治になって維新以後に法典編纂するときに、一時は清律をベースに刑法をつくろうとしています。ですから中国発の、文明上のイノベーションだと思って取り入れる姿勢は当時、まだ日本にあったように思われるのですね。例えば中国の律令がベトナムと朝鮮半島、そして日本と琉球にどう取り入れられたか比較する研究があったら面白いのですが。文明と文化の交わるところでもありますし、法系でものを見ようとする比較法学は、これにも関わる話です。

岡本　それはあまり研究がないような気がします。改めて勉強し直さないといけないかもしれません。

人間が「主権者」になれないイスラム

鈴木　例えばローマ法※も、ローマ市民内の法律としての市民法と、ローマ市民権を持っていない同盟都市とかの人々も扱う万民法と二つに分かれていたというのですが、この万民法は一国家内の国際私法みたいな代物でもあったわけです。ローマの場合、ローマ法が非常に重要だといいますが、西欧の法が鎌倉時代の武家法みたいで、体系性があんまりない代物だったので、支配組織が体系化されてくるとローマ法の方が役に立つということになったという側面はあるように思います。

岡本　まあ単に借りてきただけですからね。法学も西欧法で体系づけられているものですから、借りてきたローマ法が一番初めに問題になって法継受なんて言い方をするだけで、実際のローマのローマ法がどう運用されていたかという議論は、あまりないのでは。

鈴木　ローマ法は一九世紀の半ば過ぎまで実際に法律として適用されている「生ける法」だったので、イスラム法に似てるんですよ。シャリーアの法的部分について、イスラム世界でも判例や学説の歴史的変遷に基づいた法制史というのはあまりなく、あるのは主に理論研究なんです。ローマ法に似ていて「生ける法」でもあったので、理論体系を追うのが中心になります。ですからローマ法制史というのは「ローマ法理論史」の面が強いのではないかと。

岡本　中国の経学※に似ていますね。経典の解釈ばっかりやってる。

鈴木　ええ。実際、礼の秩序がどうやって動いていたかには興味あるのですが。

岡本　中国の法制史の方で少しやるんですけど、中国内で同時代にやっていた経学はそういうことはまったく無頓着で、単なる経典の解釈学ですね。

鈴木　イスラムの場合は解釈学が二種類あって、『コーラン』の解釈学とシャリーア理論の研究とがあります。主権者というのは近代の言葉ですけど、イスラムの伝統からすると、人間が主権者になることはありえないことになります。また人間が法をつくるという意味での立法者という言葉も問題でし

ローマ法　古代ローマでつくられた法。十二表法以来、六世紀にユスティニアヌス一世が編纂させた大法典『ローマ法大全』へと発展し、のちに中世ヨーロッパに継受された。近代ヨーロッパ法の源流となり、世界各国の法制度に影響を与えた。

経学　儒教の経典としての『大学』『中庸』『論語』『孟子』の四書、『詩経』『書経』『易経』『春秋』『礼記』の五経に関する解釈学。

て、これもイスラムでは戒律をたてられるのは神だけとされていて、人間には神が与えた戒律の、解釈権と実施権しかないのです。

ですから、イラン・イスラーム共和国の場合は主権者が存在しないのです。ただ戒律の解釈権の中心になり得るのはウラマー（戒律学者）だという説がシーア派のイランでは確立していて、イラン革命の指導者だったホメイニ※がその理論の大成者です。四代目カリフであるアリーの子孫がお隠れになっていて、その方がアッラーの思し召しでマフディー（救世主）として顕現して初めて正統な支配が成立するが、それまでの間はアッラーの戒律の専門家である学者のウラマーが権力をお預かりするのがもっとも正しいのだという考え方で、これをホメイニが体系化したのです。

面白いのは、ホメイニはその主著をイランのペルシア語ではなく、アラビア語で書くのです。アラビア語というのは、近世までのヨーロッパのラテン語だとか、「近代」西欧に飲み込まれる前の漢字世界の漢文に似ていて、まっとうな知識人はアラビア語で書くという世界が今でも生きているのです。イラン人の学者がアラビア語で書くことがありますし、アラビア語で書くとレバノンのシーア派のアラブ系の人でも読めるのです。ただオスマン朝では、イランでシーア派のサファヴィー朝が天下をとったのでイランに偏見を持つ人もいて、「アラビア語を学ばなければ知識の半分はいってしまう、もしペルシア語を学んだら信仰の半分はいってしまう」ということわざがあるように、ペルシア語を学ぶとシーア派に傾いたり、文学だとか世俗の学問に傾くといって、敬虔なムスリムにはペルシア語を勉強するのを嫌がる人も多かったようです。

「科学」と連鎖的イノベーションの登場

鈴木 さて、今度は科学や技術といったものについて少し考えてみたいのですが。

科学というのは私に言わせると体系的知識のうちで、超自然的なものを前提としない、自然世界内で検証できる体系的知識が分かれてきて、それが科学であるように思うのです。ただそれもいつ分かれたのかは明確ではなく、万有引力の法則を発見したニュートンにしても一方で錬金術に凝っていたというようなことがありますから、ヨーロッパの場合でも、はっきり分かれたのはおそらく一九世紀になってからだろうと思います。

その科学が西欧で急速に発達し、圧倒的なグローバル的比較優位を西欧が確立していくことになる。しかも諸文化世界の並立状態が解消され、文化圏は残るけれど唯一のグローバル・システムができあがっていく中で、そのイノベーションは他の文化世界でも否応なしに受容せざるを得なくなるということになっていきます。

ホメイニ（一九〇二～八九） イランのシーア派の指導者。一九七九年のイラン革命により、聖俗両方の最高指導者となり、イスラム法と国政の一体化を進めた。

一方で科学としての体系的知識を踏まえながら、実用・運用的な個別的知識として発達していくのが技術といえるかと思います。

この技術についても、近代西欧で生まれた技術体系が伝統的諸技術に比べて少なくとも効率的で圧倒的に比較優位を持つようになったので、伝統的技術の方がだんだん淘汰されていくことになる。しかもその技術を支えるシステムとして、今度は新しい非常に効率的な経済システムが、これも近代西欧で初めて本格的に体系化されます。これが一方で技術進歩を生むし、技術進歩が経済システムを進化させるという状態になって、世界を席捲している面があるかと思われるのですが。

岡本　おっしゃった通りで、要するに世俗的（セキュラー）な部分の科学と、運用実用の技術という側面、それが宗教と、宗教というのは一面教学とか知識の体系ですので、そこから派出析出されてきて、科学技術として純化してくるというのは、どこの世界でも同じで、ヨーロッパ以前にインドでもアラビアでも科学的な知見とか知識の体系は発達しましたし、技術的なイノベーションというのは東アジアではそれこそ唐宋変革※とか、それ以降のプロセスで発明とかいっぱいやっているわけですが、それを拡大再生産ですか、イノベーションのサイクルをつくり上げたのが、西欧の発明というか知識で。

要するに、数学とか理論とか、あるいは法則といったもの、そういうかたちを考え出して、一過性で、これができて終わり、ではなくて、それをもう一度生み出して、あるいは組み合わせてもう一段新しいものをつくり上げる、っていうことはそれまでの世界にはなかったもので、それがいわば世界制覇、グローバリゼーションの出発点になったんだろうと。それがあって初めて、それまでの世界圏・文明圏というのは、越えられなかった世界史を越えるグローバル化、世界の一体化という局面を生み出していったのだろうと考えます。

もちろん、先生がおっしゃったように諸文化というのが残って、科学、技術とか、西欧流のあるいは西欧がヘゲモニーを握った部分に関わらないところだとか、それを取り入れてもかなり独自色を出せるような、そういう局面に限ってはそれぞれの文化とか個性という形で残るんですけれども、それも含めて、いまやグローバル化ということを抜きにして考えることができないわけで、猫も杓子も大学に行くことになっています。しかし、大学の学問は西欧の学問でしかなくて、そういうところに全部くること自体が、変な話で、おかしい。

明治のはじめがそうだと思うんですけど、西欧のものごとを身につけてネイション・ステイトをつくるんだという人が大学に行けばいい、それが元々の形態だったはずなんですね。そうじゃない人は土俗で暮らせばいいはずなんですが、それこそ我々はみな西欧化されてしまって、我々アジアの歴史をやっている人たちは非常につらい立場に置かれているという。

唐宋変革 日本の東洋史学の草創期に内藤湖南が唱えた学説で、唐から宋に移り代わる間に、中国の政治・経済・社会・文化に大きな転換・発展があったとみる。このかぎりでは定説ではありながら、その転換の具体相や全体的な位置づけをどうみるかはなお諸説ある。

そういう意味で科学技術というのは、世界宗教をしのぐような地位にいまや立っている感もないではないですし。そういうのと、この後のテーマである国家とか民族とか、いま我々が世界秩序を成り立たせているようなシステムは、無関係ではないと思いますので、その点も含めてまた考えていければと思います。

西欧的科学のデメリット

鈴木　そのグローバリゼーションが進んで、少なくとも、一八世紀から二〇世紀前半までは、いまご指摘くださった持続的なイノベーションが起こり続けてきて、その中心になってきたのは確かに西欧世界であり、文化世界間の障壁をうち壊して唯一のグローバル・システムにまとめ上げてきたのは確かです。ただ二〇世紀の後半以降、持続的イノベーションの、持続的中心としての西欧の地位が少しずつ揺らぎだして、二一世紀になってからは並び大名の一つになりつつある状況をむかえつつあるようで、それを象徴するのが、現在のアメリカと中国の技術面における対立、覇権争いの非常に大きな局面だと思います。

中国の場合はまだ西欧のイノベーションを模倣することで力を伸ばしている段階で、昭和三〇年代の日本みたいなところがあるかと思うんですが、ただそれが、あれだけの大きな経済力をもち、しかも一党独裁体制の中で集中的に投資できる体制になっていますから、将来的には本当にイノベーションの少なくとも世界の「二大中心」のひとつになることはありうるかもしれないと思います。

それに加えて文化圏の壁が取り払われてきて、しかも文明で西欧が圧倒的な比較優位を得て、西欧が原動力になってグローバル・システムを作ったために、文化の面でも文化的障壁がどんどんうち壊されて皮の薄い文化圏になってきているのは確かですが、今度は異文化世界で蓄積された知識と技術が新しい意味を持つことがあるかも知れないと思います。

特に医学ですね。激症の病変に対する即効的な治療法としては、近代西欧の医学が非常に優れているのは確かですが、長期的・体質的な健康問題に対する対処力は、そういうことはあまり想定していないこともあるのでしょうけど、弱いところがある。二〇一五年に、一度も海外へ留学したことがない中国人の女性医学者がマラリアの新しい治療法を発見してノーベル生理学・医学賞を受賞しましたが、彼女は漢方薬の薬効を研究していて、漢方のある薬草からそれを発見したのだとか。同じように漢方医学で蓄積された個別的経験知識を積み重ねたうえで体系化したタイプの知識を土台にして、新しい薬学とかの方面で活用できるものが出てくるような気がするんですが、その辺はいかがですか？

岡本　漢方薬のことはさっぱりわからないんですけれど、おっしゃったように西欧の医学は、個別具体的な、あるいは局所的な、そもそも内科、外科とか精神科とか泌尿器科とか言っていますからね、局部しかやらないという感じで、いい言葉で言うと分析的なんですよね。逆に言うとそこだけ取り出したら他のことを考えないということがあって、西欧の科学は専門家という形ですので、そういうことばかり言う態勢、構えがある、元々の前提になっていますよね。

東洋がそうなのかわからないですが、漢方はおっしゃるように本当に総合的というか、私自身は西欧医学はあまり信用していなくって。周りにお医者さんがそんな人しかいないので、そこに行きますけど、だいたい薬も嫌いですから、ほとんど飲まないですし。腰痛持ちですけど、どこの外科行っても治してくれないですからね。どうしようもなくなったら、神頼み的に一応薬を飲んでみるくらいな。

やっぱり腰痛になってよくわかるんですが、原因とかは局所的な形で出ているんですが、ドミノ的に影響が出て、そこら中痛くなったり故障が出てきて、全体として「どうしてくれんねん」といっても誰も答えてくれないですよね。レントゲンを撮って、「ここの軟骨が減っています」と言うので、「じゃあどうしてくれるんですか」っていうと、「手術しますか」と。それは「ちょっと困るなあ」と。

漢方はそういう点では全然違って、全体として治していくと言うか、体質から変えて行くみたいな。即効性はないですし分析的でもないんですけど、効く人には効くんだろうなと。私でも台湾で腰痛になった時に中医にいってバキバキやってもらったんですが効かなかったので、どっちにも合わないっていう結果でした(笑)。

いずれにしても、西欧の科学というのは非常に分析的・集中的・即効的なんですが、半面副作用があって、いまの温暖化であるとか、工業化とか化石燃料を動力にしたところからきたいろんな歪みが、短期的には良かったですが、全体的には副作用がすごい出ていて、医学とまったく同じ結果になっているんだと。

西欧の科学技術やイノベーションとかグローバリゼーションの特質というのがよくわかりますし、合わせ鏡の東洋漢方であるとか、ものの考え方を改めて見直してみるべきことではあるんだろうと。ただ漢方の話はできませんので勘弁いただければ（笑）。

鈴木 どうもありがとうございます。ひとつ近代西欧が確かに科学技術面で先行したけれども色々弊害があるというご指摘をいただいて。このごろ文明の悲観論の先生方がかなり出てきておられますが、私に言わせるといまの科学技術、それを含めた文明が未熟だから問題が生じる。「行け行けどんどん」で先に進めることだけを追求したためにマイナス現象が出てきて、それを手当てするフィードバックの機能についてあまり考えてこなかったので生じている問題であろうと思うのです。特にグローバリゼーション以降の人間の活動に起因すると考えられる気候温暖化に関連してさまざまな議論が出てきていますが、フィードバック機能をかなり徹底的・体系的に考えてそれを実現すれば、人類の文明も現在のまだ未熟な第一段階から、第二段階に移れるだろうと私はわりと楽観的に考えております。

近代西欧「ソフト」受容の諸相

鈴木　こうした科学技術にはハードとソフトがあって、ハードというのがモノを扱う技術とすれば、ソフトの技術というのは例えば組織を扱う技術や、文字や情報を扱う技術であったり、一方ではお金を扱う技術というのもソフトの技術であろうと思います。こちらでも西欧が株式会社という非常に便利なシステムをつくって企業などが膨大なお金を集められるようになり、それを無限に自己増殖させ拡大再生産させるシステムとして、いわゆる近代資本主義システムをつくり出したと思いますが、あれも技術ではあると思うのです。

それも非常に大きな問題が明らかになりまして、当初のころ出てきたのは労働者の搾取という大問題で、一方では労働運動が起こって労働者が待遇改善運動を進め、資本家の方も個別資本のことだけを考えて労働者を使いつぶしてしまうと全体の具合が悪くなるので、総資本の立場で常に労働力を保全できるようにしなければと社会政策がでてきて、ある程度マイナスに歯止めがかかったのです。ところがグローバル・スタンダードは新自由主義経済だといって規制緩和を推し進めた結果、不安定な非正規雇用者が増えてしまうなど、また歯止めが外れてきているところが出てきているように思います。資本家が先祖返りしてきているというか、また労働者を搾取の対象とみなしはじめているようにもみえるのです。

戦前の日本では労働者は絞れば絞るほどよいと思っているようなところがあったのですが、戦後になって労働者の待遇を改善したら内需が増えてお得意さんが増えて、経済成長を達成することができた。日本の経済は八割ぐらいが内需で、輸出で稼ぐ外需はＧＤＰの二割以下でしょう。戦前はどっちかというといまの韓国に似ていて、韓国経済は発展しているようにみえるけれども、外需に頼るところが非常に大きいですし、大企業の組織的基礎は財閥ですから。

財閥のあり方に私は興味があって、経済運営のための技術としての組織がどう組まれているか、例えばそれが中国系や韓国系、日本系とインド系では、財閥のシステムがかなり違うと思うのです。各国の財閥の企業経営の組織や意思決定システム、組織の担い手のリクルートメントとトレーニング・昇進のシステムを比較すると、「文明」のソフト技術のあり方とその文化圏的違いがみえてくるのではないでしょうか。しかし、日・中・韓の漢字圏内の財閥についてすら、その比較研究もあまりないように思われます。

技術というとどうもハードのものを扱う技術が主になってきますが、モノでないものを扱う技術も非常に重要で、このごろは経済発展の中心がモノを扱う技術でなくてＩＴ技術というのができて、あれはモノを扱う技術じゃなくて情報を扱う技術ですね。ですから世界史のテーマとして考えていく必要があると思います。その辺はいかがでございましょう。

岡本　フィードバックを考えてこなかったというお話から始まって今のＩＴまでなんですが、おっしゃる通りで、そもそも分析的なところで一点集中的なものの考え方をしているので、フィードバックがおろそかになるという。

拡大再生産で弊害が明らかになって初めてフィードバック機能が働くというのがおそらく、近代西欧文明の一番大きな欠点というか、元々から孕んでいる欠陥みたいな部分があって、資本主義に対して社会主義というフィードバックが働きましたが、あまり優秀なものじゃなかったのか、それともうまくフィードバックが働いて資本主義が自己変革したのでいらなくなったのか、その辺がなかなか判断が難しくてまだ議論の最中だと思いますが、しかも取り込んだ資本主義がまたうまくいかなかったので、また違う方向に傾いてるというご指摘はまさにその通りかなと思いますし、逆にヨーロッパ型の資本主義ではないかたちの経済発展が、例えば中国や最近の新興国あたりではじまってるのも、おそらくそうなんだと思いますが、最後にお話になった情報の技術というのと切っても切れない関係にあります。

経済史研究の陥穽

岡本　ソフト面の話は私、自身もずっとやってきたことですので興味深くて。結局経済学というと数式になっちゃうので、私ははっきりいって願い下げです。

マルクス経済学でしたら、まだマルクスの話は面白いので読めるんですけど、近代経済学の数式ばっかり理論ばかりというのはちょっと勘弁してほしい、お話・ストーリーがないのでヒストリーにならない、やっぱりいいやというのが正直なところなんですが。

結局ある前提があって、その中でどう予測説明できるかということしか頭になくて、我々が本当に知りたいという土台の組織の部分であるとか、お金の元々の本質であるとかは、もうわかったものとしてすっ飛ばされてしまっている。そこが非常に問題ですし、リーマンショックとか今みたいな不況に陥ったりするというような、ある程度異常な経済の動きというのは説明できても、先ほど述べた医学に似て、局所的な理解にとどまっているように思えます。

それは先生もおっしゃったような元々の動かし方の技術、制度と言いかえてもよいかと思いますが、そういうところの根幹がわかっていない。あるいは地域偏差であるとか来歴の違いであるとか。そういうことを誰も真面目に考えてこなかったというのがあるのかなと。

おそらくそういう動かし方自体は同じ人間がやりますので、あまり現場での動かし方は変わらないと思いますが、そういう純粋なお金の動き方や経済の論理の外の条件が非常に大きいのかなと思っています。たとえば、物の貸し借り、貸借という点でいえば、人間であれば誰しも経済活動であればやることですけれども、それが資本主義、株式会社ができて投資ができて資本主義になって、ものすごく大きなお金を動かすようなことができたというのは、結局のところ株式というのを発明した、あるいは契約に背いたら制裁を加えられるというような法治がないと動かないわけですし。それがないとするとお金をネコババして終わりということになるわけです。あっても日産のカルロス・ゴーンのような特別背任事件みたいなのも出てくるわけですし、なかったら元々制度が成り立たない。

江戸時代の経済については、少し拙著でも書きました。経済学部の方々のやる日本経済史というのは、だいたい江戸時代からはじまります。これは生産・流通・金融の各セクター、およびその種の統計が、宗門改も含めて、備わってまいりまして、いわゆる経済学の方法でも、それなりに分析できるからですね。あるいは経済の近代化を果たした明治維新から連続したフィードバックも可能ですし。そうした条件がこれだけ同時代でそろうのは、ヨーロッパ以外では日本列島だけですので、やはり日本はヘンなところなのです。

だから我々としては、そういう江戸時代、それからその前提になる戦国時代の日本が、アジアも含めた世界史全体からみて、世界経済からみて、どうなのか、たんに交易・交流してつながっていた、というだけではなくて、そうしたつながりも含みこんだ内部の制度体系・基層の社会構成に関わるような議論を、日本史・日本経済史の先生方にしてほしいのですが、そこは西洋史・経済学と同じく、所与の前提になってスルーしてしまっています。単に知らない、知ろうとしないだけかもしれませんが。

ですから、そういう日本経済史が歴史学にかなり近づいてきても、アプリオリに西欧との比較でモノをみます。斎藤修※先生のご業績などが代表的で、そのかぎりではとても周到細密で、シャープな分析なんですが、そこまでで終わりになってしまって、アジアと対比できるような、原理的な解析にはならないんです。

逆に現在の潮流でいえば、中国だけでなく、ほかのアジアの経済史研究が、西洋の経済学の方法でムチャな分析をやって、対比比較できた気になっている。GDPの比較分析なんてやるわけですが、そもそも数字の質・単位、それを成り立たせている根拠・認識が違うのに、まともな比較ができるわけがないんです。先生がおっしゃった技術的な問題、組織的な問題というところから、システムの動かし方というのを考える必要があると、私も言い続けているつもりですが誰も聞いてくれない（笑）。

それを考えてみると中国とかの経済発展とかいうと、もちろん中国人というのは非常に経済に敏い人たち、これは歴史的なプロセスからしてもそうなっていて、おそらく日本人なんて束になっても太刀打ちできないセンスを持っている人たちで。経済を企画運営している共産党の政府であるとか、情報技術の使い方がとても上手だとか、本当に経済外の要因というのが非常に大きいですし、それこそ今のデプレッションはコロナ禍によるもので、これも経済とまったく関係ないところから出てきた話です。経済学でやってる経済の話はそういう点でおかしいですし、これも西欧的な科学の一点集中

斎藤修（一九四六〜）　一橋大学名誉教授。専門は比較経済史、歴史人口学。主著に『プロト工業化の時代――西欧と日本の比較史』など。

型・分析型の弊害だと思っています。

東洋的な総合的な考え方でそういうことをみていく必要があるんじゃないかなというのが、いまずっと先生のお話も伺って考えていて、非常に意を強くしたところですね。

第5章 「支配」のあり方

時代区分を再考する

鈴木　ここでは、宗教とも深く関わってはいますが支配のあり方、それぞれの文化世界の政治と政体、そして支配の正統性の根拠となるイデオロギーのあり方といったことについてお話したいと思いますが、その前に少し、時代区分について整理させていただければ。

今まで通説的だった時代区分は、古代・中世・近世・近代となっています。確かに「近代」はグローバリゼーションで全世界が巻き込まれたので、私自身の方針にすぎませんが、使えると思います。しかし「古代」と「中世」は、西欧の古代と中世にすぎないはずだという意見です。西欧の「古代」というのは「古典古代」ではなく、ガリアやゲルマニア、イベリア、ブリタニアなどの「古代」にすぎないはずだと思うのです。ほかの地域について古代・中世というのに私は躊躇します。

宮崎市定先生も古代・中世・近世・近代と世界史の時代区分をされたうえで、近世については「東洋的近世」というのを想定され、産業革命の近代にはならなかったけれども、ヨーロッパの絶対王政にだいたい当たるようなシステムが、すでに宋代にはできていたとおっしゃっておられるわけです。私は地理的区分としてアジア・ヨーロッパというのは使わざるを得ませんが、文化的区分としては「ひとつのアジア」「ひとつの東洋」はないという意見です。宮崎先生の「東洋的近世」という概念はとても魅力的ではあるものの、「古代」や「中世」という区分は西欧的な輪切りの仕方ですので、「古代」中国とか「中世」日本なども個人的には使いたくない。ただ時代をどう分けるかということについて、まだ議論の余地があるのは確かです。

岡本 東洋史学・中国史学はそのような時代区分をめぐって、論争をやっていたことで有名です。いまでもそうした残滓はありまして、どうも日本人に免れにくい通弊であるかもしれません。「西欧的な輪切りの仕方」に多く日本史・日本人が「なじんで」しまっているだけに、どうしようもない面があります。ご指摘については、何度おっしゃっても通じない人たちがいるかと思います（笑）が、我々にはつとに当然の真理ではあります。ここからはじめないと、どうしようもありません。

鈴木 前にも申し上げたように、キリスト教は元々「カイザーのものはカイザーへ、神のものは神へ」ということで二つに分かれていて、しかも支配者のではなく被支配者の信仰として出てきたものだったといわれていますが、中世西欧の場合でも、政治と宗教の間には相対的に距離があるというのは政治思想史では常識とされています。これは「両権論」と呼ばれているようですが、楕円形で二つの中心があるように、政治の中心が皇帝、宗教の中心が教皇であり、両方が並び立っていたというのです。ただ一橋大学におられた山田欣吾先生の場合には、エクレシアというのが中心で、エクレシアというのは「神の御国」と称するべきもので、教会も国家もそれに包摂されているので、「両権」ではないとおっしゃっているのです。しかし、いずれにしろ政治と宗教の間には、距離がある程度あったので、大変ではあったけど「近代」になって引き離せたというところがあるかと思います。

岡本 西欧の場合、時代区分の契機・基準は、やはりキリスト教と政教分離になっていまして、その事情・契機を持たない他の世界にあてはまらないのは、火を見るより明らかなはずですが、日本史の展開が西欧の時代区分に親和的で、日本語の用語概念として定着してしまっているので、どうしても勘違いするのです。東洋史学をみればそこを相対化できるはずなのですが、誰も勉強してくれません（笑）。まずは先生からそのあたりをぜひ講義いただきたく、イスラム世界についてまずお願いできれば、と。

イスラム世界の支配と支配者

鈴木 イスラムの場合、メッカで啓示を受けた預言者ムハンマドが六二二年にメディナへ移り、その地で多くの信徒を獲得しながら権力を掌握して以降、ムハンマドが神の言葉を伝える御使いであるとともにムスリム共同体の唯一の指導者でムスリムの支配者として神政政治を行ったことから、最初から政教一元でした。

預言者ムハンマドが六三二年に亡くなったあと、「神の御使い」としての役割を果たせる者は、ムハンマドが「最後の御使い」だから二度と現れないけれど、全ムスリム共同体のリーダーとしての役割と、ムスリムの支配下に入った空間の、唯一の支配者としての役割の代理人が必要だということになり、信徒たちが協議して「代理人」を立てます。それがハリーファで、のちに「後継者」を意味するようになります。

このハリーファを西欧語でカリフと称し、日本人はイスラムについては西欧から学んだのでカリフといっているわけですが、最初の四人のカリフは世襲ではなくて、敬虔なムスリムで、かつ五体完全な男子で、預言者ムハンマドと同族のクライシュ族出身であるというのを基準にして、アブー・バクル、ウマル、ウスマーン、アリーと、四人はみんなで選んだことになっていて、四大正統カリフと呼ばれるようになります。ここでも、神の言葉に則ってリーダーとして行動する支配者が政治も支配する政教一元でした。

ただ第四代カリフのアリーのときに、ウマイヤ家のムアーウィヤという第三代カリフ、ウスマーンの親戚筋が対抗して、ごたごたやってるうちにアリーが暗殺されてしまい、そのすきをみてシリアの総督だったムアーウィヤがダマスクスを都にして、いわば「お手盛り」でウマイヤ朝カリフになって以後、カリフ位が世襲化します。しかしこの事態に対し、「本当のカリフ」は預言者ムハンマドの従弟で、ムハンマドの娘ファーティマの夫であったアリーとその子孫だけであるべきだとして飽くまでウマイヤ朝に楯突いた人たちが出てきて、彼らはシーア・アリー（アリー派）と呼ばれるようになる。その政治運動は実らなかったものの、彼らが宗派としてのシーア派となっていまに至ります。

こうしたアリー派の不満や、格差社会になったアラブ・ムスリムの不満、さらにはアラブ・ムスリムから差別された非アラブの新改宗者らの不満といったものを、アッバース家がうまくより合わせて革命運動を展開します。そしてウマイヤ朝転覆に成功して、イラクを中心に七五〇年、アッバース朝が成立し、一二五八年まで正当な血統が続くことになります。

最初の四大正統カリフと、お手盛りでつくったウマイヤ朝のカリフ、ウマイヤ朝を倒したアッバース朝のカリフすべてを正しい全ムスリムのリーダーであると認める人たちが、自分たちのことを預言者ムハンマドのスンナ（範例、お手本）に忠実な民、「スンナの民」（アフル・アル・スンナ）だと後で言い出して、それがイスラム世界で多数派を占めるスンナ派です。要するに共同体のリーダーの跡継ぎに誰がなるかという話で、たとえばロシア革命のあとでレーニンが亡くなった後、スターリンとトロツキーが争って、トロツキーが異端だということで追い出されましたが、このトロツキー派がいわばシーア派に当たり、スターリンの側についたスターリン主義者がスンナ派に当たるという感じです。教義自体は、両者でほとんど違いがありません。

二代目のウマルの代にイスラム勢力がアラビア半島をほぼ席巻することになり、東西に押し出していく、いわゆる「アラブの大征服」が始まります。東はササン朝ペルシアを滅ぼして中央アジアに進出し、七五一年に唐の軍隊とタラス河畔で戦い、勝っていますが、タリム盆地にまでは入りませんでした。西方では、当時シリアからエジプト・リビア・アルジェリア・チュニジア・モロッコの一部までがビザンツ帝国下にありましたが、これらをすべてムスリムが征服します。七一一年にはイベリア半島に入って西ゴート王国を滅ぼし、さらにピレネーを越えてフランス平原に攻め込みキリスト教勢力を追い詰めますが、七三二年にメロヴィング朝フランク王国軍に敗退し、ピレネーを境にして向かい合うことになったわけです。

その後、ウマイヤ朝が亡ぼされたときに、イベリア半島にウマイヤ朝の残党が逃げ込んで、後ウマイヤ朝をたてたのですが、アッバース朝のカリフに遠慮してか、アミールを称します。アミールというのはカリフの代理人・代官としての役割を果たす「太守」のことです。

岡本 このあたりからイスラムも、多元化が始まってきます。やはりそのうち注目すべきは中央アジアの情況・動向で、このときの「アラブの大征服」がタリム盆地に入らなかったことが、東西のトルキスタンを分かつ構造線をなしていまして、ひいては東・西の歴史を分けて考える我々の習癖にまでつながっているかとも思います。そうした中央アジアの動向に入る前に、ウマイヤ朝亡き後の「カリフ」の整理をお願いできればと思います。

カリフとスルタン

鈴木 全世界でカリフは一人という建前こそ崩れなかったものの、だんだん地方政権ができて「イスラムの家」の統一が壊れてきます。しかも北アフリカで第四代カリフ・アリーの子孫と称する人が旗をあげたら、これに賛同する人間が増えてシーア派のファーティマ朝ができて、これが今度はエジプトまで占領して、彼らは自分たちのカリフだけが「正しいカリフ」でアッバース朝のカリフは「偽カリフ」、コルドバを中心にした後ウマイヤ朝のアミールは「偽アミール」だとしましたから、ここで「イスラムの家」は完全に割れてしまいます。後ウマイヤ朝もファーティマ朝の脅威の下でこれに対抗するべく自らもカリフを名のり、三人のカリフが並立する事態を迎えます。

そのうえアッバース朝の中央の統制力が弱り出すと、地方の勢力がアミール（太守）を称するようになり、場合によってはアッバース朝の君主の承認を受けた形はとっているものの、事実上の独立政権ができてくる。一時はシーア派のダイラム人という山のほうのイラン人ですが、これが下りてきてバグダードを占領し、シーア派のブワイフ朝の政権ができます。スンナ派であるアッバース朝のカリフにしてみれば、ブワイフ朝ではカリフとしてたてられてはいたものの居心地は悪かったでしょう。

その後、仲間争いなどでブワイフ朝が弱っているところに、セルジューク家に率いられたトルコ系遊牧民集団が一一世紀初頭に中央アジアから南下してきてブワイフ朝を撃破し、バグダードに入ってセルジューク朝を立ち上げます。このセルジューク朝のリーダーがアッバース朝のカリフからスルタンの称号を初めて許されるのです。スルタンというアラビア語は「権力」という意味で昔からあった言葉だそうですが、それを支配者の称号としてこのときから使いはじめたんですね。そしてスンナ派の大セルジューク朝ができる。

岡本　いよいよいわゆる「トルコ」とスルタンの登場ですね。オスマン帝国につながるので、アナトリアの動静にも注目したいと思います。

鈴木　こうしてカリフ、アミールの他にスルタンという称号が出てきて、権威者としてはカリフが奉られますが、実際の権力者としてはスルタンがほぼ仕切るということになったのです。スルタンを名乗るようになったのは一一世紀の半ばですが。

大セルジューク朝は、その南にシーア派のファーティマ朝があって抵抗が強く南下が難しいため、西方に向かってビザンツ帝国がおさえていたアナトリアに一〇七一年に攻め込んで、アナトリアを席巻するということになります。ところが一〇七七年に今度はその一族が反乱を起こして、アナトリアを土台にしたルーム・セルジューク朝が出現します。この「ルーム」というのは「ローマ」の意味で、アナトリアのことをトルコ系遊牧民は「ローマ人の地」と呼んでいましたが、アラビア語には母音の「オ」がないので、ローマを「ルーム」と呼んでいたことに由来しています。このルーム・セルジューク朝の君主もスルタンを名乗っていました。

ルーム・セルジューク朝は西欧からの十字軍を押し返しながら一三世紀に最盛期を迎えたところで、今度はモンゴル軍の侵攻を受けて衰退し、一四世紀はじめに滅亡してしまいますし、バグダードのアッバース朝も同様に「モンゴルの襲来」を受け、一二五八年には最後のカリフも処刑されて滅ぼされてしまいます。そのカリフの一族がマムルーク朝のカイロに逃れ、そこでカリフを名乗りますが、名目的な権威を持つだけとなり、それも一六世紀に絶えてしまうということになりました。

一方でモンゴル人が建てたイランのイル・ハン国、ロシア平原南部のキプチャク・ハン国、さらに中央アジアのサマルカンドを中心としたチャガタイ・ハン国では、次第にモンゴル人たちがイスラムに改宗していきます。そうすると、ムスリムでありながら中央アジア遊牧民の称号ハンを名乗る君主が誕生するのです。

モンゴル襲来により群雄割拠となったアナトリアでは、あらたに「ベイ」という称号を持った君侯たちの君侯国が並立する時代となり、西北の端の方に一三世紀末に出てきたのがオスマンと呼ばれるリーダーに率いられた集団で、彼らが立ち上げたのがオスマン朝ということになります。

岡本 以上はきわめて要領を得たイスラム政治史の概論になっていますが、基本は政教一元ではありながらも、やはり時代が下るにつれて、地域権力の多元化・多層化が進行し、それに応じたシステムの機能分化もまた加わってきますので、時系列にしたがって、君主号が重層化してきた、という経過とみるのがよいかと思います。イスラムに関連するカリフ・アミール・スルタン、別の系統としてシャー・ハンが並存しているところで、おおむね出そろった感があります。オスマン朝以降、どうなるんでしょうか。

鈴木 オスマン朝初期の指導者は、先ほどのベイというトルコ語の称号を名乗っていました。一方でスルタンの称号も使われ始めていますが、臣下が君主に直接上奏文などで呼びかけるときは、「パーディシャー」というペルシア語で「大王」を意味する言葉を使っています。ただ金石文では「スルタン」を使用していますし、それに加えて君主の花押であるトゥグラの中では「ハン」や「シャー」も使うことがあります。オスマン朝の君主の正式な称号はなんだというと、そもそも何が正式なのか、いまになるとはっきりしないところがあるのです。

日本で唯一のオスマン朝の古文書学者である高松洋一君（東京外国語大学アジア・アフリカ言語文化研究所）に言わせると、古文書の中で君主について直接触れる場合はスルタンではなくパーディシャーなのだそうです。しかもオスマン帝国憲法が一八七六年にできたときも、君主の規定ではパーディシャーが使われています。

どれが正式な称号かということは検討の余地があるものの、外交文書で名乗った称号が一番「正式」なものに近いかもしれないという点でいうと、外交文書ではオスマン朝の君主に対し、複数の称号を並べて使用していました。トルコ人のセルジューク家にアッバース朝カリフから与えられたアラビア語のスルタン、ペルシア語のパーディシャー、中央アジア遊牧民の称号であったハン、この三系統の称号です。さらに「地上における神の影」という、本来カリフのための称号も使うには使っています。

オスマン帝国とカリフ

岡本　並べるというのがやはり自己主張の表れかもしれませんし、外交文書ですから、あるいは相手に応じた側面があるという意味かもしれません。両者はむしろ表裏一体とみるべきなのでしょう。

関連して見えづらいのは、かつて教科書にも出てきた「スルタン・カリフ」という君主号でしょうか。これはオスマン朝のセリム一世がエジプトのマムルーク朝を滅ぼしたとき、マムルーク朝に庇護されていた最後のアッバース朝カリフから称号（カリフ）を受け継いだという話から、オスマン朝では君主であるスルタンがカリフを兼ねたという「スルタン・カリフ制」説に由来するようですが。

鈴木　その「スルタン・カリフ制」をはっきりと著作の中で言い出したのは、一八世紀末にオスマン帝国臣民だったアルメニア人の歴史家・外交官で、フランス語で『オスマン帝国大観』などを著したムラジャ・ドーソンという人物です。アッバース朝が一二五八年にモンゴルに攻め滅ぼされた後、一族がエジプトに逃れてマムルーク朝の庇護下でカリフを名乗ります。彼らはカリフとしての儀礼を行ったりしてそれなりの権威を持っていて、メンシュールというカリフ独特の勅令に当たるものを出したり、場合によると遠方の君主間の争いの調停に出たりもしていたそうで、一応カリフなのです。そのカリフをセリム一世がマムルーク朝を滅ぼした時にイスタンブルに連れて帰っていて、アヤソフィア※での金曜礼拝のときにカリフ位を禅譲された、とドーソンは書いているのです。その根拠は示していないのですが、彼がオスマン朝の支配者はカリフでもあったと主張し、その後一九世紀にその説が定着するのです。

でもセリム一世の同時代の年代記類を見ると、どこにもそんな話は書いてありません。おそらくこの話は一八世紀になって、「西洋の衝撃」が加わってきてそれに対抗する意味で、つまりオスマン朝君主の権威を強調するために言い出した話じゃないかと言われていたのです。最後のアッバース朝カリフは、カイロに帰った後、亡くなるまでカリフとしての儀礼を行っていたといわれていますが、その後継者は立たなかったのです。

一方で、一六世紀のオスマン朝の学者たちの中には、君主がカリフになって当然だという議論をしている人物がいて、最近になって「オスマン朝君主の正式な資格はカリフだった」という説も出てきてはいます。ただ、政権外部の学者たちなどが理論としてカリフであって然るべきだと言ったということと、オスマン朝の当局者が君主をカリフだと正式に思ってその称号を使っていたかということは別の話で、これもまだ議論の余地があると思います。

ただ一八世紀初頭に、「海で隔てられた二つの大陸に、二人のカリフが併存するのはシャリーアで許

アヤソフィア　コンスタンティノーブル（現イスタンブル）に建てられた総主教座聖堂。六世紀に現在の建築となり、オスマン帝国時代はイスラムのモスクとされた。アタテュルクによって博物館にされたが、近年エルドアン政権によりモスクに戻された。

される」という見解がイスラムの戒律シャリーアの専門家であるウレマー（ウラマーのトルコ語形）から意見書として出されているのは確かなようなのです。その念頭にあるのはオスマン朝とインドのムガル朝で、インドのムガル朝の支配者もカリフだと認めていい、我々の支配者もカリフと認めていい、という意味ですね。さらに一八世紀後半、エカチェリーナ二世下のロシアから、それまでオスマン朝の属国だったクリミア半島のクリム・ハン国を独立させられたとき（第二次ロシア・トルコ戦争後の講和条約）に、クリム・ハン国に対する政治的な「宗主権」は放棄するが、ムスリムのリーダーとしての権威は保たれるという条件を、ロシアのオスマン朝内の正教徒について助言する権利の対応物として入れていたのは確かです。ただそこでもカリフの称号として一番通用していた称号は、「信仰者たちの司令官（アミール・アル・ムーミニン）」という称号なのですが、それに近いことを言っているけれども「アミール・アル・ムーミニン」と自称はしていないのです。

一九世紀になるとオスマン朝の人間も君主をカリフだと思いはじめるし、西欧人もカリフだと認め出して、ムスリムの中でもかなりの人たちがオスマン朝君主のことをカリフだと認め出します。たとえば一九世紀後半のカシュガリア（新疆）のヤークブ・ベク※から援助を乞う使者が来て、「カリフ」からの援助を乞うていますし、一九二四年にカリフ制度をトルコ共和国の大国民議会が廃止しようとしたときには、インドでカリフ制廃止反対運動が起こったりしています。

イスラム世界の君主の称号としては、とにかくカリフが一番上で、それについで世俗権力者としてスルタンの称号があって、ややそれより一段下の称号としてアミール（太守）があり、それに加えてイラン系の「シャー」や、中央アジア遊牧民族系の「ハン」があるという具合なのです。

　この中で直接、宗教であるイスラムと一体化した称号であるのがカリフです。シャーは異教の時代のイラン君主の称号が引き継がれた格好で、ハンの場合も内陸アジアの遊牧民起源の称号です。

岡本　「カリフ」を意識しだしたのと、オスマン帝国のイスラム化・トルコ化の進展が比例している感じなのでしょうね。ご指摘のように並存し、またそう表記しているのが、従前の多元性を一身に纏う感じでしょうか。

鈴木　ただ政教一元ですから、オスマン朝君主が「シャリーアによって正統性が支えられた君主」であることは間違いなくて、シャリーアの守護者としてのみ存在価値があるのです。だからウレマー、この君主はシャリーアの戒律を踏み外したから廃すべしという解釈意見書（フェトウァー）が出た場合、辞めさせようとしている勢力に力があれば君主の首が飛びますし、実際一七世紀に何人かの君主がそれで廃位させせられています。ですからオスマン朝の場合は、宗教の戒律と政治権力が一体化したところがあるのです。

　カイサルというローマ系の称号もある程度取り込まれて、ルーム・セルジューク朝ではときに「ス

ヤークブ・ベク（一八二〇頃〜七七）　コーカンド・ハン国の武将。一八六五年にカシュガルに侵入し支配者となった。さらに東方へ勢力を伸ばすが七七年、急逝して、その政権もまもなく崩壊した。

ルターニ・ルーム（ローマのスルタン）」と称しています。オスマン朝の場合はいまひとつ微妙ですが、そう名乗った例はあることはあるようです。

ローマの皇帝の「インペラートル」という称号は、一六世紀のオスマン朝の外交文書で神聖ローマ皇帝に「インパラートール」という称号を使ったことがあって、インペラートルの支配下にある政治体のことを「インパラトルルク」と呼んでいるケースがあります。トルコの社会科学系の学者は西欧のエンパイアとエンペラーに当たる語を、「近代」に入ってトルコ語に訳してインパラトルルクとかインパラトールと言ったと思っているようですが、実際にはすでに一六世紀の外交文書でハプスブルク家との関係が良好なときには君主を「インパラトール」と呼んでいるのです。良好でないときは神聖ローマ皇帝カール五世のことを「イスパーニャ・クラル・カルロス」（スペイン王カール）と呼んでいて、状況が良好なときには「インパラトール」と呼んでいるのです。

異教徒の君主について、普通はスラヴ起源の「クラル」と呼んでいます。ただフランスは、対ハプスブルク攻守同盟に近いものを結んでいるので、ヴァロワ朝のフランソワ一世以来、フランス王に対しては「フランチャ・パディシャー（フランスの大王）」と呼んでいますが、対等と思っているのではなく、リップ・サービスで呼んでいるんです。

一七世紀の初めにハプスブルクと戦争をやって、結局勝利できなくて講和条約（ツィトバ・トロク講和条約）を結んだときには、いままで「クラル」と呼んでいたのを、以後は「チャサール」と呼ぶとしました。「チャサール」はカエサルですから。これも西欧側では対等条約を結んだのだと言っていますが、オスマン側にはそういう気はないようなのです。一段かさ上げした称号で呼んだだけで、対等とは思っていないのです。

岡本　やはり土地と相手に合わせている感じなんでしょうね。私も漢語からの関心ではありますが、「皇帝」と「王」の違いに過敏でして、そこはあらためて重要なポイントだと思っています。

中華世界の「皇帝」

岡本　この「リップ・サービス」、主観的に「思っていない」こと、優遇して相手に合わせているところが、逆に今度は西欧の主観・主導で、西欧本位に制度化していくというプロセスに転化するわけで、そこが近代史・グローバル化のゆえんになります。西欧はさらに東アジアでも、グローバル的に東西でほぼ同じ行動様式をとるわけでして、それは東西の近代アジアがおよそシンクロしたプロセスをたどっていたことの反映でもあります。

君主号というシンボル的・抽象的なことでもそうですし、借款とか経済権益でもそうですね。これはやはり西欧在来のシステムと東西アジア在来のシステムとの本質的な隔たりを歴史的に表したものともみなせます。君主号でしたら国制・政体ですし、経済権益でしたら社会構成でのしくみ・システムの違いになってきます。こうした在来の、本質的な隔たりを意識しないで、同列に置いてしまうと、誤解に陥りかねないと思いますし、これまでのいわゆる世界史・グローバル・ヒストリーはほぼそうでした。

東アジア・中国の方は、まず君主号からいきますと、正式の名称というのも、呼び名というのはいろいろあるんですが、一面ではかなり限られていて大体「天子」か「皇帝」、上奏文とかでは皇帝とあらたまった言い方をしないで「皇上」とか「上」とかいうだけだろうと思います。それが始皇帝以来ずっとそんな感じで、とてもわかりやすくて、あと漢字で、漢の武帝のときだと思いますが、儒教とそれ以前の爵制というのを結びつけて、皇帝の次は王になって、王の次は公・侯・伯・子・男という爵位で序列が整頓されて、以後基本的にそれが崩れないかたちになります。

さっきおっしゃった、ハリーファが何人いるかですけれど、中国では天子は事実上何人いてもいいんですが、建前的には一人しかいてはいけないことになっています。その辺がややこしいのですが、逆に明快というか、敵対関係になろうとすれば皇帝に即位してしまえばいいという話になってしまう。漢語は上下関係でできている言語なので、「天子」（＝皇帝）といえば、その語を使う以上は、どうしてもそうなります。それを知らないのは日本人だけで、日本人は天皇を僭称して勝手に年号をつくって、それで友好関係を保ちたいというんですから、なんて野蛮で物知らずなんだと、朝鮮半島にいわれているわけですけれど。

鈴木　イスラム圏の場合はヒジュラ歴（イスラム暦。回暦）がありますが、その点は問題がなくて、非ムスリムについては自分たちの暦を保ってかまわないのです。ギリシア正教徒、アルメニア教会派、ユダヤ教徒、コプト教会派がそれぞれの暦を使って年中行事をやっています。

岡本　その辺が決められているのはイスラムの面白いところですよね。東アジアは、暦は天の運行にもとづいていますから、「天子」と対応して、一つしか許さない。「正朔」といいます。正邪・正閏の観念はやはり強いもので、そういう意味では、「正統」カリフなんて訳しているのは、ひょっとすると誤訳かもしれません（笑）。ウマイヤ朝とかも簒奪者的にみてしまうので、やはり感覚が狂ってくるかと思います。暦からみましても、いわゆる「正朔」は基本的に農暦ですから、そこでもイスラムとは異なっていますね。

鈴木　イスラム暦というのは純粋の太陰暦なもので一年は三五五日しかなくて、一年ごとに約一一日ずつずれていきますから、季節と関係なく、農産物を徴税の対象にしようとすると困るのです。オスマン朝の場合はユリウス暦（旧太陽暦）をローマ暦（タクヴィミ・ルーミー）と称して使っておりまして、その元旦は春分の日（ネヴルーズ）なのです。会計年度はユリウス暦の1年です。

岡本　中国の場合、建前はかっちりしているんですけれど、運用は何でもあり、周辺には日本みたいな変わり者もいますし、内乱で色々乱れた時には、記録・歴史上は体裁を保ちますけれど、実際はもうぐちゃぐちゃになってしまっていて、そのギャップが大きいのが東アジアの特徴ですね。逆に言うと建前さえ守れていれば、主権とか統治とかというのは融通が利くというシステムになっています。

それも時代によって形が違っていて、建前は一人だけのはずなんですが、宋と遼が皇帝で認め合いながら、「兄弟」の関係になっていたり、金と南宋が「君臣」とか「叔姪」の関係になってみたりということがなくはないわけです。

建前は非常にハードというか硬いですけど、運用の側面が非常にフレキシブルな、多分背中合わせのようなかたちで運用されているんだろうと思いますし、なればこそ日本のように野蛮な物知らずが生きていけるところがあったようです。

「正統」とか「正閏」とかいうと難しく聞こえますが、いまお話したようなシステムを表現したものと考えていただくとわかりやすいかと思います。日本人は漢語を知っているくせに、システム的にこの「正統」「正閏」の感覚にまったく疎いところが、特異だといってよいかと思います。やはり儒教を肌で知らないからでしょう。

ローマ「皇帝」は正しい訳語か

岡本　西方のイスラムは、わりと決められたかたちでいろんな人たちがいて、併存できるようなシステムになっているようですけど、東アジアの方は法定的に決められた「建前」ではあまり例外・並存を認めないというような感じです。けれども中を見てみるとかなり色々バリエーションがある。その辺は比較してみると面白いです。西欧の方はもう研究がいっぱいありますし、読者の間でもかなり常識的なところなんでしょうけれども、やっぱり我々日本人がみて非常に問題になってくるのはそれが別方面に及んでくるところでしょうか。

たとえば、神聖ローマ皇帝とかローマ皇帝を「皇帝」と呼んでいるのが、混乱をきたしているような気もします。ローマとか西欧の「エンペラー」とか「エンパイア」は、そもそも「皇帝」でも「帝国」でもないような気がしますので、その辺がやっぱりなかなか難しいですよね。

それを今度は中国人が逆輸入して、色々また妙なことを考えているというか、変な発想になっていたりする場合がありますので。もちろんローマ皇帝と中国の皇帝は似てるところはたくさんあるんですが、やっぱりかなり違う。先ほどの支配権の境界の話とかでもそうですし、そういう点が私とかはすごい気になって本とかも書いたりしたんですが。

そもそも「帝国」は日本人が考えた和製漢語で、中国・オリジナルの漢語に「帝国」という漢語はなくて、中国の漢語の用法からすると自己矛盾ですからね。皇帝は「天子」で、天下・世界全体をしろしめす存在なので、境界とか一定の区切りがあってはいけないわけですから、「帝国」という言い方はしないはずなんですけれど。確かオランダ語だったか翻訳が、「皇帝（カイザー）が支配する国」という感じで「帝国」っていう。皇帝が一定の支配権を持つというのが西欧の国のあり方になりましたので、それと中国の皇帝とか王朝とかいうのが、日本語とか日本人の中では直に結びつくというのが非常にまずくて、中国に対しても日本人はそういう点で、けっこう誤解をしていますし、「帝国主義」

なんて言葉がもろなんですけれども、そういうのがきちんとした理解を妨げているような気もします。

それで最後、袁世凱※とか清末の改革とかは、そういう誤解に基づいた「帝国」とか「皇帝」とかになろうとしていて、日本もそういう誤解に基づいた「皇帝」、日本の天皇の対外的な明治の呼称は「皇帝」でしたので、「大日本帝国皇帝」でしたかね、誤解に基づいた「皇帝」になっていて、中国の天子の皇帝と、カイザーとしての「皇帝」の日本が対等に並べられるかどうかで喧嘩している。そういうのが東アジアの近代史だったりするので、頭がこんがらがってきますが。

基本的に中国の天子とか皇帝の理念というのは、日本が出てくるまでは変わっていないのですが、やっぱり日本の西欧語の翻訳漢語とか、あるいは日本の存在が作用して、支配形態そのものも変わってくるのが、一九世紀末から二〇世紀にかけてかなと。

それに先だつモンゴル帝国とか清朝の場合は、そういう中華風の皇帝と合わせて、モンゴルのハンだったりとか、モンゴル全体の大カーンですけれど、いろんなものを組み合わせた形で、その点は相手に合わせてという側面で、さっきおっしゃっていた、並べるオスマンのやり方に似ている部分があるんですけれども。

オスマンのように、あるいはイスラムそのものが併存を認めているという部分もありますので、その点が決定的に違うと思うんですが。モンゴル帝国とか清朝の場合ですと、一人多重人格・パーソナル＝ユニオンと言うかですね、一人で兼ねてるという感じで、オスマンは一人で分担するって言うんですかね、本来ですと多人数いて然るべき君主がひとりでいるのであんな大きなまとまりになっているというのが、清朝とかモンゴル帝国かなという感じがするんですけど。その点、共通性と違う部分というのが、清朝とオスマンがほぼ同時代でありますので、比較するには最適な事例かなと思われます。

中国的な漢語の皇帝というのは、ずっと変わってきていない。ハードコアな部分とバリエーションがあるって言うところは変わらないですし、あと周りの遊牧国家との関係というのも私は「普遍性の重層」というような言い方をしたんですが、そういう多重人格的な形で処理したのが清朝です。不本意ですけど、皇帝が何人かいて関係をとり結ぶようにしたのが、モンゴル時代以前の宋代のやり方でしたし、いろんなバリエーションがあるのですが、ユニットの制度そのものは、遊牧国家はハンですし、中国の場合は皇帝というのは基本的には変わらないですね。

イスラム世界と国際法

鈴木　清朝の場合は実際支配下に満洲人たちの集団、モンゴル人たちの集団、チベット人の集団、漢

袁世凱（一八五九〜一九一六）　清末・民国初期の軍人・政治家。李鴻章のもとで頭角をあらわし、日清戦争後に新軍整備に努めた。李鴻章の死後、清朝最大の実力者となり、辛亥革命後、宣統帝を退位させ中華民国臨時大総統に就任。第二革命を鎮圧して正式な大総統となるが、第三革命を招いて帝政宣言を取り消し、まもなく病死。

民族の大集団がいてというのがあって、それでそれぞれについて自分が唯一の支配者だというので、その称号を実際的な意味があって使ってる面が大きいかと思うのですが、しかしオスマン朝のパーディシャーとかハンというのは箔づけなのです。実質ハンと名乗らなきゃ支配できないような相手は、少なくとも領内にはいないのです。むしろ対外関係もにらんで用いているのだと思います。

岡本　それはやはり、イスラムの場合は制度化されて、そうなってるような感じがします。それでも「箔づけ」はそれなりの意味があろうかと思います。外延的な権威というか、実質支配だけでは割り切れない側面はあろうかと思います。やっぱりそういう点、清朝の場合はイスラムのような内在的な制度化がないものですから、称号・統治がまったく別個になるんですね。別個であるからこそ、実質的な意味がないといけないというありようだった気がします。

鈴木　ただカリフというのは、本当は全世界で唯一人でなくてはいけないのです。単なる空間の政治的支配者ではなくて、どこの空間にいようと地上にいる全てのムスリムが属しているとされるムスリム共同体ウンマの唯一のリーダーで、要するにカトリック教会のローマ教皇と似た存在でもあるうえに、本来は単一の政治体であるべき「イスラムの家」の唯一の支配者でもあるのです。「イスラムの家」というのは、アッバース朝の初期に壊れだして、実際はすっかりバラバラになっているのですが、イスラムの戒律であるシャリーアではそれを認めないのです。

従ってシャリーアの場合、近代の研究者の方は「イスラム国際法」などといいますが、シャリーアの中の政治体間の関係としては、「イスラムの家」と「戦争の家」の中の異教徒の共同体の関係を律する規則しかないのです。「イスラムの家」の中には、複数の政治体がないという前提になっているので、「イスラムの家」の中に並立しているムスリムの政治体間を規律するイスラム国際法に当たるものが存在しないのです。

実際のところは、慣行と異教徒の世界の政治体との関係についてのルールを準用して運用しているのですが、結局、ムスリムの政治体間の関係のルールとしての国際法体系はできません。ヨーロッパに国際法ができたのは、キリスト教世界内は初めから終わりまで統一されたことがないもので、政治体が複数あって、一応皇帝がいることになっているけど、実際は夢想上の皇帝なので、複数の政治体間の関係は、はじめはローマ法の個人間の関係のルールを準用していて、国際法的なものが出てきたのは一五～一六世紀からといわれています。

オスマン朝の場合、異教徒の世界との関係にはきっちりしたルールのシステムがありますが、交易振興のために特権を与えたのがキャピチュレーション※です。あれは恩恵的に与えた特権なので、回収しようと思えばできるはずなのに、あとになって力関係が逆になってくると西欧人側にとって都合のいい治外法権的な特権と化して濫用が進むのですが、当のオスマン朝側としてはあくまで濫用だと

キャピチュレーション　ムスリムの君主がヨーロッパ諸国に与えた通商上の恩恵的特権。オスマン帝国の衰退とともに裁判権や関税自主権に拡大解釈され、帝国主義時代に事実上の不平等条約となった。

当初は思っていて、自分が与えたので不平等条約だと思っていないのですよ。ですから条約改正というのは、日本ほど急務になりませんでした。日本の場合は、知らないから結んだので、初めから不平等だっていうのをよくよくわかってて不平等条約に調印したのかどうか、いかがなんでしょう。

岡本　その意識は低かったと思います。知ってたかもしれないですけど。あのとき結ばないとかなりマズイということはあったようですので。中国の場合もオスマン帝国と同じように、今おっしゃったような恩恵で結んだみたいな感覚で、不平等だという意識はなかったと思います。むしろ条約の中に不平等とは違う部分で嫌な条項があったので、非常に抵抗をしたということはありますけど、不平等条約として問題になる部分というのは、そのときは別に構ってません。

鈴木　結局、オスマン帝国の場合は本格的に不平等条約の改正ということを考え出すのが一九世紀の末になってからのはずで、第一次世界大戦が始まったときに、すべてのキャピチュレーションを廃止するという宣言をするのですが、同盟国のドイツもハプスブルク帝国も、それを認めないのです。結局トルコの独立が承認された一九二三年のローザンヌ条約※で全廃ということになります。

岡本　中国の場合は日本化していくプロセス、日本化と言うと語弊があるんですが、その方が明確になりますのであえて使いますと、日本から西欧の概念がいっぱい入ってきて考え方が変わって、国民国家を目指す明治国家がモデルになっていた時点でようやく、これは不平等条約だということになる。いま中国の学者は分かってると思いますけど、あまりちゃんと言えないので、いろんな研究は出てますけど、基本的な流れはそういうところです。

もちろん個別に不利だとか、ここはまずいとか言う人たちはかなりいましたし、不平等な体系で、全廃する必要があるという意識はあったものの、そのために何をしなければならないかということにはならなかったですね。

鈴木 そうすると、条約改正のために法制整備をするというのは日本の場合は急務で、司法卿の江藤新平が仏民法典の翻訳について「誤訳もまた妨げず」とまで言ってひたすら急いでやらせようとしたわけですが、中国の場合はそういうことではないわけですね。

岡本 中華民国になるとそれはしないといけないという話になって、そういうことをやるんですけれども、なかなかうまくいかないですね。それが体制・社会にどれだけの影響があるかと言うと、それはそれでまた別問題になってきますので。一応取り組みはやるんですね。結局日本と戦争して、第二次世界大戦後に戦勝国になって初めて、何もかもっていう、そういう形ですね、大きくいって。もちろん関税自主権を取り戻したりとか、部分的なことはそれ以前からあるんですが、それはむしろ国際政治のレベルの話になってくるので、支配体系とかあるいはシステムっていうよりは、むしろ文脈が

ローザンヌ条約 第一次世界大戦に敗れたオスマン帝国は一九二〇年、セーヴル条約で連合国による領土分割の危機に直面したがムスタファ・ケマル(アタテュルク)のもと祖国解放戦争に勝利、占領軍は撤退した。二三年に改めて連合国との間に結ばれたローザンヌ条約によりトルコは領土保全、不平等条約の撤廃などを認められ独立を承認された。

別なのかなと。

イスラム世界と中国の「支配の正統性」

鈴木　イスラム世界の場合、イデオロギーというか支配の正統性の最大の根拠はシャリーアです。王権というものが成立しうるのは、シャリーアが十全に行われるような体制を維持するためということで、先ほどお話したようにシャリーアの範を超えたと判断される場合には廃位されてやむを得ないことになります。

しかし無秩序よりは暴政の方がましだというややこしいことになっていて。「民の声は神の声」よりははっきりとした基準があるのですが、だからといって暴君放伐論がそのまま認められているわけではないのです。問題は、支配の組織とエリートの問題で、中国の場合は支配組織の支配の正統性の根拠を儒教に求めるようになっているかと思いますが。

岡本　儒教は支配というのをオーサライズ、バックアップする役割で、後に一体化してイデオロギーみたいなかたちになりますけれど、儒教独尊になる以前から、支配の正当性はそれこそ正統な天命に、天から命ぜられて天下を支配するっていうのが基本的な政治理論で、現実には強いやつが君臨して、それを天がオーサライズしているというコンセンサスがありますよね。

それを儒教が後づけで支配者に寄り添う形で理論化をして、天命を正しく受け継ぐのが正統で、それがいわばイデオロギーのようなかたちになっている。天に命ぜられた天子というのを、支配者として助けるんだというかたちで、例えば諸侯がいたり官僚がいたり、それが中国世界の支配をかたちづくるプロトタイプなんだろうと思います。

そこがイスラムとかシャリーアみたいな形でバーンとあるかというと……。のちに儒教がそのかたちを果たすんですが、元々それがあったわけではないと思うんですね。むしろ発生起源的には、逆のようにも思います。

鈴木　つまり中国は政治とイデオロギーとが一体化していて、組織および組織の担い手と一体化しているというご指摘だと思いますが、イスラムの場合も、儒教の世界よりはっきりしていて、繰り返しになりますが聖俗は一元なのです。どこが宗教の領域でどこが非宗教の領域という区分のない、つまり神のことばのあるところは全て宗教の領域ですから。しかも政教一元で、正しい神の教えが行われるためのインフラを提供するのが政治なので、そうでなければ政治ではなくなってしまう。だから聖俗一元なのです。

支配とエリート――オスマン朝と中国

鈴木　北欧出身でイギリス、アメリカの大学で教鞭をとられたパトリシア・クローンというイスラム史家が、イスラム世界に特徴的な支配組織の担い手としての、奴隷軍人マムルークの研究を刊行しています。彼女によれば、中国とイスラム世界のシステムを比べたとき、中国の場合、科挙官僚制が確立していって、支配組織の中核的担い手が科挙官僚になり、その科挙官僚の共通のバックグラウンドは儒学で、イデオロギーの担い手と実際の支配組織の担い手が一体化したので、非常に強力な持続力ができたが、イスラム圏の場合はそうでなかったと言ってます。

確かにイスラム世界の場合、田舎の方に行けば単なる部族社会とかいろんなものがありますが、大きな都市を拠点にしてかなり広い空間を支配して、永続化するような王朝の場合は、支配組織の担い手は四つあるのです。

まず「筆の人」と「剣の人」というのがあり、「剣の人」の方が王朝を立ち上げるときには大きな役割を果たすのですが、「剣の人」の場合、立ち上げの主体になった君主と同民族集団出身の自由人の戦士たちと、王朝が確立した後で君主によってだんだんつくられてくるマムルーク奴隷軍人の二つからなっているのです。

それだけではなくて「筆の人」が必要で、一つとしてはシャリーアの担い手で、現実には司法と教育とある程度までの地方行政と、そしてイデオロギー担当をしているウラマー（学者）層があり、もう一つには文書行政と財政の実務を担うカーティブ（書記）という階層があって、「筆の人」はこの二種類の非常に違う階層、それから「剣の人」も二種類の非常に違う階層からなっており、この四つが一体として機能して支配組織が動いているのです。

アッバース朝でその観念ができるのですが、オスマン朝も実際にそうなんです。軍隊には元々のムスリム・トルコ系の戦士たちが起源で、後でいろんなものが混ざってきますが、地方にティマール※（知行）を与えられて、自活して戦時に参集する在地騎兵軍と、直接現金俸給で抱えられている、歩兵のイェニチェリを中心にしたマムルークのオスマン版がいます。それからウレマー（ウラマーのトルコ語形）については、イスラム学院でシャリーアを中心にした教育を受けて、オスマン朝の場合はそれで卒業資格を得ないとダメなのですが、得ると今度は任官権ができて、イスラム学院の教授、イスラム法官、それからシャリーアについてイスラム法官でも判断に迷うような問題について諮問されたときに応える資格を持ってるムフティーという、シャリーア解釈回答者というべきものなどになります。

いま一つカーティブ（書記）は、事実上の世襲とコネで徒弟システムに入って、見習いから叩き上

ティマール　オスマン帝国で、シパーヒー（騎兵）に軍役義務の対価として与えられる一定の土地の一定額の徴税権。平時は農村で治安維持等に当たり、戦時はティマールの金額に応じた装備を備え従者を率いて従軍させた。

げて一人前の書記になる。そこは中国で行政実務を担当した胥吏に似ています。しかし胥吏の場合は胥吏に止まって上までに行くということはないですが、オスマン朝のキャーティブ（カーティブのトルコ語形）の場合は、一人前の書記になるとだんだん出世して局長クラスになり、さらに次第に大臣クラスに達して、一七世紀になると財務官僚出身で総督とか宰相になるのがではじめ、一八世紀には今度は外交も扱う文書官僚のトップの書記官長から大宰相になる者が頻出するようになります。またウレマーとともに文芸の中心的担い手です。

つまりオスマン朝の支配組織には四種類の人たちがいて、支配組織の発展の段階によってその役割が変わっていく。基本的に一八世紀には「武人の帝国」ではなく「官僚の帝国」になって、それの担い手だった実務官僚としての書記出身者のうちの開明派が、一八世紀から一九世紀にかけての「西洋化」改革の担い手の基本的な出身源になるという傾向があります。オスマン朝では西欧との交渉で通訳官を務めていたのがギリシア人でしたが、一九世紀に入りギリシア独立戦争が起こって謀反人のギリシア人に外交機密を扱わせることはできないということになり、徒弟制システムで書記になったタイプの文書官僚たちのエリート候補がギリシア人の代わりにフランス語と「西洋」についてのさまざまな知識を身につけて知識のコンテンツを革新し、「西洋化」改革を実質的に担うことになります。

学校もできてきて、オスマン朝の最後の大宰相などは、トルコ共和国になった後に日本の東大法学部のような官僚養成の中心となるメクテビ・ミュルキエという行政学校の卒業生でしたが、当初はその学校を出ても地方官になるのがせいぜいで、むしろ官庁に徒弟で入って、フランス語や西欧式の行政・政治・外交についての知識を持つようになった者が、相変わらず中心に残り続けたのです。

これは日本や中国の場合と非常に違うと思います。中国の場合は、とにかく一応名目上偉くなれるのは科挙官僚と、満洲人の皇族などかと思います。西欧語を身につけたような人っていうのは、容閎のようにアドバイザー的なところにとどまり駐米公使どまりだったかと思います。また曾国藩※の息子で、駐英公使などを務めた清末の外交官として知られる曾紀澤の場合は科挙も通ってませんよね。お父上のコネでしょうか。

岡本 曾紀澤はやはり襲爵した御曹司ということで、かなり特別な事例ではあります。帰国後に総理衙門※大臣になっていますが、この総理衙門大臣というのがどれだけ偉いかというのはかなり疑問符でして、在外で出て本国へ帰ってきて総理衙門大臣になるというパターンが、彼から確立するんです。

鈴木 総理衙門大臣は外政機構のトップということになっていますが、実際の役割というのは、どんなものなのでしょうかね。

岡本 要するに外務大臣ではあるんですけど、いまの中国の外務省もそうなんですけど、あんまり偉

曾国藩（一八一一～七二） 湘軍を組織し太平天国を鎮圧した清末第一の名臣と称せられる。両江総督・直隷総督などを歴任、洋式兵器工場を建て、洋務運動の先駆者となった。

総理衙門 アロー戦争後の一八六一年に創設された清朝の外交事務官庁。一九〇一年に改編され外務部になった。

くない。

鈴木　形式上のトップという感じ？

岡本　ただ外国のお相手をするので重要は重要なんですが、どれだけ政府内で力を持ち得るかというのは、制度ではなくて、むしろ人によるという。のちに李鴻章※も総理衙門大臣になるんですが、彼の場合はそれなりにキャリアがあるのでかなり力を持てたですし、袁世凱もそうですけど、やっぱりポストがそうだというよりは、なった人が、っていう。

鈴木　お二人とも軍閥の頭目というお立場ですよね。

岡本　そうなんですよ。やはり中国では軍事力を持たないと力が持てない。当時はそうだったですし、以後も現代に至るまで、国際政治の基本的な枠組みは、当時と変わっていません。ですからそのあたり日本人は、近代中国の歴史を軍事とか経済とか政治とか、細切れにしないで、もっと全体的に把握して理解する必要があるかと思います。細切れは西欧的なシステムによる思考発想の様式なので。もちろん我々本職の歴史学者も含めて、という自戒を込めてですが。

それから先ほどのオスマン朝との比較でいいますと、科挙官僚と例えば外交官などとの関係ですが、やはり科挙は、文官試験・能力試験というよりも、むしろ身分的なオーサライズの手続きで、「絶域」に赴任して「夷狄」の相手をする外交官は、やはり科挙に通っていない人々の方が多いですし、そういう人々が実際に西洋語を身につけたりしています。

こうした情況が変わってくるのは、二〇世紀になって科挙が廃止され「日本化」して、留学が科挙の代替になってきてからだと思います。軍人の留学も多くて、そのあたりが辛亥革命とか蔣介石にもつながってきます。

「国軍」が成立しなかった中国

鈴木　ときに、中国の場合、軍隊の「西洋化」が進む中で個人軍閥が発達していくようなところがございましょう？　それがオスマン朝の場合は国軍なんです。

岡本　そうなんですよね。中国の場合は史上、いま現代に至るまで国軍が存在したことがないので。結局のところ王朝・皇帝の私兵で、軍隊のトップが皇帝になるというパターンですよね。いわゆる皇帝の私兵、清朝の八旗※もそうですし、それ以前の王朝も基本的にそう。そして今の人民解放軍も、中国共産党の「党の軍隊」ですから。

李鴻章（一八二三〜一九〇一）　清末の政治家。淮軍を率いて太平天国など内乱の鎮圧に活躍し、軍事力で清朝の実権を握り、洋務運動を主導。義和団事件に至るまでの外交上の難局を自らの手で処理した。

八旗　清朝独自の軍事組織。満洲固有の社会組織をもとに男三〇〇人を一ニル、五ニルで一ジャラン、五ジャランで一グサ（旗）を編成。ヌルハチが創始し太宗（ホンタイジ）期には八旗蒙古、八旗漢軍も成立。入関後は北京駐在の禁旅八旗と外省駐留の駐防八旗に大別され清朝支配権力の支柱となった。

鈴木　オスマン朝の軍隊も、元来は国軍ではなくて王朝の軍隊でした。ただ「西洋化」していくとき、官僚も軍人も、つくっていくのは、有力者の自分の派閥の組織ではなくて全体組織なのです。ですから士官学校ができて、士官学校で養成された人間たちが、陸軍や海軍で中心的に出世するようになります。そして、出世した軍人は自らの派閥の軍隊の頭目になるのではなく、統一された国軍の幹部になっていくのです。

日本と違うのは叩き上げの場所を残していて、下級将校は圧倒的に叩き上げのようなんです。ただ、参謀本部に入って地方の軍団の参謀になり、その後に中央の参謀本部のトップになって、軍司令官になり、総司令官、つまり陸軍大臣になるには士官学校を出てないとダメだということになります。そして、その軍隊は有力軍人の牙軍、つまり私的兵力ではなくて、全体として統一されたひとつの組織としての国軍には違いないのです。そこは日本に似ているかもしれない。日本の場合も、藩閥の牙軍ではなくて国軍としてまとまっていくわけですから。

岡本　そうですね。それは天皇が統帥権を持つというあたりからきていると思うんですが。

鈴木　オスマン朝の場合は大宰相が君主の絶対的代理人だということは一五世紀から固まっていて、行政・外交だけではなく軍事についても全権を担っているので、文官出身の大宰相が国軍総司令官をかねたこともあるのですが、抵抗は出ないのです。戦前の日本にあった統帥権※問題というのがないのです。日本の場合の統帥権は、民党が天下を取ったときに、邪魔できるように藩閥側が細工をしたもので、そのころは山形有朋とかがいるので完全に抑えられるつもりでいたら西園寺以降抑えられなくなって、昭和に入ると暴走を始めたということでしょう。

岡本 中国も前は、そもそもは皇帝が、というパターンなんですが、結局清末になると王朝の私兵では抑えられなくなったので、漢人の民兵にやらせたところからおかしくなってきた、という話ですね。その民兵も有力者の私兵ですから、結局全部各地域の軍閥になっていって、そういう軍閥の中から、ボリシェヴィキ（ソ連共産党）の赤軍をモデルにした国民革命軍と人民解放軍が勝ち抜いて、天下を取ったというのがいまの状況ですよね。

鈴木 いまの中国の軍隊というのはいかがなんでしょうね。

岡本 ですので、党の軍隊ですよね、人民解放軍。

鈴木 あれは頭目が率いてる派閥軍ではない？

岡本 党が率いている派閥軍なんですけど、その党がひとつしかないので、一応は国軍みたいなかたちを取ってますけど、元々は違いますよね。中国の政体が現在のような一党独裁に帰結するというのも、そうした歴史的プロセスから説明できます。

統帥権 軍隊の指揮統率権（作戦・用兵）をさし、大日本帝国憲法では天皇の大権の一つ（一一条）に規定された。政府と軍、憲法学者でその内容についての解釈に差があり、軍隊の編制・維持は国務大臣の輔弼事項とした政府の見解に軍が異を唱え、浜口内閣のロンドン海軍軍縮条約問題で両者の見解が衝突。軍部による政治介入の手段ともなった。

鈴木　それはオスマン軍も、フランス革命後のフランスのような国民軍ではないのです。近代のネイション・ステイトができなければ国民軍はできませんから。

岡本　中国はまだそこまで達していないというか。台湾は達しましたよね。台湾は国民革命軍が逃げていって蔣介石がずっと握っていたんですけど、政権交代しましたし、国軍になっています。誰も認めてないですけど、これも台湾がネイション・ステイトになった証ともいえます。ただ国際社会から正式に承認されていないのが最後の問題で、それを認めさせると中国にとってはまずい。だから難しいですね。このように主権者との組織的な関係の公私というのは、軍事に限らないと思います。

中国の支配と科挙

鈴木　イスラム世界での基本的なイデオロギー的な支えはシャリーアですが、組織のあり方はアッバース朝でほぼ原型ができて、その点では隋・唐帝国にほぼ当たると思います。

岡本　そうですね、一応皇帝支配とかいってあるかたちが固まったというのは、そのぐらいのスパンを見ないといけないというのは、中国史でも近年、言われてることです。もちろん始まりはそれこそ秦・漢のあたりから始まってはいるんですけれど、後の科挙にきちんと繋がって、天子皇帝体制ができあがるのが、隋・唐あたりまでかかるのかなという。

先日、岩波書店から五巻の新書『中国の歴史』シリーズを出して、第一巻でそこを扱ってもらっているんですけれども、やっぱり唐まで書いてもらわないといけないという感じになっていますので、そこはおっしゃる通りかなと。そういう意味でも東西はなんとなく並行しているという感じはありますね。

鈴木　イスラム世界の場合は急速にできあがったので、中国でいえば、春秋戦国から秦・漢帝国に当たる時期が非常に短いんです。どちらかというと部族的なシステムになっていて、漢帝国の場合も、増淵龍夫先生（東洋史）のご意見では親分子分関係（パトロネッジ）が基本だったということでしたが、あれはローマ史のマティアス・ゲルツァー※の影響だと思うんです。

ローマ史の大家である本村凌二さん（東京大学名誉教授）に教えていただいたのですが、法制史的に秦漢帝国を捉えられた西嶋定生先生と、社会史的な実態からそれを捉えた増淵先生のご意見の対立というのは、ローマ史のテオドール・モムゼン※とゲルツァーの対立の延長線のようなのです。モムゼンは法制史の専門家なので、市民共同体が基礎になって帝国システムができたといっていて、ゲルツァーの方は社会史的で親分子分関係が基本で、国際関係にもそれが関係していたといっています。日

マティアス・ゲルツァー（一八八六～一九七四）　スイス生まれ、ドイツの歴史家（ローマ史）。法の枠を超えた上下の保護隷属関係を基軸とする新しいローマ史の捉え方を示した。主著に『ポンペイウス』『カエサル』など。

テオドール・モムゼン（一八一七～一九〇三）　ドイツの歴史家（ローマ史）。主著に『ローマ史』（全三巻）など。

本のローマ史家だと本村さんの師匠だった弓削達先生（東大名誉教授）はどちらかというとモムゼンの系統を継いで市民共同体を基本として捉えられていて、吉村忠典先生（横浜国立大学名誉教授）がゲルツァーの後継者のような感じで親分子分関係を中心にしておられるようだということでした。ただ私からすると、「タテマエ」としては市民共同体で、「ホンネ」は親分子分だったと見られないこともないと思うのです。

中国を見ると春秋戦国のころから、有能な人材を食客として抱え込んでいくというのがありますね。より強力な中央の支配組織をつくっていこうという意志があったかどうかは置いておいても、そういう流れがあって、漢末から三国を経て南北朝になって有力な地方貴族が出てきても、郷挙里選※制度や九品中正※制度などにより地方の有力者と中央をつなぐ通路ができてきていたことにかなり意味があるように思われます。それは地方から人材を吸い上げるつもりだったのが、下からよじ登る道になってしまったかもしれないけど、この通路ができたおかげで隋・唐で本当に上からの吸い上げのシステムとしての科挙制度ができ、宋代以降唯一のエリートの人材登用システムといわれるものになった。私は科挙制度というのは、君主専制の邪魔になる貴族階級を排除した皇帝・地主連合だと思うんです。

岡本　その観点は重要です。

鈴木　試験はやるけど、でも地主さん出身の人が実際は入ってくるでしょう。だけど一度科挙で通ったら、人事は私達に任せてくださいというシステムだと思うんです。それができてくるような流れがもう春秋戦国のころからあって、食客システムは非常に不安定な代物ですけど、それが今度は地方有力者の子弟を中央に上げていくシステムになる。でも唐の時代はまだお坊ちゃま（貴族階級）がいい顔してる世界でもあるけれど、五代十国でお坊ちゃまたちのお家がほぼ潰れてしまって。

岡本　フリーランスだった「侠客」が儒者化し官僚化していくというのは、漢王朝の一貫した流れで、それがいわゆる「お坊ちゃま」、つまり貴族官僚になっていきます。こうしたプロセスで中央・天子との関係が徐々に深まってきて、宋代の科挙の普及で「天子の門生」になる。

とにかく在地のエリート・有力者と政府とを結びつける制度的な手段として、科挙は大きな成果があったものです。個人の能力を測る試験だと一義的に断じると、おかしなことになります。

皇帝――「独裁」か、「専制」か

鈴木　宋代になって、中国では宮崎市定先生が「独裁」とおっしゃるシステムが確立したように思わ

郷挙里選　漢代の官吏採用方法。有能な人物、特に徳行のある者を地方の長官が推薦して官吏とする、儒家思想の具現。多くは地方豪族の子弟が推挙された。

九品中正　九品官人法ともいう。漢代の郷挙里選にかわって三国の魏から隋初に行われた官吏任用制度。州郡に中正という官を置き、郷里の評判によって人物を九品（九等級）に分けて推薦（郷品）し、中央政府では郷品にみあった官吏の等級（官品）を与えた。実態は豪族選挙の法と化し、貴族政治につながった。

れるのですが、一人が支配しているから独裁という定義にはやや違和感があるのです。

というのは、独裁は政治学ではディクテーターシップですが、やはりどこかでみんなが選んだ人がのさばって、結局俺一人がやるっていう状態がディクテーターシップだと思うのです。これに対し、皇帝が支配する宋・明のシステムのときに頂点に立つのはデスポット（専制君主）のように思われるのです。ですから私はあえて皇帝専制とわざわざ呼んでいます。

歴史学者のハルガルテンが『独裁者』という本を昔出していまして、岩波書店の翻訳本で読んだのですが、それに出てくる独裁者というのはどう考えても世襲的専制君主ではなくて、カエサルだとかナポレオン、ヒトラーなのです。つまり選ばれた形をとっていて、権力を一手に引き受けてやりたいようにやろうとするのが独裁者で、ディクテーターとデスポットというのは非常に違います。「アジア」、つまり非西欧の諸社会の一人支配者というのは制度上、一人がトップで決められるかたちになっているという意味で、デスポット的だと思うんです。

だからロシアの皇帝ツァーにしても、あれは独裁じゃなくて専制だと思うのです。宮崎先生はおそらく西欧の独裁者のことはあまりイメージとして捉えておられなくて、ただ一人の君主が全体を少なくとも制度上はしきるかたちになっているから「独裁」といわれますが、なぜ「専制」ではなく「独裁」と表現されるのか、よくわからないところがあるのですが。

岡本　それはちょっと誤解があるかもしれません。やはり学術用語でも、翻訳の、とくに日本漢語の翻訳はかなり誤解を招きやすく、漢語を使う普通の感覚・観点からすると、おかしなところもあります。経済学の「資本主義」、キャピタリズムのイズムは「主義」ではありえないですし、政治学の用語ですと、「権威主義」も「権威」という訳語はおかしいと思います。

宮崎先生の場合は、単に漢字の並びというか、字面だと思いますね。「専制」って言っちゃうと全部一人で制してるっていう感じになるので、今の鈴木先生のおっしゃった言い方によれば、デスポットの中にも種別があって、全部引き受けて思うようにやるっていうのが「専制」で、一人が最終的な決裁権を持ってるという意味で「独裁」っていう言葉を使われてると思うんです。なのでいま先生がおっしゃったようなディクテーターシップとデスポットで、それぞれの翻訳として「独裁」と「専制」というのは、宮崎先生は多分想定されてないと思います。君主独裁は宮崎先生の本を読むと定義はされていますので、そこは読み手がなるべく誤解しないように読むしかないかなと。

鈴木　近代の政治学の世界だと、専制と独裁はまったく違うものなのですがね。

岡本　そうですね、ですから、中国史学のなかでも、宮崎先生とは異なる用語を使う向きもあって、先生のおっしゃった「専制」をキチンと使っている方もいます。現状がそのようにまちまちなので、わりと誤解を生んでると思います。でも西欧人の本を読んでると、そこも結構曖昧というか、いい加減な使い方をしているような気がします。

いずれにしても先生がおっしゃった中国の皇帝と科挙との関係、それで科挙が漢の時代のリクルートシステムから変わってないという言い方は、宮崎先生もやっぱりされている部分はありますね。家柄システムになっても、中央志向だったことも、東洋史学の間では普通の共通認識になってるかなと思いますので、その点がかなり日本とか西欧とかとは違うという点もおっしゃる通りです。

第6章

環境・文化・社会のあり方

――地理的・生態的環境と社会関係

生態的環境を超える文化、超えない文化

鈴木　私の場合は政治史・政治社会史から出発しているうえに、比較文化に興味があるのでそちらに寄りすぎるところがありますが、まずはじめに、世界にあるさまざまな文化と、地理的・生態的環境との関係についてお話してみたいと思います。

文化にはたぶん二種類あって、ある特定の生態的環境に非常に適合的で、そこから余り伸びないタイプと、地理的・生態的環境をまったく異にするところに広がっていくタイプとがあるように思います。後者のタイプの典型のひとつは、イスラムだと思います。砂漠的気候世界から出てきて、ステップ地帯を踏破して、今の新疆ウイグル自治区まで浸透していく。一方で西方では地中海世界に入ってそれを飲み込んでしまうし、東では東南アジアの熱帯モンスーン・熱帯雨林地帯、つまりタイの南端からマレー半島、それからいまインドネシアになっている地域にも入っていく。カリマンタン（ボルネオ）島にあるブルネイもイスラム教徒の国です。さまざまな地理的・生態的環境へ広がるのです。

イスラムよりはだいぶ遅いのですが、キリスト教も大航海時代以降、地理的・生態的環境がかなり違うところに入り込みます。南北アメリカ大陸、オーストラリア大陸を制覇し、さらに無文字だったサブサハラ（サハラ砂漠以南）アフリカの熱帯雨林地帯まで広がる。やはり文化には二種類あるように

思います。

そもそも原初的な暮らしは地理的環境、生態的環境に非常に規制されるところがあって、そこでの生業の形態とも関連しますが、主に動物質を食べているのが遊牧・狩猟の世界で、植物質が主となるところは農耕世界なのです。農耕世界で動物を潰すとコストがかかりますから、よほどのことがないと食べない。狩猟民は肉しかないから肉を食べるんです。遊牧民というのは、肉はお祝いや祝日といったよほどのことでないと普通は食べません、家畜が唯一の財産ですからね。羊や牛というのは、ミカン農家にとっての「ミカンの木」のようなもので、その「ミカンの実」に当たるのが家畜からとれる乳や毛です。

一家族で管理できる家畜の群れの大きさには限りがあるので、春先に冬営地から夏営地に移動するとき、連れていけない家畜を処分します。この処分の方法のひとつが交換です。定住民にとって畜産というのはよほど余裕がないとできないため、遊牧民はほぼ同じ時期に移動しますから、彼らを待っていてやってきたときに農作物と遊牧民の畜産物を交換するわけですね。それで残った余剰な家畜を潰して干し肉にしたりして、自分たちが食べる。遊牧民のタンパク源は基本的には乳製品で、チーズやヨーグルトといった腐りにくい乳製品が一番重要なのです。

ですから地理的・生態的環境で大いに制約されるけど、どういう食材を好んで、どう料理して、どういう食の作法で食べるかというのは、私のいう広い意味の文明ではなく文化の問題です。これが非常に違うのです。同じ地中海性気候でも、トルコとイタリアでは同じ食材があっても食文化はまったく異なります。

しかも食の作法と料理は地理的・生態的環境を超えて広がるのです。新疆ウイグル自治区のウイグル人からモロッコのモロッコ人まで、共通した食べ物があります。ムスリム料理です。中国の回族の料理というのは、材料が違います。錦糸町に一軒回族料理店があって、不信仰な回族らしくてお酒が出るのですが（笑）、豚肉は出さないし、料理に使う油もラードではなく、スープの基本になる出汁が豚のゆで汁ではありません。現地の本当の回族料理を食べたことはないけど、料理の種類はかなり中華風が多いのです。

西洋史・日本史に欠如しているもの

鈴木　地理的・生態的環境と生活様式については岡本先生も『世界史序説』でも非常に詳しく論じておられましたが。

岡本　地理的環境・生態的環境の話はすでに少し出ましたし、その中で特にユーラシアの地理的な条件と、いま現代世界を牛耳っている西欧あるいはアトランティックな世界がかなり異なっているという話から、今先生の方からも遊牧狩猟と農耕定住の違いという話が出ました。我々アジアの歴史をやっている人間からするとそういう複合的・二元的なものがいろいろと錯綜しつつ交わるところで歴史が展開していくというのは、アリーナ・舞台としては当たり前と考えまして、そこの展開が主要なテーマとして考えられるわけですが、歴史学の主流を占めている日本史と西洋史は基本的にそこが欠如したところから話がはじまっているので、いつまでたっても会話がなり立たないことがあるようです。

歴史学とか社会科学の基本的な理論や概念、論法も、西欧世界でできたものですし、これがユーラシアの地理的・生態的環境とは異なるところからくる発想で成り立っているもので、この後にお話することになる主権とか、ネイション、ネイション・ステイトというものの元々の発想というのも西欧の定住民的、農耕民的な考え方です。今の世界がそういう枠組みで律せられているので、そこから軋轢とか紛争とかっていうものがいまなお続いているという側面もありますし。

現代世界だけでなくて、歴史学でも会話が成り立たないという部分が元々そうで、歴史学を考えるときに、そういう概念を使わないで著述はできないという宿命があるので、非常に困ったことでありますし、そういう概念がなかったアジア史の言語が、例えば東アジアでいえば漢字漢語なんですけど。

そういう概念を持たない、違うところからできた文字・文化・言語を説明するのに、違うところからできた概念で、しかも翻訳が加わるということになると、二重三重にその世界の歴史を誤解したかたちでみていくということが今まで普通になされていて、例えば中国史でもイスラム史・オスマン史もそうだったと思います。先生のお仕事などでそこのあたりの実態がわかるようになってきたという

図 10　農耕世界と遊牧世界

ことだろうと思います。

地理的環境というと、私はざっくりと二つか三つぐらいにしか分けられないんですが、農耕世界と遊牧の世界、もちろんそれは生活様式で、定住と移住が加わりますし、先ほどお話のあった食生活の問題でも、主要な食べ物の体系で動物性のものを食うか植物性のものを食うかにも関わってきますし、とにかくすべてが地理的、生態的な条件から成り立ちます。

それは固定的ではなくて、交わって混淆して、新しいものを生み出していく。交わり混淆するプロセスから今度は商業とか違う生業とか生活様式が出てきたりするので、そういうダイナミクスをなんとかお伝えできるようにしていきたい。

東方の中国、東アジア世界は南方にモンスーン世界を抱えていて、米作地域、それはインドも同じかなと思いますが、その点で、ユーラシアの西半、イスラムの世界とはかなり異なる部分が出てくる側面も、地理的・生態的環境では考える必要があるかなと。そのあたりはぜひ先生に見解をいただきたいと思います。

シナ海は「結ぶ海」か、「隔てる海」か

鈴木　文化の違いというのは、言語や文字から人生儀礼、年中儀礼であったり、一週間の動きなどになってしまうけど、文化の広がりはかなり環境を超えるところがあります。ブローデルの『地中海』については冒頭で触れたので繰り返しになりますが、あの方は本来フランスの人文地理学から出発していて、村落のつくられ方であるとか、そこでの基本的な生業の様式といった、地理的・生態的環境を踏まえた「物質文明」的な部分については詳しく検討なさるけど、文化の違いにはやや鈍感だと思います。

そこからかなり離れた文化になると、地理的環境論というわけにはいかなくなります。特に帝国とか文化の刻印を受けた文明になると、そんなことをあの偉い先生が言うのかなという感じで、やはり「西欧人は変わっていないな」と。そういう点ではトインビーのほうが遥かに敏感かと思いますが、逆

にトインビーはブローデルが関心をもつ村の細々とした暮らしの断片などのほうはダメなんです。
　私は食べ物に興味があるので、文化の違いと、地理的・生態的環境の違いと文化の違いとの相関には非常に関心があるのです。確かにユーラシアを大きく見ると、岡本先生がおっしゃるように、どちらかというと乾燥地帯の内陸部は狩猟遊牧に適している。その狩猟遊牧地帯で農耕生活をできるのは、オアシスだけです。ステップ・砂漠気候の乾燥地帯に我々は縁がないと思っているけど、「海」をイメージすればいいのです。ただ本当の「海」は「豊かな海」ですが、乾燥地帯は「不毛の海」です。つまりオアシスとは「不毛の海」に点在する「島」のようなものと思えばいいわけです。
　一方で本当の「海」は隔てるものでもあるわけです。ただ海も、使い方によっては「結ぶ海」になって大航海時代に本格的に結び始めます。三大洋五大陸、シナ海・インド洋を繋ぐのも海ですから。
岡本　シナ海は歴史的には、「隔てる海」のような気がしますけど。
鈴木　でも東シナ海・南シナ海では、交易の船がある程度通っておりましょう。
岡本　交易はそれなりにですが、文化的にどうかというところがやっぱり難しいですよね。先生が今おっしゃった、オアシスと草原と海の比喩というのは私もずっと意識してきたところでまさにその通りです。人文地理学者のヴィダル・ドゥ・ラ・ブラーシュ（フランス学派の創始者）がすでにそのことを指摘していて、ブラーシュの学統の下で学んだ飯塚浩二先生もその説なんですが、私もそれにすごい影響を受けて、地中海をシルクロードだと言っているのはその説に影響を受けてのものです。ただそのあたりのことを、海洋について言及される先生方はよくわかっていらっしゃらないところがあって。「隔てる海」と「結ぶ海」は、当然のことながら、技術とかの違いでその局面が変わってきますので、全時代がそうだとはなかなか言えない部分があるんですが、やっぱり東アジアで日本が独自に孤立して生き残っていけたのは、シナ海が「隔てる海」的な側面が強かったところがあるかなと。

逆に地中海は「繋ぐ海」というか、地中海はほんとに「ロード」(道)みたいな感じがありますし、要するにギリシアのポリスとかイタリアも含めてですが、そういうのはオアシス都市国家に相当すると考えるのが一番わかりやすい見方だろうなと。

同じ農耕地域でもモンスーンの稲作地域というのは、地理的・生態的な環境で都市にはなりにくい部分が強いですよね。江南とか日本とかはそういう意味では未開な部分が大きいような気がします。

逆にアルプス以北のヨーロッパは森に閉ざされたところ、元々はそうだったと思いますので、地中海世界とは生態環境とか、それに基づいた生活様式がまったく異なる地域で、そこにローマが出て行ってローマ化してというあたりから徐々に変わってくる。このへんは私も全然専門外ですし、西洋史の先生に怒られるかもしれませんが。

鈴木　漢字世界の中心と周辺を隔てる東シナ海、南シナ海は、「隔てる海」だというご指摘は、たいへん私も勉強になりました。

そもそも漢字世界というのは漢文を共通の文化・文明語としていて、同じ文字を受容して、特に膨大な語彙を入れているのに、陸続きなのは朝鮮半島とベトナム、それから今度は海で隔てられているのは日本と沖縄で。

東アジアは三社会ではなくて、四社会だといつも言っております。沖縄の言葉が日本語の方言だというのは、「ナイチャー」(内地人)の思い上がりで、確かに両方とも日本語で、両方日本民族だけれども、大和語と沖縄語があるというべきだというのはすでにお話したので繰り返しませんが。琉球処分※というけれど、「処分」というのが問題なのです。一六〇九年以来、薩摩藩の事実上の保護国であったのは確かではありますが、それでもあれは併合です。そうやって曖昧化する癖があるのです、日本人には。

岡本 その「癖」についてのご指摘にはまったく同感です。ほかにも「敗戦」を「終戦」、「占領軍」を「進駐軍」とか(笑)。ですが琉球の「処分」には、やはり当時の日本人の感覚・論理があるのでしょう。別に弁護、擁護する気はないですし、私も「併合」だと琉球人・中国人・韓国人にさんざん聞かされてきました(笑)ので、こちらもまったく同感ではあるのですが、しかし一抹掬すべき事情もなくはない。当時の日本の主張、つまり薩摩が琉球を支配してきた歴史と維新の近代化を正当化する意味を含んでいますから、そこは「癖」も含め、日本・世界の近世・近代というものを考えるうえで重要です。そのあたりがやはり「韓国併合」などとは異なるわけでして、琉球「処分」を疑義なくスルーするのは論外にしても、それを「併合」といいかえてしまうと、また違った誤解が生じる恐れがあります。いまの国際政治のごく生臭いところに直結するリスクも払拭できません。

結局、それぞれの歴史を含んだその漢字・漢語の翻訳概念と政治過程の問題にいきつくように思います。ここをキチンと腑分けすることが必要なはずですが、誰もやってくれない（笑）。

日本と西欧が縁遠かったユーラシア世界

鈴木　ただ非常に面白いのは、同じ文明・文化のイノベーションの中心を持っていてそれで繋がりながら、漢字世界は自世界内で人の動きが繋がる普遍世界になりにくいところがあって。前にもお話ししましたが、イスラム世界の場合は、モロッコで生まれ育った人がメッカ巡礼にきて、ついでに足をのばしてインドに行って、本当にきたかどうか議論がありますが中国まで旅行したとか、エジプトのアズハル学院を出てからシリアに移ってさらに勉強し、今度はイランのイスラム学院の教授になるという「人の動き」がある。西欧キリスト教世界でも同様で、その意味でイスラム世界や西欧キリスト教

琉球処分　明治政府による琉球王国の日本国への併合に至る一連の措置。一八七一年の廃藩置県で設置された鹿児島県に琉球を帰属、翌年に分離して琉球藩を設置。一八七五年以後、清朝との冊封進貢関係を断絶させ、七九年に沖縄県を設置した。

世界は少なくとも、同文化世界内では普遍世界が成立しているのです。

ところが東アジアは、文化と文明の基礎は同じくして、衣装も前合わせの帯で締める。日本の着物や韓国のチマチョゴリ、ベトナムも伝統的にはそうで、要するに清以前の「中国風」です。ベトナムの民族衣装として知られているアオザイはそれと違いますが、あれはかなり新しいものらしいのです。それはともかく、文物は受け入れて、箸で食べる食の作法なども受け入れたのに、東アジアの漢字世界は先ほどの二つの文化世界のような普遍世界になりにくいのです。

それがどうしてかというのは非常に興味深いです。もっとも梵字世界がどうだったかというのも、インドからかなり東南アジアに出かけていって、バラモン教や仏教などをもたらしたと思われますが、どのぐらい人が動いていたのか、文書が残りにくいところもあってよくわかりません。インドの文書は鉄筆でヤシの葉に記すタイプのものだったうえに、しかも高温多湿の熱帯モンスーン気候ですから虫に食われてしまって残らなかったということもあるようですが、そもそもインド人はこの世の雑なことにはあまり興味がなかったところもあって。

岡本　文化的な広がりの範囲という点につきましては、基本的には私も『世界史序説』で言及した、ユーラシアを四分割した、元々の梅棹地図のイメージです。この地図のⅠ・Ⅱ・Ⅳに当たるのが東アジア、南アジア、西アジアということになり、今のお話に出てきたモロッコの人というのはだいたい西アジアで、その出店である地中海とそれにくっついたヨーロッパ、だいたいそのあたりで基本的に動いているという感じですし、梵字圏の南アジア、インド世界をみても、インド世界の出店としての東南アジアというところはありますが、基本的にはそのエリア以上には出ないですし。

漢字圏がなかなか普遍的になりにくいのだというお話ですが、それはそれで東アジアの中では共通のコードとして成り立っていて、おそらくその三者を全部超えた、本当にユニバーサルなのは、時期によって違うんですけど、あまりないのかなという感じがしています。

もちろん、中央アジアのいわゆるソグドだとか、西遷したトルコ（ウイグル）だとかは、移動によって全域を股にかけたような形になって、彼らがユニバーサルといえばユニバーサルですが、彼ら自身が全部に共通するようなものを何か持っているかというと、必ずしもそうでもない。とすると、ユーラシアはつながり合いながらも、それぞれ生態環境的に、いわば宗教とか文字とかの基盤になっていて、そこから生態的環境を越えて普遍性を持って広がったのが、一方ではインドから出て中央アジアと東アジアを結んだ仏教であり、もう一方が西アジアから出てインド・中央アジアまでを結んだイスラムというイメージです。またがって広がったものはそれぞれあるわけですけど、それがユーラシア全体に広がってユニバーサルになったものがあるのかというと、それは多分ないのかなと思います。

それで他の世界に比べて漢字が凝り固まっている、漢字が非常に特異だからというご指摘につきましては、スケールの大小はあれ、基本的にはユーラシアのどのブロックも同じようなことが言えるのではないかと思いますし、やっぱり東アジア人から見たらインド世界もイスラム世界もエキゾチックですし、多分逆もそうなのだろうと。

にもかかわらず、生態環境の違いというようなものから、それを母体にして作り上げてきた文化・文明の構造、つくり方そのものは、ユーラシア世界は共通して持っているという見方ができるのではないかと思っています。そこに、日本と西欧は縁遠かったということですね。そういう範囲・エリアの考え方は、これからまだまだ議論すべきところかなと思いますし、それこそユーラシアも日・欧も含めて、あるいはグローバルに全体をユニバーサル的につなげるようになったのは、やはり大航海時代以降のヨーロッパ文明、あるいはアトランティック・ヒストリー（大西洋史）以降の世界史、それこそグローバル・ヒストリーになっていく段階になって初めて、ということだろうと思います。

鈴木 先ほど私が申し上げた「普遍世界」とは、文化世界の垣根を超えてというより、ひとつの文化世界内の諸社会をつらねるという程度の意味合いであることを付け加えさせていただきます。

さて、最後に生活様式について簡単に触れておくと、先ほど遊牧民の生活に関する話題になりましたが、これも例えば地中海世界でみてみると、ギリシア、ローマから東西ヨーロッパ世界の場合は椅子に座るのに、イスラム世界のほうは基本的に床に座ります。椅子も使いますが、普段の生活は床に座って暮らしていて、ただ畳がないので絨毯を使う。それから円座はないので、羊の皮をまる剥ぎにしたのを使う場合もあります。オスマン朝ではミンデルという綿入り座布団もあったりします。

それらはまさに生活様式の違いで、羊皮を使うかどうかはともかく、床に座るか椅子に座るかというのは、同じ地中海世界でも、文化の違いが出てくるようなところがあります。

東アジアの場合は、中国なども椅子文化が入ってくる前は床に座り膳を置いて食事をしていたのが、テーブル式になる。その周辺の朝鮮半島も床式ですし、日本では、奈良時代に椅子が入ってきて当時としてはとてもハイカラだったのでしょうが、その後は結局、床式になってしまいます。時代が下って「開国」後にまた椅子が西欧から入ってきて、やっと定着するんですね。とりわけ昭和三〇年以降でしょう、洋間のある団地ができて、日本人が椅子に座ってテーブルで食事するようになったのは。それまではちゃぶ台に「おこた」というのが、私の子供のころなどは一般的でしたから。

つまり生活様式というのは、座るためにイグサを使うか、羊皮を使うかという地理的・生態的条件に縛られる部分もありますが、ある程度の幅がある。どこかがイノベーションの流出起源になっていると、その様式がある程度、地理的・生態的環境を超えて受け入れられていくように思われます。

地理的空間と帝国の存続

鈴木　大局的にみてみると、中国で発祥した象形文字である漢字と、エジプトで生まれた象形文字のヒエログリフのふたつは非常に長持ちしました。原初以来の文字世界が今なお保たれているのは中国だけですし、エジプトでも紀元三、四世紀ぐらいまで、ヒエログリフは三千数百年は続いたことになります。

その理由の大きなものが地理的空間、つまり地形ではないかと思われます。エジプトは東側が紅海で北側が地中海、そして西側がリビア砂漠で、南側はヌビアの砂漠です。これは空間的には「閉鎖的空間」と呼んでいいと思います。実際、文明そのものも周辺にそう出ていかないで、せいぜいシリアあたりまでしか出ていきませんでした。例えるなら「サザエの身」がエジプトだとすると、「サザエの蓋」はシリアだといえます。つまり「サザエの蓋」さえしっかり保っておれば、外敵の侵入を防げる。実際、エジプトがイスラム世界に包摂された後も、モンゴルの侵攻はシリアで破って、スエズ地域を越えて攻め込まれるのを防げたんです。

中国の場合もエジプトに似て、周りを囲まれています。東と南はシナ海に隔てられ、西はチベットの山地やタクラマカン砂漠があって、北にはゴビ砂漠がある。これもいわば「閉鎖的空間」で、歴史的にみても、唐の時代などに中央アジアまでたまには出ていくけど、限りなく西進していくようなことはありませんでした。とりあえずは黄河の周りで発展していて、その後は南北朝のときに江南が圧倒的に開発されて、江南さえあれば食っていけるようだというので、さらに周辺へ出ていくということをあまり考えていなかったように思います。

それで拙著『文字世界から読む文明論』(講談社現代新書)で言いだしたのですが、中国やエジプトというのは空間固定型の帝国であったことから、それで長持ちしたのではないかと。中国とエジプトは地理的に長持ちするのに適当な環境だったことと、そこでできる政治体も、分相応のひろがりしか持たない性格だったことが、二つとも長持ちした理由だと思うのです。もっとも、開放的空間で発達した楔形文字の方は自分で消えてしまうのですけれど。

ただエジプトの場合は北方に、アケメネス朝ペルシアとかアレクサンドロス、ローマ帝国など物騒な相手が登場してくるのです。それで結局ローマ帝国にとられて、ヒエログリフ世界というのは終焉してしまう。さらに「アラブの大征服」で、アラブ・ムスリムが入ってきてアラビア文字世界となったわけです。またエジプトのヒエログリフはエジプト以外に、あまり影響を及ぼしませんでした。つまりほとんど周りに広がらない。これは北の方にとりあえずは自分たちと同等程度の文明・文化を持つ楔形文字世界があって、その後もギリシア文字世界やラテン文字世界が北の方でだんだん力を持つようになったことで、広がっていけなかったのではないかと思います。

岡本先生がおっしゃるように、漢字はある範囲内ではあるけれど広がるのです。なぜなら中国の場合はエジプトとは違い、ユーラシア大陸の完全に東の端にあって、遊牧民と狩猟民を除けば周囲に脅威になるような大きな文明・文化がなかった。周りにろくなやつがいなくて、野蛮人ばかり（笑）。だから自らを「中華だ」と思い込んだのは、私はある意味で当然だったと思うのです。

南方の東南アジアだって非常にしっかりした政治体ができてくるのは一二、一三世紀ですし、チベットにしてもかなり固まってくるのは一四、一五世紀でしょう。北の方はだいたい遊牧民と狩猟民ですが、彼らはいわば「縄張り国家」で、農耕型の中国のような「地張り国家」ではありません。しかも遊牧民・狩猟民というのは、騎馬による瞬発力・機動力で農耕民を一時的には圧倒できる軍事力を持っているので、文字がなくても困らないというか、文字による情報集積はかえって必要がないのです。満洲人だってヌルハチのときまでモンゴル文字を使っていたけど、西夏やベトナムのように中国に対抗するためだったと思いますが、二代目のホンタイジ（太宗）のときに満洲文字をつくります。ただご承知の通り、満洲文字は清朝一代でほぼ滅んでしまいます。

しかも中国は唯一の脅威であった遊牧民・狩猟民を手なずけてしまうところがあります。

中国東北を中心に建てられた契丹族の遼や女真（ジュルチン）族完顔部の金にしても、何となく中国的になったうえに、漢字をベースにして自分たちの文字をつくる。もっとも、トルコ系の突厥は少し違って、まだ議論はあるようですが、おそらくアラム文字をベースに突厥文字をつくったようです。とりわけモンゴル人は他の遊牧狩猟民とどこか違うところがあって、自分たちの文字として保ったのはウイグル文字をベースにしたモンゴル文字ですし、一四世紀半ばに元朝が崩壊し、明に追われて大都からモンゴル高原へ撤退するのです。普通、大都会で贅沢な暮らしをしたら草原での生活になんて戻れないと思うのですが、モンゴル人は暮らせちゃうんですよ（笑）。

モンゴル人とトルコ人と比べると、トルコ人の方がずっと適応力があるけれど、やわです。モンゴル騎兵とトルコ騎兵が戦争をやったら、トルコ騎兵がほとんどいつも負けている。オスマン朝も負けています。遊牧民で一番しっかりしているのは、モンゴル人かもしれない。

岡本　モンゴル人は漢字文明を馬鹿にしているところがあります。

鈴木　定住民というのは腰抜けだと（笑）。

岡本　ただ西方のイスラムに対しては、チベットもそうですけど、非常にリスペクトしていて、どうしてその傾きが出るのか、私はいまひとつよくわからない部分があります。それが文字に関わっているかどうかがわかれば、うまく説明がつくんですけれども。おそらくモンゴル人が別の文字を作ったというのは、農耕世界とか中国世界、つまり漢語世界にそれほどシンパシーがなく、コミットしていなかったという現れだろうと思います。

それは契丹もわりと同じですね。それに対し、ツングースの満洲とか、その前の女真・金とかっていうのは飲み込まれちゃう側面が強くて、それはなぜなのか、うまく説明するのはなかなか難しいですね。それこそ本章のテーマでもある地理的・生態的環境、あるいは生業、ライフスタイルとかなり絡んでいることなのかもしれませんが。

儒教の土俗性と中国の社会関係

岡本　いろいろ文明をつくってきたというのは、文明という言葉がそうですけど、都市という場が必要で、都市がなぜできるかというと、やっぱりマーケット、何で人が集まるかという話で。

　まず生産をするということで、共同作業ももちろんあるのですけれど、工場制ではないかぎり集まる数は限界がある。そうやってできたものを今度はどのように消費するかということで、当然ながら、純粋な意味での自給自足はあり得ない。できるものとできないものがいろんなレベルであるので、交換とかやり取りがどうしても出てくる。そういう交換・やり取りをする際に人が集まってくるところから、都市ができていく。

　もちろんやり取りをするためにはモノをつくらないと始まらないので、生産も当然くっついてきます。乾燥地帯のオアシス都市なんていうのは、そういうところからできあがっているというのが持論ですし、人々の暮らし方と集落と生業というのは密接な関わりがあります。おそらくそれが基軸になって広がりを与えているのが、交換であり商業ということが、まずはポイントになる。商業をやる、交換をやると、必ずトラブルが起きるとか、手控えが必要になるので文字が必要ということで、文明が生まれてくる。

　文化はそれこそ「耕す」という言葉からきていますので、ローカルな生産と生活があれば文化は成り立つんでしょうけれど、それが複合的につながって広域的・普遍的な文明になるためには、都市とそれから文字というものが必要になってきます。そこに商業が生業としては重要になってきますし、そういう生業を行うためには労働力も含めて資本が必要になりますから、そこでの社会関係、またその社会関係をどうつくるかが、次のポイントになってくると思います。

社会関係の基本的なものは、僕ら生き物ですから、血族というので、家族っていうのが当然のことながらあるわけで、例えば中国の儒教とかで言いますと、家族とかそれになぞらえた社会関係、それをそのまま表現する、そこのルールづくりから出発してそれ以上に出ないんですよね。だから私は、儒教は土俗的だと言うんですけど。『論語』というのは初歩的なモラル、人間関係の基本的なルールしか語っていないような本で、そういう意味では非常につまらない書物です。だから今の我々が読んでも共感できるというのは当たり前の話で、そういうところから儒教は出発していて、それ以上には出なかったものなんですね。

中国人がすごい現実的だというのも当たり前の話で、そういうのがベースになっている部分があって、しかも人間関係の当たり前のところから出発していますから、「怪力乱神を語らず※」という通り、超越物の存在を認めない。なので絶対神か唯一神とかはあり得ない。そういうことになるので、どうしても高尚な信仰とか、そういうものにはならない。これが普通に家族で仲良く暮らしていて何事もなかったらそれでいいですけど、そうじゃない局面が出てきたりすると、違うものに帰依したくなるとか、それでいろいろなバリエーションが出てくるということなんだろうと思います。

怪力乱神を語らず　孔子は怪異・鬼神（死者や先祖の霊魂）など、神秘的・超自然的なことについて語らなかったという『論語』の教え。

ですから東アジアの中国とかも含めた漢字圏の考え方によると、血縁とか、家族ベースの社会関係が元になっていて、西方のイスラムとかキリスト教の信仰、ああいう形の信仰をベースに持った社会関係のつくり方とはかなり違うものができあがってくる。そういうところが生業の部分と宗教の部分とで関係しているところではないかと思います。

「淫祠邪教」とか「秘密結社」とか、かつてはそれが「匪賊」でしたが、そういうのが中国人の間で流行るのも、その副作用のような症状でしょうか。もっとも、原初的には、字面から感じるような淫靡隠微なことはほとんどなくて、いっさいは相互扶助組織から始まっているわけでして、結局は権力との関係・距離によって、マフィアになるか、慈善組織になるか、その性格・機能が決まってきます。

お金の集め方も同じでして、広域的・公共的な宗教的権威・政治的権力があれば、お布施・税金などの形で吸い上げることが可能ですが、それを持たない一定範囲の相互扶助組織の場合は、自分たちで会費を出し合うか、非合法的な事業をやるしか生きていく手段はない。いずれにしても、広域・万人に通じるルールに基づく公益的な流通や投資的な貸借にはならない。中国の「淫祠邪教」「秘密結社」が流行るような社会構造では、それは歴史的に免れえなかった宿命です。

資本主義のレベルでみると、資金とか生業の規模を考えた場合に、中国のスケールは、いまでこそようやく西欧の考え方とかルールを取り入れて色々なことをしていますが、元来はものすごい小さいものですよね。ですから圧倒されて植民地化されるんですけど、そのあたりが西の方ではイスラムとキリスト教圏ではかなり違ったりもするんでしょうが、どんなふうになっていたかとか、どんなふうに比較できるのかも含めて先生のお話も伺いたいと思っています。

「モノづくり型」と「モノ流し型」の経済

鈴木　確かに農業を中心にした生産と、あとは都市のもとになった交換と二つの形があって、それで両者が相まってネットワークがつながってというお話ですが、これがどちらかというと生産の方に傾く傾向が強い社会と、流通の方にむしろ重点が置かれていく社会がどうもあるようで、単純なものの言い方で経済学の先生方に怒られてしまいそうですが、「モノづくり経済」「モノ流し経済」というのがたぶんあってですね、漢字世界の諸社会はどちらかというと「モノづくり経済」が強いように思います。

とりわけ日本の場合は、特に江戸時代に対外交易のありようを極端に限定して、しかも戦争が全面禁止になったので、諸藩の競争も結局は文化も含めた一国内の経済競争が中心になっていきます。その過程で生産経済、つまり「モノづくり経済」に特化していったために、明治以降に違うタイプの西欧の生産経済システムが入ってきたときに、その受け皿になりやすかった面があるように思われます。

岡本　日本の方ですが、江戸時代の特に一八世紀以降は生糸・茶・砂糖など、アジア物産の輸入代替過程ですので、おっしゃる通り「モノづくり」が発達するのですが、「モノづくり経済」は、つくっているだけ、製造だけでは意味をなさないので、消費販売しないといけません。奄美の砂糖なんて典型ですね。その市場はどうしても「鎖国」の範囲内になりますので、そのかぎりで、はっきり流通金融の「モノ流し経済」が発達してきます。しかもかなり高度に、です。

しかしこれはやはり「鎖国」の範囲でしか通用しない、ごく狭隘（きょうあい）なミニチュアだったものですので、「開国」になりますと、対外的に通用せず、逆に日本経済が混乱をきわめまして、内外のシステムすべての再構築を迫られることになりました。それが幕末維新の動乱の一因・一面です。

ただその在来のミニチュアが、「モノづくり」にしても「モノ流し」にしても、西欧のシステムと通じる面が多かったので、短期間で比較的円滑に再構築が進行したというところでしょうか。

こうした点、先の中国のお金の集め方などと比較しますと、とても面白いと思いますし、農業の経営や技術でも調べられる可能性はあろうかと思います。

鈴木　日本国内の「モノづくり」「モノ流し」は岡本先生のおっしゃる通りですが、私がイメージする「モノ流し経済」とはイスラム世界が担っていたような異文化世界間での遠隔交易なんです。もちろん私も、日本国内については江戸時代に北は蝦夷地から南は琉球までをしっかりと結びつける流通網が整備され、プロト「国民経済」ができあがっていたとは思うのですが、それを超える広域的な交易ができにくいシステムだったのではないでしょうか。イスラム圏の場合ももちろん生産はありますけれど、農業技術をみますと、中国では中国農業史の大家として知られる天野元之助先生の農書の解題だけでもものすごく厚い御本があるのですが、オスマン朝で農書がないかと思って、現地の図書館でずいぶん探しましたが、農書がほとんどないのです。チューリップ栽培や果樹栽培に関するものがいくつかあるだけで、本格的な農書は少なくとも私が検索した限り、ひとつもありませんでした。

日本の場合、江戸時代の農書全集だけでも数十巻あるくらいで、農書がたくさんあるのですが、オスマン朝では非常に初歩的な農業で満足していたようなのです。そのかわり、日本の場合はユーラシアを通じての交易の大動脈にほとんど繋がっていない時期があるわけですが、オスマン朝の大都市というのはだいたい、古くから東西交易の拠点だったところが都市になっています。

西欧の「奇跡」

鈴木　「モノ流し経済」と「モノづくり経済」のどちらかに偏ることは、西欧の場合は田舎過ぎたので、特に中世の前半はもっぱら「モノづくり経済」だったのだろうと思います。自給自足に近い「モノづくり経済」になっていて、少しずつ商業が発達して都市ができてくる。都市がそれなりに発達してきて、それに加えて内実ができてくると、外に押し出して、西南ではイベリアのレコンキスタ（「再征服」運動）、東南は十字軍で、北東は北方十字軍でというようなことになって、レコンキスタが終わった勢いが海に向かったのが「大航海」時代です。

あれは必ずしも経済的な力がきわめて充実したので出ていったのではなくて、ポルトガルははっきり十字軍を狙っています。インド洋に入ってイスラム教徒の裏をかき、伝説のキリスト教徒の大君主プレスター・ジョンを見つけて、両者で組んで「挟み撃ち十字軍」をやるというのが一つと、メッカ焼き打ちをやろうというので出ていくのです。もっとも、一方で独自ルートを開拓してムスリムが仕切っている香料貿易にあやかりたかったということもありますが。

スペインはそれほど悪気がないのかもしれません。むしろインドに到達して、イスラム教徒、そして後にはポルトガルが仕切ることになった香料生薬市場に直接アクセスしようとする面が強かったのかもしれないですけど。ヨーロッパはどこかで転換して、「大航海」時代以降「モノづくり」と「モノ流し」を両方本格的にやりだします。これは世界史上かなり珍しいと思います。

岡本　「珍しい」どころか、「奇跡」だと思いますよ。その「へんなやつら」の最たるのが、イギリス・アングロサクソンでしょう。商業革命・軍事革命・産業革命があいまって大英帝国・「世界システム」になりました。そういうムチャクチャ「珍しい」、特殊な「奇跡」であるはずのものが、世界経済・世界史、グローバル・スタンダードだとかグローバル・ヒストリーとかを僭称しているので、現在おかしなことになっているのですが、誰もおかしいと思っていないので、いよいよ始末が悪いと思います。

その出発点に大航海時代があるわけですので、それを再考するには、やはりその前・オリエントをしっかりみる必要があるんだと思います。

鈴木　問題はイランとか、エジプトには農書があるみたいなのです。オスマン朝が基本的には一番遅れています。本格的に農書ができるのはほぼ二〇世紀に入ってからで、とりわけアタチュルクの時代にソ連から専門家を呼んで、調査をやってロシア語でアナトリアの農業畜産資源の総目録ができるんです。ですから生業もその二つのかたちがあって、しかも社会関係だと当然、生産者と非生産者がいて、非生産者の方が生産者のあがりで食うのはどこでもそうだと思うのですが、その場合にその関係が非常に固定されるケースと、わりあい固定されないケースがたぶんあるのだろうと思われます。そういうソフトなことをいうとマルクス主義の先生方に怒られますけど。生産関係が一番重要なわけですから。

岡本　いやいや、ですからマルクスなんていうのが、西ヨーロッパの農村地帯から出ていますので、生産中心にどうしてもなりますよね。

鈴木　そうですね、しかも地方紙の記者をやっていて、農地問題に深く関わったので。ご自身は労働をしたことがないのですよね。それに家柄はトリーアという町のユダヤ教指導者の古いラビの家のご出身で、トリーアというのは田舎町だと思ったら西ローマ皇帝の御座所にもなった由緒ある町だそうです。あの方は肉体労働をなさったことはないのです。エンゲルスは工場主だから肉体労働者を使ったことはあるけど、マルクスはお手伝いさん以外の肉体労働者を使ったことはありません。

生業の形態――中国と日本

鈴木　それは置くとして、農業の場合でも、商業、それから工業の場合でもとにかく組織の原型というのは先ほどご指摘がありましたが、家族がやはり基本になるんですね。そうすると、生産手段としての土地をどう分けるかというのが、問題となります。

中国の場合は均分相続したので土地は分散していくのです。ただそうではあるけれど家組織でものは動いている。日本の場合は、商家の場合、世襲的な家があって、家族なのですが、日本の「家」が血縁集団なのかどうかが議論があって、柳田國男先生は親子というのは労働関係におけるリーダーとフォロワーの関係が源泉で、それが親族関係に転用されたのだとおっしゃっている。私は、それは違うのではないかと思います。やはり血縁関係が基礎になった家族があって、ただ日本の家族の場合は純血縁家族ではなくて、経営体になっている場合が多かったのだろうと思うのです。その証拠に日本ではまったく血縁のない人間を取り婿、取り嫁にして跡を継がせてまったく平気なのです。

中国では、養子は血縁関係者以外から取りませんよね。イスラム圏には養子制度そのものがありません。そのため男児がおらず娘がいれば娘婿を取るわけですけど、その家の跡を継ぐということではなく、偉い人の家などでは岳父の利権を受け継ぐのです。

ヨーロッパの場合は血縁が決定的に重要です。面白いことに鎌倉時代以降の日本の武家社会に並行して、総領総取り制になったのです。イギリスの場合は結婚すると別の家に住むようで、四世同堂ではないようです。ただ家族関係がベースになるのは確かです。

日本の場合は擬制的家族関係が広がるので、江戸時代の商家の場合だと、番頭を養子分にとりたてて、屋号を持たせて、のれん分けする。そうすると、かなり大きいチェーン店ができるのです。中国の場合はいかがですか？

岡本　中国の場合は宗族※が基本になって、家族とか血縁となると均分相続で財産は細分化されていくんですが、今度は細分化された組織と財産をまとめていこうとする動機が働く。合股というんですが、ある一定の繋がり・持ち分で、お金を集める。そのコネクションはいろんなバリエーションがありえますが、やはり祖先を同じくする、お廟を共有するような血縁集団の宗族というかたちでひとつにまとまろうとすることが多いかと思います。宗族と擬制的な組織というかたちで、生業の規模を大きくしていく。大きくしていくといっても限られているんですけど、そういうパターンですね。

日本とは全然やり方が異なっているんですけど、元々は家族から出発して、法人とはいえないまでも生業を成り立たせる企業体のような仕組みが、それぞれの文化圏で血縁家族をベースにしたかたち

宗族　中国の父系同族集団。大宗（本家）と小宗（分家）の区別があり、大宗を頂点にまとまり、祖先の祭祀をおこなった。

で展開していくのはひとつのパターンだと思います。

その際にどれだけ血縁外の、例えば法制的なもの、あるいは権力体などとどういう関係を取り結ぶかで、生業とか、宗教組織でもいいと思うんですが、そういうものとの距離感とか関係の持ち方によって、生業の形態とか組織のありようが変わってくるように思います。中国では時代によって違いますし、地域によってもかなり偏差がある感じがします。

都市の商工業ですと、擬制的な血縁関係で、地縁でまとまったりする同郷同業組合が中国にはあります。西欧人はこれをギルドだといいますが、権力あるいは法制との関係の持ち方が全然違うので、それをギルドと同一視するのは間違いだと思いますけど、農村の宗族と似たようなところがあって、権力体を全然ヨソ者と思って信用していないので、法律や貨幣も全部自分たちで決めてやっている。逆に言うと、広域的な公益性・公共性が欠如してしまうので、それ以上に大きくなれないし、大規模な投資もできない。自分たちもそれ以上大きな資本を持てないという形になって、ありていにいうと、西欧の資本主義的な資本家・企業に全然対抗できないです。

日本とか他の世界を私はよく存じ上げないですが、そういう意味では中国と似たような形でしょうし、資本の結集であるとか、投資のやりようということは、ヨーロッパ、特にイギリスが独自に発明したものであろうと思います。イスラム圏ではそのあたりがどうなのか、ぜひ教えていただきたいと思います。

東西「系図」考

鈴木　家族と社会関係、宗族について考えたときに、宗族のメンバーシップを固めていくのに中国では族譜というものをつくっていますね。朝鮮半島でも族譜がつくられて、ベトナムでもおそらくつくられていると思うんですが、日本と沖縄の場合は少し違って、沖縄は族譜に近いものをつくるにはつくっているようですが系図が重要で、日本の、大和の場合はもっぱら系図になります。

血縁および擬制的血縁関係の系統図を持つという点では族譜も系図も似ているのですが、意味がかなり違うような気がします。中国の族譜というのは、社会的共同保障のための「メンバーシップ名鑑」のようなところがあるように思われます。朝鮮半島の場合はその面を多少持っているかもしれないけれど、両班であることを明示したいというようなプレステージを示すところがあるように思われます。ただ両班というのは数がかなり増えるようなので不思議ですが。

沖縄の場合には基本的には系図があって、系図座というのを琉球王朝の王府で仕切っていて、残念ながら沖縄戦で焼けてしまったのですが、系図座に届けた系図がない人間は、士族じゃないのです。ただ士族じゃなくても官職にはつけるのだそうです。士族といっても、「大和」の士族とは別物ですけれども、琉球士族であるためには系図がないといけないそうで、そう簡単に割り込めないらしいのです。

日本の方は完全に系図が決定的に重要で世襲が原則で、いい系譜の人間が、特に武士の場合、特に重要です。例外的に特別功績を認められた人間が士分に取り立てられることがありましたが、名字帯刀を許されるというのは、これは大変なことなのです。士分に取り立てられると、今度は系図をつくらなきゃならない。士分になると、御家人になったり旗本になったりして、特に勘定方にはなりやすかったようで、村方で大いに尽力した篤農家が士分に取り立てられて、御勘定からさらには二〜三代で勘定吟味役などになるケースがあります。ただ基本的には系図が決定的に重要なのです。

イスラム圏の場合、系図というものがほとんど意味をなさないのです。もっともアラブなどでは、部族系譜や預言者ムハンマドの系譜は別の意味で重要ではありますが。

岡本　そうでしょうね。朝鮮も日本もアメリカもそうですが、系図って結局「血統書」なんですよね。どんなに毛並みがいいかというのを他と区別するためにということがあるというのは、おっしゃる通りかなと思います。中国の族譜も「メンバーシップ名鑑」とおっしゃられましたが、まったくその通りで、系図・血統書としてみれば、すごいでっち上げが多いんですけど。要するに企業体を成り立たせるための、協同組合リストみたいな部分があるので、それもおっしゃった通りかなと思いますね。

血統書は多分、イスラムの場合はみな神の前ではみな、ムスリムは共同体ですから、いらないですよね。

鈴木　ただアラブ人の場合は部族意識が強いので、その部族意識を引きずっているんです。由緒正しい部族出身だっていうのは、実質的にはあまり役に立たないかもしれないけれど、誇りにはなる。

それともう一つは、かなり裕福で宗教寄進財産（ワクフ）をつくると、宗教寄進財産で公益のために費やしたお金を差し引いて、さらに残ったお金の配分権を得るために系図を持っているようで、これは決してよその人間に見せないのです。実際の所得に加わる収入源の分配リストだから見せないのですが、要するにヒッセという持ち分権があって、持ち分権にしたがって公益事業に使った残りの部分を分け取りするシステムでいまでもあるものですが、例えば一四〜一五世紀の大宰相家が建てた宗教寄進財産の持ち分権をいまでも持っている人がいたりします。ただ日本の系図のように誇るためのものではなく、あくまで仲間内の利益配分のための系図なので、外部に出ることはないのです。

一方で部族の系譜の方は誇るためのものです。特に預言者のご子孫の場合は、免税の特権とか、緑色の服やターバンを身につけることができるという特権があって、社会的に信用がついてきていたのです。

もう一つは神秘主義教団の長老たちの系譜があって、これはいわば学統図なのです。また正式なウラマー、イスラム学者の方の血統というのは実際は長く続いていて、しかるべき家になると宗教寄進財産を持っているもので、そちらには系図があるかもしれないですが、それは出てこないですね。オスマン朝のウレマーの場合は、ペルシア語とアラビア語をくっつけた、シルシレナーメという言葉があってそれが系統書ですが、イスラム教学の学者のシルシレイ・イルミエというのはウラマー系の官職に着いた人たちの一覧表で、江戸時代の柳営の諸職の代々記（幕府の役職就任者の年表）のようなものなのです。

「家」が続かないオスマン、中国 「家」が続いた日本

鈴木 ただオスマン朝の場合、世襲的な身分によって一定の地位に必ずつける人というのは基本的に君主だけです。あとは、地方在住の騎兵の子で軍務につける者は事実上、世襲が可能でした。ただ非世襲が原則の部分もあり、基本的には系譜社会とは正反対なのです。仲間内の相互扶助をどうやっているかというのがあるかと思いますが、とにかく家が続かないのです。

岡本 それは中国と同じですね。

鈴木 歴史が長くても、個々の家が経営体として、かっちりまとまった組織体になってないようなのです。日本のような一六世紀以来の豪商の子孫だとか、三井家や住友家みたいなものがないのです。たいがいは潰れるか潰されるのです。

宗教寄進財産もそんなに大きいものをつくれるほどの財力のある者はごく少ない。それでも宗教寄進財産の分割の歴史をみてくれればある程度わかるかもしれないけれど、そのための系図は表に出てこないのでわからない。それに加えてイスラム圏は「モノ流し経済」といっても、事業を通じないで、貨

幣がひとりでに果実を生むような利子付貸し付けがシャリーアで認められていないため、脱法行為で金貸しをしていたことはすでにお話しましたね。

オスマン朝の場合でも、大きい両替商が金貸しもやるのですが、非常に大きい場合、大名貸しというのではないですが、たとえば総督がお供を揃えて出かけたりするときの費用を用立てるのは、ユダヤ教徒、アルメニア教会派が多いのです。ただそちらの史料は、アルメニア教会派はコミュニティが解体してしまったので、材料があまり残っていないのだと思います。ユダヤ教徒は残っているけど出さないので、社会経済史研究には非常に具合が悪いです。ことに「モノ流し経済」なのにモノ流しの流し手に資金を提供していた、金の流し手の材料が残っていない、あるいは材料が発掘されていないのです。

個別的商業関係については裁判文書が大量に残っていて、トラブルがあったときにどうしたとか、相続がどうなったというのはわかるのですが、家分け文書がなくて、偉い人の家でも家分け文書が残っているケースがほとんどありません。あったはずなのですが、散逸してしまっているんですよね。かなり前に、トルコ中部の古都カイセリを訪れたときに骨董屋があったので立ち寄ったのです。お爺ちゃんと孫でやっているお店で、話していたら仲良くなって家に呼んでくれまして。その家というのがサンジャク・ベイという、県知事に歴代なるような名家だったそうで、当時の勅許状などを大事に置いていて、見せてくれたんです。その後、何十年かたってカイセリの大学の客員教官になったときにもう一度訪ねてみたら、当時のお爺ちゃまは亡くなっていて、孫は家をたたんで大都市に出かけてしまったとのことで、貴重な歴史的史料も消えてしまったのです。ですからイスラム世界の場合、生業や家族が続かないこともあって、それを追うのが非常に難しいということがあります。

やはり日本の場合は家が経営体になって、血縁を越えた擬制的血縁形態になったので残ることになったのでしょう。農村でも経営体としての家族があって、それは岩手県の奥の大百姓の家に、社会学者で日本の農村社会を分析された有賀喜左衛門※先生が入って研究されています。あの方は伊奈谷の大庄屋家の出身で、戦後に農地解放になるまでは農地の小作料で食べていたので、勤めないで一種の趣味人として暮らしていたのです。お正月に実家に帰ると、小作人たちが参賀にやってくるのを出迎えるのが、大地主である大庄屋のご子息としての義務で、それに出ていらっしゃったそうですから農村のことがよくわかっているのです。ただ戦後は農地解放になって没落してしまい、仕方がないから大学の先生になられた方です。

柳田國男先生の場合、お父様は町医で、それも田舎の村のお医者様で、しかも国学者でもあったのです。ですから村の社会では先生と呼ばれるけど、村の普通の人間関係からは切れている方です。その息子といっても、柳田先生は家老家である柳田家の婿養子に入られた方で、農村にいるけど「お客様」のような家のご出身なんですね。

有賀先生は岩手の大地主のところに入って、擬制的家族関係としての親方・子方制の大研究をされ、要するに日本的非血縁的経営体としての日本の家族システムの基本構造を掘り出されたのです。その業績は大名家や将軍家にも適用して分析できるし、日本的経営にも応用がきく。でも日本の家族制度というのはかなり特殊であろうと思います。

科挙官僚制に関するウェーバーの誤解

鈴木 本格的な経営体としての家族の中国と日本、そして西欧との比較研究というのはあまりないようで、やられたら非常に面白いと思いますが。中国の場合は家産制といっても、中国の科挙官僚制のことを家産制的だと特にマックス・ウェーバーはさんざんに言いますが、どこがどう家産制なのか。

岡本 あれ、私も全然わからないです。近代ヨーロッパと一見似ている、けれどもやはり、違う、前近代的で、落伍している、って言いたいだけなんだとも思いますが（笑）。

鈴木 日本の江戸幕府や諸大名のシステムは明らかに家産制です。オスマン朝の場合は、家の種類が違って、養子は取れないけれど主人がいて、自由人出身の主人の命令で仕事している人がいて、そのなかには奴隷もいて、奴隷でも下働き奴隷と上等奴隷がいて、上等奴隷は子供に近いものとして、小

有賀喜左衛門（一八九七〜一九七九） 農村社会学者。『日本家族制度と小作制度』（一九四三）などで日本の農村の基礎構造を家と同族団の理論で解明した。

姓として使っているのですね。

その中で非常に頭が良くて有望そうな男を奴隷身分から解放して自分の娘と結婚させて、養子分に近いものにする。そういう人たちの財産の多くは利権なので、娘婿がその利権を受け継ぎます。偉い人の家族と使用人を合わせたものをカプ（門）といいまして、そして家族以外でそれに属する人たちをまとめて「カプ・ハルク」（御門の衆。ハルクはアラビア語起源で「人々」の意）といったのです。昔のオスマン朝では、君主の身の回りの人間たちのことも「カプ」といっていたそうで、君主の「御門の衆」は「カプス・ハルク」。この「カプス」のスは所有限定語尾で、その所有者は君主なのです。

偉い人のカプ・ハルクになると、自由人から奴隷まで大きいものでは数千人も抱えているケースがあって、要するに力のある人は財源があるから、儲けになる職を離れていても抱え続けられる。田中角栄さんみたいですが（笑）、金のない人は放してしまいます。そして主人が殺されたり、処刑されたりすると囲えなくなるので、その「御門の衆」がばらばらに離れてしまうことになり、一六世紀末から一七世紀前半にかけてそういう人々が暴れて大騒ぎになるのです。

つまりオスマン朝の「家」はこのカプでできていて、非常に家産制的です。ヨーロッパも同様に家産制的で、例えばイギリスでは、君主の寝室にある金箱を管理している人と、毛皮と絹服といった衣装棚の管理している人がいて、それが後に正式に財務省になる。イギリスでは史料がたくさん残っているので、タウトという人が中世イギリス行政システムの形成過程を研究して、君主の寝室がだんだん分かれて、公的な支配組織の財務部門になっていく過程を追っています。ですからまったくの家産制です。

中国は早くに科挙制度ができていて、イデオロギー的には家産制的でしょうが、組織的には「前近代」としては非常に合理的な組織にみえるのですが。

岡本　でも基本的に人間関係で、科挙でそういう共通のコードを持っている人たちはつながれるわけですけど、それも非常に私的なネットワークの方が次第に強まってきますし、科挙っていうのは結局特権を得るためのシステムですので、血縁じゃない人たちともつながれるというのがひとつと、免税・免役の特権を得て財産を保全するというのがもうひとつですね。

科挙の制度理念はともかくとして、実質の効用、機能はそういう方向で動くものですので、族譜を持っているとか、宗族が企業体として永続した例というのは、基本的に誰か科挙に受かっているというのが必須の条件になります。そうでないと、せっかく財産をつくっても保全できないことになるわけで、一代二代限りでつぶれてしまう。

そういうのが家産的かどうかといわれても、なかなか難しい部分がある。科挙そのものは優れた人材を君主が抜擢するということで、非常に合理的なというか、もうちょっというと狩猟遊牧的なコンセプトでできた制度ですので、その点でやっぱり純農耕的なべたべたした関係とは若干違うというのは確かにあるでしょう。

中国の科挙のシステムと実際の効用を考えてみると、いろんな枠では切り取れないような気もして。逆に言うと先生からいろいろおっしゃっていただいたところと、きちんとした対比ができるともっと面白くなると思うんですが、まだお互いそこの準備ができていないような気がしますので、ここでは準備運動的な論点が提供できたらいいのではないかと思っています。中国の中も、色々まだわからないところがありますので。

科挙は「宗族の宗族による宗族のための事業」

鈴木　宮崎市定先生の科挙についての二冊の著作（『科挙』中公新書・『科挙史』平凡社東洋文庫）からの受け売りが多いのですが、中国で面白いのは一族のシステムです。家庭教師をやとって学塾をこしらえて、一族の子をみんな私塾にやって、本家の息子でなくても分家の息子でもいいからよく出来る子を科挙に合格させれば、というのはとても面白いシステムです。在郷の進士というのが官職につかないで故郷にいるのも、警察署長をやった方が、パチンコ会社などに顧問とか取締役でお入りになるのと似ていて、あれは一種の用心棒だと思うのです。

「旧中国」の場合、同等の資格を持った人が正式に面会を申し込むと断れないそうで、例えば県の知県（県の長官）のところなどに進士（科挙の最終合格者）が名刺を持ってやってきて面会を求めたら断れないから、そう無体なことはできないというわけですね。知県などになって任地に赴任するときに官職も収入もない身内を連れていって彼らを食わせてやらなきゃいけないしきたりなので、任地にいる金持ちで有力なバックのない奴を色々物色して搾らなければまかなえない。役人からそんな被害にあわないための、用心棒の役も大いにあったのではないかと、勘ぐってしまいますが。

岡本　おっしゃる通りで、宗族全体の安全・財産保全のために、宗族の中から科挙の合格者を出すという形なんです。私の先生がおっしゃっていたんですが、宗族というのは、科挙と結びついて、科挙を支持していた母体であると。科挙のための教育機関でもあると。

　つまり「宗族の宗族による宗族のための事業」が、科挙受験だということですね。それで権力とか、いろんなところとコネクションをつくって生命・財産の保全を行うシステムになっているというかたちですね。

鈴木　これも勘ぐりですけど、科挙に合格すると登科録という、同期合格者名簿がつくられますね。それがどういう使われ方をしたのか、調べてみたら面白いのではないかと。例えば地方官に任命されていく合格者がいますが、この村に乾隆何年に合格した人で誰それという人物がいて、これは在郷の進士だとか、また誰それという人は在官中で、おまけにその時の試験官が宰相だからあれには手を触れてはならんとか、そういう使い方をしたのではないでしょうか。

岡本　それはかなりありますし、『儒林外史』などの小説に出てくるほど当たり前の話ですから、研究の対象にはならないかもしれません。そういうリストとかで縁故をたどって、赴任するときは現地でいろいろリクルートして、アドバイザーになってもらうとか、いろんな効用があって。あくまで私的なコネクションでしかないんですけど、そういうもので中国の広域の秩序、支配・統治ともいえないような秩序が保たれているという構造になっているみたいですね。

第7章

国家・国民・民族を考える

ネイション・ステイトの登場

鈴木　繰り返しになりますが、私は歴史を語るうえで、「国家」という言葉はあまり使いたくないのです。なぜなら、グローバリゼーションの進展の中で近代西欧の影響に巻き込まれるまでのさまざまな歴史上の政治体というのは、部族集団であったり、ポリスや王朝であったりと、それぞれがずいぶん異なるものですし、また「国家」というと、どうしても「モダン・ステイト」（近代国家）が念頭に浮かんでしまう。そこで、ここでは「国家」について考えてみたいと思います。

現在、グローバル・システムの基本的な構成要素が「ネイション・ステイト」ということになっていて、「ステイト」は辞書的には「国」「国家」と訳されますが、本質的には「固い殻」のようなものと考えていいのではないかと思います。要するに内側でゴタゴタしないように、外からゴタゴタさせられないような「固い殻」がステイトで、そうすると「ネイション」は人間集団で、その「柔らかい中身」にあたります。

この「ネイション」には少なくとも二つの顔、「民族」という顔と、「国民」という顔がありますが、国家というよりは基本的には人間集団なのでネイションは、「国民」ないしは「民族」だと思うのです。ファミリー・オブ・ネイションズというのは諸国民一家ということだと思います。元々は人間集団を指す言葉です。

近代西欧が原動力になってグローバリゼーションが進んで、近代西欧が仲間内でつくったシステムに、非西欧の諸文化世界の諸政治体がだんだん巻き込まれていくことになっていきます。当初のグローバル・システムは二層構造になっていて、西欧諸国及びある程度西欧化したと認められるようになった東欧のロシアなどは、仲間として内集団に入れられ、異文化世界の外集団は自分たちとは違うものという位置づけで、システムには巻き込むけども内集団には入れないというかたちをとる。

内集団に入れないけれど、システムに組み込まれた方が、新しいシステムに入ったという自覚をいつ持つかというのは、社会によって違うと思います。ただ植民地になったところは、これは否応なしに組み入れられてしまって、梵字圏はタイを除くとすべて植民地になってしまい、イスラム圏のアラビア文字世界もオスマン帝国とイランのカージャール朝を除き、ほぼすべて植民地にされてしまう。ギリシア・キリル文字世界としての東欧正教世界の場合はロシアが、一七世紀の末から一八世紀のはじめにいち早く近代西欧モデルを取り入れて「西洋化」改革を行って、一八世紀の前半にもうヨーロッパ列強の一つになる、ということになるわけです。

外側の殻としての、西欧人が国家だと思っているものの原型ができたのがたぶん一七世紀から一八世紀で、絶対王政のもとで国境の囲い込みが始まると「主権」の概念が出てきて、今度は主権の発動としての「法律」の観念が出てくる。西欧では「中世」以来、ルネサンス期までは、よその国の人がよその国の人同士で争いになったときは、よその国の人の在留邦人団の代表が裁判するというのが原則で、領事裁判権というのは「中世」の領事としては当然でした。西欧世界の方では、絶対王政下で、国境の中にいる人間すべてはその国境内の国家の王法によって裁かれるということになるわけです。

テリトリーというのも、縄張り的な意味からきちんとした領域という意味までありますが、領域を囲い込んだおかげで、はっきりとした国境を持った領域的主権国家というのができあがって、先にできたのはやはり「硬い殻」であるステイト（国家）の方だったのです。

一六四八年のウエストファリア条約※でこの「硬い殻」の基礎ができてきて、三十年戦争というむちゃくちゃな戦争を見て「何でもありではよくない」ということになり、それを規制しようとしてグロティウスが『戦争と平和の法』を書き、その後、次第に領域的主権国家間の関係を規律するためのルール・システムとして近代国際法ができていくのです。

その「国家」の「柔らかい中身」である人間集団の方は、領域的主権国家ができたけれど相変わらず臣民だったわけです。日本の場合は戦前もずっと臣民だったのですが、西欧世界では領域的主権国家ができた後で囲い込まれた中の人間集団が後にネイションと呼ばれるようなものとなっていきます。つまり西欧世界では、神から自らに主権が与えられたのだとする王権神授説に基づく絶対王政下の君主に対し、臣民の側が次第に力を強めながら市民を称しはじめて「社会を立ち上げたのは我々で、主権は我々にあるのだ」と言い出して主権の奪い合いが起こる。その結果が市民革命で、市民の側が君主から主権を奪うかたちとなり、その間に「国民」という観念ができてくるのであろうと思います。そして「国民」としてのネイションというのは、文化的にはとりあえず無色で、社会を立ち上げてその社会の政治システムを、主体性を持って担う者が国民であると、こういうことになったと思います。

ネイションの「二つの顔」

鈴木 国民が国家の主権を握って国家を担うという観念が出てきて、そのときはとりあえず文化的な特色は入らないで、統合の基礎は国民としての自覚だけに求められていたはずなんですが、絶対王政の時にはかなり王権による集権化が進んでいたところでは、それである程度はまとめられたと思います。

イギリスの場合は、ノルマン人の征服王朝なので、元々王権が強かったところだと思います。一六世紀ヘンリ八世からエリザベス一世の時代に、少なくともまだ連合王国ではありませんがイングラン

ウエストファリア条約 一六四八年に締結された三十年戦争の講和条約。神聖ローマ帝国では諸邦がほぼ完全な主権を認められ帝国の分裂状態が決定的になるなど、ヨーロッパの主権国家体制（主権国家が相互に並立しながら国際政治が展開される状況）が確立したとされる。

ドはおさえられるようになっていたようでして、その場合は統合を支えるアイデンティティとして文化を強調しないですんだので、比較的、国民国家になりやすかった。

フランスの場合も、カタルーニャ語に近い言葉を母語にしている南部のプロヴァンスの人たちや、ブルターニュの場合はケルト系の言葉を母語にした人たちですが、それらの言葉は方言だということで押さえつけて、絶対王政のときにかなりしっかりした殻ができていたので、フランス民族なんてことをいわないでフランス国民というのでまとまりをつないでいったのだと思います。

そういう粘着剤が足りなかったケースの、もっともわかりやすい典型がドイツです。確かにドイツ語を母語にする人たちはオーストリアからバルト海周辺まで広がっているけど、一度として政治体としてまとまったことがなかったのです。それをひとつの政治体としてまとめようということになったときに、「国民」というかたちでまとめる際の支えになるアイデンティティと統合の基軸が何かと言うと、それはおそらくドイツ語だということになるでしょう。

そうすると、ドイツ語を喋って長い歴史を共有してきたのだから、おそらく自分たちは同じご先祖様から出てきている人間集団であると考え始めるのです。そして、それがドイッチェ・ナツィオンであると言い出したとたん、政治的・文化的に無色な「国民」でいられなくなって、文化的に色のついた集団であるということになるわけです。この「ドイッチェ・ナツィオン」のナツィオン、すなわちネイションは、「国民」よりも「民族」と訳すべきであろうと思われるのです。

ドイツの場合は、とにかく「国家」がなかったわけですから枠がないので、枠をつくるために国民にならなきゃいけない、でも国民といってもいろんな政治体に分かれている人間集団で、ただドイツ語を喋っているというところだけが共通なので、まとめるためにドイツ民族というのをでっち上げて、そのドイツ民族は他のフランスやイギリスと引けを取らない立派な歴史を持った民族であって、その民族が自分たちの国家を持たないのはおかしいというので統一しようという話になったのだと思います。

マイネッケ※というドイツの西欧政治史、西欧政治思想史の大家はよくわかっていて、ナツィオンというのは二種類、つまり「文化的ナツィオン」と「政治的ナツィオン」があるといっておられます。この「文化的ナツィオン」というのが私のいう「民族」で、「政治的ナツィオン」が「国民」なのです。

日本の場合はそのあたりをあまり考えないですんだこともあるのかもしれませんが、ネイションやナツィオンという外来語が入ってきたときに、これを「国民」と「民族」という二つに分けて訳してしまうんですね。日本人がネイションを日本語一語で受けなかったことは賢明だったのか、賢明でなかったのかはわかりませんが。

岡本　国家国民はむしろ先生の方が大先達ですので、私が何か申し上げるとしたら多分翻訳の方の問

マイネッケ（一八六二〜一九五四）　ドイツの歴史家。国家と倫理との間の緊張を追求し、政治史と精神史の総合をめざした。主著に『世界市民主義と国民国家』など。

題かなという気がしていまして、先生がはじめにおっしゃった通り、「国家という言葉は今まであまり使いたくなかった」、あるいは「ネイションという言葉は日本語では一語で受けなかった」とのご指摘は、東アジアの立場からみましても、とても共鳴を覚える点です。そもそもオリジナルな漢語で「国家」といえば、ネイションでもステイトでもない。いま中国政府が「国家」とやたら口にするのは、もちろんネイション・ステイトの意味が第一なのですが、その本尊には、実は大昔の、漢文的な意味合いも含んでいまして、共産党政権そのものを指しています。それは単なる一政党・一権力者でしかない意味のはずなのですが、近現代の漢語概念には、西洋概念の翻訳を含んだため、そういう両義性・多義性がある。使っている本人が意識するとせざるとに関わらずですが、中国共産党の「愛国」とかいった概念の用法は、その典型でしょうか。そういう点からも、「国家」ということばを気軽に使うのは、避けたいところです。

そうした翻訳の原初的なところで申しますと、大事だと思っているのがネイションを「一語で受けなかった」という点でして、「受けなかった」というよりはむしろ、翻訳した日本人が受けられなかったというほうが正確と言うべきでしょうか。でも運用しているのは漢語なので、含意するところは中国のシステム・漢語のニュアンスなんですよね、多分。

アジア史にネイションは存在したか

岡本　ネイションは西欧人に言わせれば国民でもあり国家でもあるはずのものですが、アジアやアフリカにある、およそ西欧のネイションとは内実が異なるような「国家」もネイションと呼ぶようになってしまったので、最近になって意味をはっきりさせようということでネイション・ステイトだと、特に国際関係論ではそういうようになってると思います。つまり元々はネイションだけで、これを漢語で一語で受けられなかったというところに、すべてポイントが凝縮されてるかなという気がしています。要するにネイション・ステイトと言わないとはっきりしないということも含めて、ヨーロッパ以外の有象無象の国というのは、ネイションというものが指す実態がないというところから始まるということですよね。

これを国民と国家、民族とかいろんな漢語を駆使して日本人はなんとか翻訳したわけですけれども、それが一応日本人にはフィットしたというのは、ネイションに近いようなものを日本人はなんとなく備えていた、明治以降に一応そういう恰好をつけられたというのが非常に大きいですよね。逆にいうと同じ漢語を使っていても、漢語の故郷の中国が典型的ですが、その漢語にネイションにあたる事物も概念もないということ自体がすべてを物語っていて、中国の民は決して「国民」ではないし、中国の政権は決して「ステイト」でも「ネイション」でもない。「国家」という言葉はありましたけど、それは単なる王朝で、天下をしろしめす一部の機関でしかない、というのが中国の漢語の元々の用法です。

日本の場合は万世一系だからなのかよくわかりませんが、なんでネイションを国家と言ってしまったのかという感があります。それはやはり江戸時代以降、当時の日本人の感覚・論理だったのでしょう。しかしオリジナルな漢語・中国は、決してそうではないというところが、まず重要なポイントなんだろうと思います。

実体がなければ言葉もありえないし、当然ネイションというのが理解できない、というところから始まっている。漢語・中国ではなんでないかというと、民と政権が離れてしまっているということがありますし、政権と国民が一体になれば、当然のことながら別の集団との境界ができて国境とかいうものが生まれて、ということも中国あるいは他のユーラシア世界含めてあり得ないようなかたちになっていて。とにかく農民というか土民と言うか、そこで生まれてその土地に根付いた人たちが自分たちの地縁血縁で集団をこしらえて、その代表者に切り盛りをさせてっていうのが、「ネー né（naissance 生まれる）」という言葉から始まっているネイションの原義形態だと思います。

そういう点からすると、それこそ生態的・地理的環境からして、二元的・多元的なものの混交で成り立っているユーラシアの、あるいはアジアの、イスラムも東アジアも含めて、そういうところにネイションはありえないということから出発するわけです。

そういう「ない」ところにヨーロッパのネイションが強力だったもので、先生もおっしゃったようにそのシステムが世界を制覇して、植民地にさせられるだとか搾取されるとか、初めは搾取されることも気がついていなかったみたいで、全部恩恵で優遇してやるみたいな感じの豊かな所だったのが、搾取・分割というかたちになってきて、そのシステムを取り入れた方がまだマシってようやく自覚し出すような流れですね。

それがヨーロッパに近いところ、それこそオスマンからはじまってということですし、東アジア、中国は一番鈍感だったところだろうと思います。西欧もはっきりいって極東なんかどうでもよかったということはあったわけで、ひょっとしたら中国は最後まで気がつかなかったかもしれないんですが、日本みたいな「変な人たち」が隣にいたので、否応なく気づかされたというところですね。

ただ日本は中国と共通した漢語で西欧文明を翻訳しましたので、それが中国に入って二重にバイアスがかかってしまうのです。西欧を日本が翻訳して、その日本製の西欧を、今度は中国人が受け止めて。そうやって二重にバイアスのかかった西欧文明というのを中国が今作り上げようとしているところがありまして、「中国」という「国家」、「中華民族」というネイション、もちろん両方とも嘘、虚構の存在だと思いますけど、それを今つくっている最中ということになります。そういう中国のケースが典型的だと思いますが、たぶん大なり小なり他のアジア地域であるとか、あるいはもっと早くにはラテンアメリカの地域だったのかもしれませんが、そういうところで繰り返されているのが世界の現状なのではないかと思います。

グローバリゼーションが進むなかで、最近は少し様相も変わってきているのかもしれませんが、やはりネイション・ステイトでそれを国家と言うか国民と言うか、あるいは民族と言うか、というのは普通に我々が使っている言葉でもあるので、あまりちゃんと考えないですけど、実はすべての基礎にある問題なんだろうと考えています。その点で、我々は漢語を使ってものを考えますので、やはりすべての基本がそこにあるのかなと思います。

「民族」への意識が遅れたオスマン帝国

鈴木　ではイスラム圏で西欧のネイションという概念をどう受けたのかといいますと、当時のイスラム圏で中心国家だったのがオスマン帝国ですが、オスマン帝国ではミレットという言葉で受けます。これはアラビア語のミッラという言葉からきていて、元々は「宗教共同体」という意味で、それを転用したかたちです。一八四〇年代から五〇年代のフランス語・オスマン語辞典でナシオンのことはミレットと言っていますが、ミレットは元々文化集団をさす言葉なんですね。ナシオンの語をミレットという一語で受けてしまったんです。そのときはひとつの政治体の中身の人間集団というぐらいのつもりでたぶん受けているのです。

しかし、ネイションに先ほどお話した「国民」と「民族」という二つの顔があることがはっきりしてきてから、それが後で問題になっていくことになります。

オスマン帝国の場合、民族についての概念は前近代からあるのです。ジンスとかエジュナスというアラビア語起源の言葉を使っていて、違った言葉を使って違った歴史的背景を持っていて、違った特色を持った人間集団がいるというのはわかっています。しかし、その色々いる人々が入り混じって暮らしているのがオスマン帝国だということで、あまり民族には主を置かないで、統合の基軸はあくまでも宗教においています。つまりムスリムか非ムスリムかということで分けて、ムスリムが正式の政治社会の構成員、非ムスリムは許容されながらもムスリムからは差別化される人間集団ということで、言語と宗教・宗派が違う集団として扱うが、全体としてはオスマン帝国の臣民という形です。

ですから「民族」そのものは問うていないのです。いろいろな宗教・宗派に属しているけれどもオスマン帝国の臣民としてまとまった集団だというふうにみていて、オスマン帝国の場合、「多民族国家」ではなく「多宗教・多宗派国家」としての体裁を保っておこうと、最後の最後までかなり努力していたのです。

国境概念についてもオスマン朝の場合、東隣のイランはシーア派の世界なのではっきり国境線を引いていました。西の方はキリスト教徒、異教徒の世界なので、不信心者の支配下にある「戦争の家」と自分たちの「イスラムの家」の間ではそれなりに境界をしっかり意識しているけど、それも近代西欧的な意味での絶対的国境ではなかったようです。

一六九九年にオスマン帝国がオーストリア、ヴェネツィアに領土を割譲したカルロヴィッツ条約を結んだときに、近代西欧でその時点までに固まってきていた国境概念を、西欧側が当てはめてきます。オスマン朝側はその意識がないので、講和条約で線引きされた国境を越えての略奪行為を条約締結後も続けて、西欧諸国側から条約違反だと騒がれてから略奪を禁止したんですね。それまでは、略奪行というのは戦争ではないということで許されていたわけですから、略奪行を当たり前の稼ぎだと思っていた辺境の遊牧民などは、これを禁止されて反乱を起こしたりしたほどです。そのあたりで西欧側の国境観念が少なくとも外から押しつけられ、オスマン朝としては押しつけられているから守らせられるという感じだったのだと思います。

言語と文化と歴史を異にする人間集団がいて、それがジンスとかエジュナスというアラビアの言葉で把握はしているけど、最後の最後までオスマン朝は「民族」というものを政治的単位とは考えませんでした。宗教・宗派でおさえて多宗教・多宗派国家として統合をあくまで保っていこうとし続けたのです。ですからギリシア独立運動も、ギリシア語を母語にするギリシア系の正教徒どもが反乱を起こしたと思っていたようで、オスマン朝の中央はギリシア民族の独立運動とは捉えてないのです。自分たちのことをアラビア語を話すアラブ人たちと違う、ペルシア語を話すイラン人とも違う、トルコ語を母語とするテュルクだとは思っているけど、あくまで文化的な集団だと思っているのです。

トルコ人がトルコ民族集団だと自覚を持つようなことを言い出す人というのは一九世紀の末になってようやく出てきて、アラブ人の方もトルコ人やイラン人と違うアラブ人だという意識を持ってはいるけれども、それが政治的意味を持つアラブ民族だという意識が芽生えるのは一九世紀の半ば以降、徐々に出てきたようです。

ハプスブルク帝国の場合は、カトリックという普遍的信仰とハプスブルク家という歴史を持った王家の支配下の帝国だというのは確かなのですが、ずっと早くに民族の違いを意識しはじめます。統合の軸はハプスブルク家とカトリックだけれども、いろんな民族がいて、そのうちハンガリー民族と組んで支配しようということを考えて、他の民族集団はその枠の中で抑えようということになるのですが、オスマン朝とはだいぶ違いがあります。

オスマン帝国の場合は、一言語を持つ一民族が軸になってそれが国民となってネイション・ステイトを立ち上げるということを、バルカンの非ムスリム諸民族が主張し始めて、それで騒動を起こしたのだということを帝国中央が理解しないまま、独立が進んで割れてしまったのだと思うのです。

その影響と西欧の直接の影響で、一九世紀の後半になってようやく民族ということを意識し出すけれども、民族国家及び多民族国家として帝国の統合を保って生き延びようということは、最後の最後まではっきり意識していなかったようです。トルコ民族としてのアイデンティティを軸にして、民族を統合の基軸とした政治体を立ち上げてこれを保っていこうという考えは、トルコ革命が起こってアタテュルク※が初代大統領になって、トルコ共和国が成立した後にようやく出てくるように見えます。

西欧における「国民」と「民族」

鈴木　ここでもう一度、ネイションという概念を生んだ西欧世界に話を戻して、どういう場合にネイションが「国民」、「民族」に分かれるのかを考え直してみたいと思います。人間集団のアイデンティティと統合の基軸をネシションに求めようとするイデオロギーがナショナリズムですが、このナショナリズムも「民族」を軸にする場合が民族主義、「国民」であるということを軸にする場合が「国民主義」に分かれます。

西欧の場合、先進的で中央集権化が進んで人間集団の統合が進んでいたところでは、ネイションという言葉について民族よりは国民という意識が強いようで、ナシオン・フランセーズというのは「フランス民族」ではなく、「フランス国民」に軸足が置かれているのだと思います。つまりフランスのナショナリズムというのは、フランス民族主義じゃなくてフランス国民主義になるのではないでしょうか。

イギリスにしても、イングリッシュ・ネイションといったときには、イギリス民族ということをあまり考えてないのではないかと思います。一八世紀初頭にスコットランドを併合し、一八〇〇年にアイルランドを正式に併合して連合王国（United Kingdom）ができあがってくるとブリティッシュ・ネイションだということになりますが、ブリティッシュ民族というのは考えにくいので、ブリティッシュ・ネイションというときは「イギリス国民」だと思うのです。つまりフランスやイギリスでは「民族」より「国民」が中心になって、「国民国家」としてのネイション・ステイトになったといえるのではないでしょうか。

一方で西欧世界の周辺では民族の自覚に基づいた新しいアイデンティティが前面に出て、それに基づいて国家を立ち上げて、その国民になろうということになるけれども、中心部ほどその意識は弱かったように思います。

分裂しているのにまとまった意識を持っていたのはイタリアです。イタリアの場合は中世以来ずっと分裂してひとつになったことがない。イタリア統一運動が起こりますが、ドイツほどはっきり我々はイタリア民族とは言わないで、「イタリアの地にいるローマの末裔の人間たち」だという意識があって、政治体は分かれているけれども、我々は一つだという意識がかなり強かったようなのです。

ドイツとイタリアというのは、統一されてネイション・ステイトになるのはほぼ同じころですが、ドイツに比べてイタリアの方が、それまでの小さな政治体の並立状態を解消して統一するのは大変だ

アタテュルク（ムスタファ・ケマル　一八八一〜一九三八）　トルコ共和国の建国者、初代大統領。

ったけれども、統合の軸を新しくつくってまとめなければいけないという点では、割合すんなりと、統一が成立してネイション・ステイトになったように思います。ドイツはネイションのための枠づくりがまったくなかったわけですが、逆に枠があっても、例えばノルウェーは一九世紀はじめ以降、同君連合の名の下にスウェーデンの実際上の支配下にあって、そこでスウェーデン人とは違うノルウェー人だという意識を持ち出して民族国家をつくろうということになっていきます。

余談としてアメリカ合衆国のネイションについても考えてみましょう。アメリカの場合、先住民しかいなかったところに、フランス人、イギリス人、そしてオランダ人が入って、結局イギリス人が軸になって東部十三州がアメリカ合衆国の原型を作って、周りを征服していって今のアメリカの版図になったわけです。

その後にアイルランド人が入り、さらに東欧から白人でキリスト教徒だが、違う人々が入ってくる。さらに労働者として中国人や日本人が入ってくるということになって、アメリカで事実上の支配権を握っているのはワスプ（白人アングロサクソン系プロテスタント）だけど、住んでいる人間としては色々な人間がいるから「民族国家」とは言い難いので、アメリカ合衆国の国籍を持ってアメリカ合衆国に忠誠心を持っている人間は、アメリカン・ネイションの一員であるという一応のフィクションができあがっていったのだと思います。そのときのネイションは、「民族」ではなく明らかに「国民」です。

ただそのネイションから排除されていたのが黒人とネイティヴ・アメリカンで、これをどう組み入れていくか、ずっともめています。一九六〇年代の公民権運動でようやく法的には白人と平等の権利を持ったアメリカン・ネイションの一員として立場を確立したものの、社会的には差別が残っていて、二〇二〇年になってもなお「ブラック・ライヴス・マター」が叫ばれるような騒動も起こるというところがあるように思います。

インドと東アジアのネイション

鈴木　近代西欧列強の植民地になったところは、植民地支配者に対する対抗運動の中で独立を達成されるもので、植民地支配者たちの都合で引かれた国境、つまり植民地としての国境の枠の中で独立が達成されるので、その中身がどうなるかというのはどのぐらい文化的同一性があるのかということによって非常に違ってくると思います。

インドの場合は、ドラヴィダ系と印欧系という、まったく違う語族に属する言語を母語とする人たちがいて、その中で各々に無数の方言があります。少なくとも西欧人はそれが方言じゃなくて言語だというふうに捉えているので、非常に複雑な民族構成なんですが、ムスリムとごく少数のジャイナ教徒とゾロアスター教徒を除くと、ほとんどがヒンドゥー教徒で、その諸集団は宗教としてのヒンドゥーの戒律のダルマを共有している集団として統合が保たれているように思います。

だから、ドラヴィダ系がまとまって独立運動が起こるというようなことにはならないのです。ただスリランカでは、印欧系の人たちが中心になったところにドラヴィダ系のタミル人が入ってきて、タミル人はヒンドゥー教徒で、元々いたシンハラ人は上座部仏教徒ですから、大民族紛争に発展したのです。

インド亜大陸ではそういうことにはならなくて、非常に大きな問題になったのは宗教の違いです。イスラム教徒が多数派の北部地域が結局独立運動のときから争って東西パキスタンとして分離独立し、今度は東西で争ってバングラデシュとパキスタンになったのです。それに加えて北インドに一億二〇〇〇万人ぐらいイスラム教徒がいて、そこではイスラム教徒が圧倒的に多いけれども、分けるときにインド共和国に属することになったカシミールが一番問題です。ただイスラム化が進んだところ以外はまったく違う語族に属して、非常に多くの、方言というにはあまりに多様な言語に属する人たちがいるのに、割れずに保たれているのです。

インドはネイション・ステイトを称しているけれども、実態はネイション・ステイトの衣装をかぶった「世界」だと私は思います。中国と同じで、「一民族一国家」的なネイション・ステイトとはまったく実態が異なる「世界」だろうと思うんです。

日本の場合は、蝦夷地のアイヌと薩摩保護下に入った琉球王国を除くと、大体平安朝以来、ひとつの政治権力の支配下にあって、多様な方言はあるものの共通の文章用語もあり、ある程度まとまりがあった。つまり「国民」としてのネイションに近いものがすでにできあがっていたのだろうと思います。従いまして「西欧の衝撃」を受けて維新で体制をまったく変えた時に、「民族」として自覚しないと「国民」の中身ができないという状態ではなかったために、純粋な民族主義としてのナショナリズムがあまり発展しなかったようにみえるのです。

朝鮮半島の場合がどうだったか非常に興味深いのですが、日本よりずっと同質性が強いのです。例えば日本のアイヌ民族の方々のような、異民族がいないのです。済州島は日本にとっての沖縄に似ていますが、一〇世紀には高麗に併合されたのでずっと統合が進んでいますし、百済語の影響が強いそうですがまったく異言語の民というわけでもない。朝鮮半島では自分たちの仲間集団をどう捉えたかに興味がありますが、比較史的に扱ったものがあまりないように思います。後で肝心なときに植民地になってしまうもので。

岡本　他のイスラムとかオスマンの事例は本当におっしゃった通りで、集団をどう捉えるかという事の、先生が一番初めにおっしゃった国民とか民族とかっていう定義とどのくらいの距離があるかによって決まっていくのはその通りで、それがオスマンの際によく表れているかなと。その点興味深く、ギリシアの事例が典型的だと思います。

朝鮮半島の場合を補足しますと、ネイションとステイトの要件を完璧に満たしていると思うんですね。ただ彼らの頭の中にあるのは、やはり漢語・中国のシステムなので、しかも朱子学・中華意識に純化していますから、ネイションとかステイトのない中国の概念・様態を彼らなりに体得して、なおかつ中国以上にそれ以外を受けつけないような体質になっているので、自分たちを自覚していないわけですね。すべてを中国の世界になぞらえてしまって。ネイション・ステイトというのがとりわけ外との関係で身につかなかった。

中国と同じで、一九世紀の最末期になって和製漢語の翻訳概念を通じて、日本のものを取り入れはじめるんですけれども、そうすると今度は日本以上にネイション・ステイトの観念が強くなる。しかも植民地化を通じて、朱子学的・漢文的な含意も失わずに、多義的なのは中国と同様になります。そういういきさつになっているので、半島っていうのはとても扱いにくいという話になります。

例えば、古代中国の伝説に登場する賢人で、周の武王から朝鮮王に封じられたとされる箕子※の扱いがそうです。かつて「小中華」を自称していた朝鮮王朝はその箕子朝鮮を継承したことになっていて、箕子は重要人物として史料にも多数登場するほどでしたが、今の韓国の歴史教科書には箕子も箕子朝鮮の話も出てこない。代わりに朝鮮建国の始祖として教科書に載るのが、紀元前二三三三年に古朝鮮を建てたとされる檀君※なのです。檀君も箕子も神話で史実としての信憑性はありませんが、箕子を持ち出すと中国に従属してしまうため、あえて檀君を担ぎ出さざるをえないというところに、朝鮮半島のナショナリズムの有り様が象徴されています。

一方では朱子学的な「衛正斥邪（えいせいせきじゃ）」、つまり自らの正義を衛り、邪説を斥け正さねばならないとする思考・感覚は根強く残っていて、それが日本との「徴用工」や「慰安婦」の問題につながってくる。彼らの朱子学とか朝鮮王朝時代のシステムというのを勉強しないで現代朝鮮半島情勢をみるのは非常に危険だと思っていて、今の韓国も北朝鮮も、対極にいるみたいですけど、朱子学的システムから考えたら当然の結末を、両国は占めているという感じがあって、そういう点、興味深いです。

日本に直接迷惑をかけている人たちですので、まなざしっていうのは厳しいんですけど、歴史をみていくことで是正するべき点はたくさんあるかなと思っています。朝鮮ナショナリズムとかおっしゃる現状分析の方とかいらっしゃるんですが、もうちょっと勉強してくださいといいたくなる。

「中華民族」は存在しうるか

鈴木　中国の場合、清朝というのが伝統的王朝で、満洲人が支配者で、モンゴル人と近い関係を結んで支配層の中核になっていて、ちょっと外れたところにいる毛色の違った人がチベット人で、臣民の圧倒的多数を占めているのが漢人だという意識だっただろうと思われます。国民とか民族なんていう

箕子　箕子朝鮮は朝鮮古代の伝説的王朝で、周の武王が殷を滅ぼしたとき、殷王族の賢人箕子を朝鮮王に封じたと伝えられる。
檀君　伝説上の朝鮮の始祖。平壌に降臨して開国し、治世一五〇〇年、一九〇八歳の長寿を保ったと伝える。

意識はさらさらなくて、ただ清朝の臣民だとは思っていたのでしょうね。国境というのが一応勢力範囲で線はあるけど、国境の観念がどれだけあったのかもわからないところがあります。

漢人の方は、漢字を共有し漢文を共有して、野心的でエリートたらんとする者は科挙を受けてきたので、文化的にかなり統合力ができているところがあると思うんですが、内モンゴルのモンゴル人、新疆ウイグル自治区のウイグル人やカザフ人、チベットのチベット人はそれぞれがモンゴル文字、アラビア文字、梵字系のチベット文字を使う、漢族とはまったく異なる人間集団で、それらがひとつの民族というのは非常に無理があると思います。

最近、新疆ウイグル自治区のウイグル人を収容所に入れて中国語を叩き込んでいるというニュースをよく目にしますが、あれは非常に難しいことをやっていると思われますが、その辺りはいかがでしょう。私には「漢民族」ではない「中華民族」というのはありえないと思うのですが。

岡本　中国に「中華民族」がないというのはおっしゃる通りで、そこがポイントというか、ないからこれからつくっていこうと彼らはしているわけです。今の中国でキーワードになっているのがアイデンティティ、漢語では「認同」と書くのですが、この「認同」を習近平が盛んに強調しているということが一番重要で、彼らがめざす「中華民族」の中核になるようなものを本気で模索しているという感じがします。ただ結局、アイデンティティを「認同」と漢字で書くこと自体に、漢民族が中心となってそれに同化するしかないという構図が透けて見えるわけですけど。

鈴木　それは無理だと思うのです。チベット人やウイグル人などが「中華民族」のわけがありません。多民族からなるチャイニーズ・ネイション、つまり「中国国民」とか「中華国民」ならともかく。領域すべてを満たす「ひとつの民族集団」としての「中華民族」なんてものはこれまで存在してこなかったし、存在していないのですから。

岡本　そこなんですよね。チャイニーズ・ネイションを漢字にすると「中華民族」になるわけで（笑）。無理なんですが無理を押し通して、今の新疆の状態とか香港があると。結局、ネイション・ステイトのシステムがまだグローバル・スタンダードでありうるので、逆にいうと今やらないとできないということになっていて、それが中国共産党の政権の正統の証ですから、非常に無理している。

二〇世紀に入って以降、ずっと無理してるんですが、一〇〇年経ってもできない。あとどのくらいかかるかわからないですし、先生がおっしゃるように私も無理だと思っているんですが。ただ歴史、事実、現状をみると、その無理なことに取り組んでいて、虚構であるのを実現しようというのが今の中国の……。結局それを吹き込んだのは日本ですから。だから日中関係は難しいです。そこを、つまり日本人をどう考えるのかなというのは。私日本人ですけど……。本当に難事業だと思いますけど、彼らはやらねばならないと信じているようなので、その辺が日中ともに難しいですね。

ネイションというのは元々なかったところから出てきた概念ですので、同じ歴史をスケールは全然違うんでしょうけど、繰り返しているのかなという気もします。新疆とかチベットがぜんぶ漢族で埋まるのはあまり見たくないというのが本音ではありますけどね。

鈴木　チャイニーズ・ネイションを「中華民族」と捉えるのは、どこか終戦後の日本みたいですね。あのころ、ネイションは「民族」、ナショナリズムは「民族主義」だと日本人も思い込んでいましたから。

岡本　おっしゃる通り。まるっきり、日本の真似なんですよ。

鈴木　戦後、一時期はナショナリズムというとなんでも「民族主義」と訳して、先生方もそのつもりでおられたんですよ。ただ世俗的民族主義と、宗教をベースとした自立主義とは、イスラム圏では敵対する関係にあって、トルコ共和国の初代大統領アタテュルク（ムスタファ・ケマル）は少なくとも世俗的民族主義者のヒーローですが、一部のイスラム主義者の人にとっては、大きな声では言えませんが「敵対者」なんです。

それを日本人はわからなくて、どちらも「ナショナリズム」イコール「民族主義」だとして一緒くたにするわけです。徹底的な世俗的民族主義者と厳格なイスラム主義者は完全に敵対者で、相手を撃滅しなきゃ自分が潰されるものなのです。それは、シリアのアサド政権が一九八二年、ハマーの街に立てこもったムスリム同胞団などの反政府イスラム主義者たちを、立てこもった大モスクごと破壊・殺戮したこと（ハマーの虐殺）に典型的に示されているのです。

中国の政治体制が、もし一世紀とかそのくらいの範囲で変われば、私のみた感じでは台湾と香港は漢字・漢語を受け入れている人たちなので、共産党独裁じゃないもうちょっと開けた体制になれば、場合によっては「中華民族」の一部になるかもしれないように思います。問題は内陸部の三社会です。繰り返しになりますがオスマン朝でも五〇〇年以上経ったところでようやく、強制同化するつもりがなくてもある程度同化が進んだのですが、それでも民族問題は残ってしまいます。チベットやウイグルは清朝の時代に版図に入ったところですから、自然に「漢」化するとしたらかなり先のことでしょう。

私には、孫文がネイションとナショナリズムには二つの顔があるというところにあまり留意せず、チャイニーズ・ネイションを「中華民族」と捉えてしまわれたところから、こうした食い違いが生じてしまったように思われます。もっとも当初の支配体制が、漢族によるものではなく異民族の満洲人の征服王朝だったので、「民族主義」に傾かれたのも無理はないところはあるのです。

しかし、孫文のお兄様はハワイ移民ですし、ご自身もアメリカについてはよく知っておられたはずですから、チャイニーズ・ネイションを「『中華民族』による『民族国家』としてのネイション・ステイト」という方向ではなく、アメリカのような「多民族からなる『国民国家』としての『ネイション・ステイト』」として構想されていれば、無理やりの「五族からなる『中華民族』」の創造ではなく、「五族からなる『中華国民』」という、もう少し穏やかな統合をめざし得たのではないかと思われます。

ただそれでも「中華」「中国」という漢語が、「アメリカ」などと違って、初めから価値を孕んでしまってはいるのですが。

エピローグ

中国、そして日本

日本と中国のイノベーション

鈴木　日本もようやく、お手本としてきた「西欧」と技術水準で並んだのはいいですが、ハードの面でもソフトの面でも、自分たちがまったく新しいモノやシステムを生み出して世界を引っ張るようなイノベーションを繰り出してきた経験がないので、戸惑っているところがあるように思います。

日本のマンガやアニメが世界的にすごいといわれていますが、それらも日本が独自に作り出したんじゃなくて、欧米で生まれたものを受容してそれの日本的パターンをつくり出して、それが流行っているだけの話で、ディズニーが日本から出たわけじゃない。つまり日本のアニメというのは創造的イノベーションではなくて、モデルを受容してそれを極限まで改善した結果、それが逆に世界的に、少なくとも「西洋化」した世界の諸社会に受け入れられるようになったということだと思います。

この日本的パターンは自動車にしてもそうで、ドイツで発明された自動車が日本に入って、戦後に非常に使い勝手の良い自動車を日本がつくるようになり、とうとう自動車生産がナショナル・インダストリーだったアメリカの市場まで制圧することになる。この場合も自動車が日本で発明されたわけじゃない。例えば中国で漢字が生み出され、それを周辺地域が競って取り入れるような、そういう意味の創造的イノベーションはまだ弱いと思うんですね。

芸術の諸分野だって、日本画というのは中国絵画から相当違ってきてはいるけれども、筆を使って絹か紙の上に描くという中国絵画の伝統の延長線上で、それを極限まで改善したものですし、西欧絵画については到底西欧の巨匠たちには並べないと思います。音楽もそうですよね。

一方で中国は最近、アメリカと世界の覇権を競うまでになってきていますが、中国のイノベーションについて岡本先生はどうお考えですか。

岡本　中国が創造的かどうかというあたりはいろんな解釈の仕方があると思いますし、いまの鈴木先生の定義とご説明の補足になるかもしれないですけど、イノベーションを創造的・改善的と分けて考えるのが非常にわかりやすい半面、改善したら新しいものがポッと出てくるですとか、新しいと思ってたら実はといったようなことが、このスピードが増してきた近現代になると非常にたくさんありますし、実態としてはなかなか分けて考えるのが難しい局面は多々あると思うんですね。

中国についてはいま、共産党政権の強権とかいうことがいわれていますけど、強権を発動しないといけないというのは権力が弱いということの裏返しなので、民間がいつも好き勝手なことをすぐやってしまう体質が昔からあります。それが「自分たちが中心だ」というモチベーションとどう関わっているのか、なかなかわかりにくいですが、とにかく民間の低俗猥雑なエネルギーがすさまじくて、何でもありなんですね。一昔前はパクリだとか海賊版が中国の代名詞だったことがあって、これは改善式なのか改悪式なのかよくわかりませんけど(笑)。ただそれを繰り返しているうちに新しいものがで

きてきているのが今の現状で、少し長い目で見ると改善式っていうのをすごい試行錯誤してきている
プロセスというのがずっとあったのは事実です。中国が本当に創造型イノベーションで世界的に知ら
れているニーダム・パラドックス※というのも、そうした試行錯誤の繰り返しというのがおそらく前
史にあって、そのプロセスが歴史として見えていないだけではないかと思います。

今は衆人環視のもとにやっていますから見えてしまう。かつてはパクリだったのが、ようやく成果
が中国でも出てきている。そのスピードが中国の場合は競争が激しいですから、日本の比ではないで
すので、そういう点で一日の長がある。

逆に言うと、やってる本人たちからすればすごい辛い世界で、成功したら本当に一攫千金なんです
けど、失敗したらダダーッて落ちて零落して何も残らないとか、そういう厳しい条件でやっています
ので、優劣をつけるというようなことでいうと、なかなか難しいですよね。

ただ中国人はアピールするのはうまいですが、自分たちを説明するのは下手ですね。多分世界中で
中国人にシンパシーを覚える人というのは、あまりない。中国人は凄いし大変な人たちですけど、あ
まり同情はしないというような世界的現象かなという。社会構造とかイノベーションの試行錯誤のく
り返しというところに起因してるというふうな。私はシンパシーを覚えますし、すごいと思うけど、
中国人になりたくない（笑）。

日本は中国の文化的「属国」だったか

鈴木　中国というのは西欧全体を超える面積を持った代物で、歴史的に独自の価値観を踏まえていて、周りに対して長いことイノベーションの中心であったわけです。それは文明・文化世界の中心でもあって、圧倒的な比較優位を持つ中国の「文明」が次々に登場して周辺部に伝わる。そうすると、「文化」は好みの問題ではあるけど「あれがいい」ということになって、次第に服装や食の作法といった中国の「文化」も周辺が取り入れるという流れになっていったように思います。

例えば日本人にとって中国の「漢文」は外国語として習うわけではありません。今でも「国語」の中で習いますし、入試の国語に漢文が出ますよね。

岡本　今や外国語以下かなという状況ですが（笑）。

鈴木　西欧人にしたって、ギリシア語とラテン語で詩を書きますでしょう。確かオクスフォード大学の総長は就任演説をラテン語でやるんです、最近はわかりませんが。だからラテン語の作文能力がな

ニーダム・パラドックス　世界に誇る三大発明（羅針盤、印刷術、火薬）をはじめ多くの先進技術を生み出した中国で、なぜ産業革命のような近代技術が開花しなかったのかという、イギリスの科学史家ジョゼフ・ニーダムが提起した問い。ニーダム・パズルともいう。

いといけなくて、あれも外国語として習うのではなく、自国の古典なんですよね。

トルコの昔の先生方も、日本の大正中期ぐらいまでの日本人が漢文を読むような感じで、アラビア語とペルシア語の文献をお読みになるんです。それも外国語ではなく、教養語の一部なんです。そういうのがいつごろまでどうだったのかを見るのが難しいのですが、日本と中国の文化的な関係を分析するのにとても重要ではないかと思うのです。そのためには、日本がペリーの来航による開国以降、日本の少なくとも知識人のかなりの部分が、何を追いかけていたかを見るのが一番よろしいと思うのです。

例えば漢詩の歴史を調べたら、日本の文人たちは幕末明治に入ってからも、清末に中国で流行っていた詩人の詩を追っかけていたのではないかと思うのです。誰か調べてくださるといいのですが、文学的価値がないというので誰もお読みにならない。ただそのころまで、日本が中国の文化的属国的なところがあったのではないかと思います。

内藤湖南先生は確か一八六六年のお生まれですが、漢文もたしなんでおられて、中学の時に、すでに今の大学の中国文学・中国哲学の先生よりずっと漢文ができたのでは。

岡本　確かに湖南先生はよく漢詩をつくられていました。明治の知識人はみんなそうだったんでしょうね。

鈴木　オスマン朝の知識人だって一九世紀の半ばまで、古典定型詩であるイラン詩の後追いをやっています。トルコ語で書くのですが、それ以外にペルシア語とアラビア語でもときどき書くのです。自分の詩集として三言語の詩集を持ってる人もいますから。三つともできないと、立派な文人ではないんです。

岡本　嗜みとしての、そういう文学だったり作文だったりというのは、漢文だったり漢文脈が基本になりますので、候文じゃなくてきちんとした漢文訓読体とか漢文を作れるようになるというのが日本の近代でもありましたし、それは西欧化そのものと並行して進んでいるので、その両者の相関関係というのはきちんと測ってやらないと、先生がおっしゃった中国文化の後追いをやっていたと断定するのはなかなか難しいのかなという気がします。

江戸時代の漢学というのはわりと後追いとかそういう部分が多いんですけど、基本的にやめてしまっています。どちらかというと日本の知識人は中国のコンテンポラリーなことをやろうとせず、むしろ独自な展開です。これは江戸時代に限らない日本史上の通例ではありまして、そこがなかなか日本人自身としても見極めにくいのかなと思います。現代日本の学問体系が近代文学と近世文学とに分かれ、また近代文学の中でも全部別れちゃっているので、縦断的・横断的に追っかけるのが難しい体制になってしまっている。我々が抱く疑問というのも、たぶん答えてくれる人はいないような気がします。

西洋文明の受容に果たした漢字の役割

岡本　その漢文がややこしいんですけどね。でも漢字はポイントですよね。我々日本人とかお手軽に扱ってますけど、やっぱり漢字をどのように位置づけて理解するかというのが、東アジア全体をどういうふうに捉えるかというのと直結していると思います。

鈴木　文化史や社会史、法制史のうえでも、漢語が入ったのは決定的だと思います。大方の日本人は漢文を読めないかもしれないけど、今の新聞だって見出しの主なところは漢語で、「てにをは」しか日本語はないですから。日本語を知らない中国人が見ても、漢字だけ拾っていけば細かい部分はわからないかもしれませんが記事で何が扱われているかはだいたいつかむことができます。

岡本　それこそ候文から漢文脈に変わるというのが日本の近代だったので、それは非常に重要なポイントなんですよね。漢文脈をどう考えるのか、あるいは中国の漢語をどういうふうに扱うかというのが日本史でも大問題なはずなんですけど、日本史の人は、日本の中しかやっていないのでわかっていないですよね。

鈴木　日本でも正式の朝廷の文章はみんな漢文だったわけですが、摂関政治になると、摂関家の私的文書が事実上の公文書化して、これが和文で、とりわけ武家の世界になると無学なので和文になる。候文というのはいわば「通俗化した俗ラテン語」のようなものですけど、明治になって法律も漢文読み下しになりますよね。

岡本　そうなんです。逆に言うと江戸時代の蓄積の賜物的なものがあって、結局西欧語を翻訳するのに漢語・漢文脈が必要になるんですね。候文だと、特に抽象概念にふさわしいことばにならないので、翻訳できないのです。

鈴木　トルコとかでも西欧語を受けるときは、だいたいアラビア語の語彙で受けるんです。イランでもペルシア語で受けるよりはアラビア語の語彙で受ける。アラビア語は漢語とよく似ていて、造語法が豊かなので大概のものを受けられるのです。漢字圏で西欧語の語彙を漢語で受けたのとよく似ています。比較研究をされる方がいるといいんですが、トルコ語とアラビア語に通じていて、漢文に通じた人っていうのがいないのです。しかし、日本人は両方やれるかもしれないので、イスラム教徒と違って思い込みが少ないからやりやすいとは思います。

岡本　そうですね。若い人たちにちょっと頑張っていただく必要があるかな。

鈴木　京都系の方には、中国の回族の哲学史までなさる方がいらっしゃるんです。文献学は京都大学が一番しっかりしているので、東大系はどうも問題発掘型が多いようで。

岡本　それは両方とも合わさらないとだめかもしれないです。

鈴木　両方大切ですが、基本的にはやはり西洋古典学とか西欧の良い意味での東洋学と同じで、言葉がしっかりできたうえでディシプリンがないと駄目で、ディシプリンが先に立つと空理空論になりかねないです。

岡本　漢字の特異性ということを考えると、非常に多義性で、一文字で一つの意味を表すだけではなく、いくつもくっついて一つの意味にもなりうるという。活用もないですし、切ったり離したりできるというところが、他の文字体系に比べると、融通無碍、もちろん共通する言語がなくはないんですが、非常に大きいですね。

これが早くに固まって、他の周辺地域が、その漢字の体系を遵守してきたことが大きいということも多分働いているのかなと。ほんとうに他の周辺の民族って日本を含めて「野蛮」でしたので、文字体系をまるごと受け入れざるを得なかった。しかも言語そのものは全然異なっているというあたりが、東アジア全体として非常に特徴ある文明と文化を築き上げてきたかなと。

例えば仏教というのも漢訳しないと漢字圏には定着しなかったですし、それで漢字化されると元の仏教ではなくなるというか、土着化してしまう。本家本元の中国ではもちろん仏教はあるんですけれど、儒教化されてしまって朱子学みたいになってしまう、というと中国哲学の人に怒られそうですが、そういうものになってしまうことで、非常に漢字というのは独自なもので、自他の宗教宗派の「融合」というのが、イスラムにしてもラテンキリスト教の世界にしてもあると思いますし、非常に変化してきていると思いますが、そういう点が際立って漢字は非常に固定化しているという特徴があります。

しかもかなりバリエーションがあったはずでして、長い時間たつと大きく変わっているんですけど、それが中国のものとして受け入れられてしまうという部分が特徴的で、これを「同化」というのか、中国人的には同化しているつもりなんですが、向こうが同化されている、という側面もあって、そういう意味ではなかなか、独自だなという感じがしますし、東アジアがいつまでたっても東アジアで田舎で、世界全体の中心にはなれないようなことも、とどのつまりは漢字に還元されているのかなと考えます。

世界史に位置づけにくい日本

鈴木　それで日本の位置ですが、これがなかなか難しくて。二〇〇〇年間も中国を師匠にしてそのイノベーションを受け入れて、創造的イノベーションがほとんどなくて、ほぼ改善的イノベーションだけですんできたところがあります。今度はペリーがやってきて、「もうクンフーの時代じゃない。これからはボクシングだ」とばかりに師匠を西欧に取り替えて一五〇〇年ぐらいたったわけですけど、やはり改善的イノベーション路線というのはあまり変わっていません。そこで、これからどうなるのかなんですが。

岡本　そうした点、日本の難しさは変わらないと思います。先ほどからの繰り返しになりますが、やはり意味不明、つまり世界史的に見て、日本はどう位置づけられるのかがわからないわけですね。

　例えば中国はすなわちオリエントと共通する面の多いアジア史で、これまでにずっとお話ししてきたところで位置づけられるわけです。つまり西欧がどうとか、イスラムや地中海ではどうとかいろいろ比較しながら、世界史的なパーツとしておそらく位置づけられるわけですけれど、じゃあ日本はというと、いやわからない、ということになってしまう。どこの国も自国史というのを外国人に説明するというのが多分一番難しいだろうなと思いますけど、日本の場合は特に先生のおっしゃったようなプロセスを辿っているということで、何もかもが重層的になって来ていますので、意味不明なんですよね。

例えば日本史の中で、「神仏習合」であったり、「新仏教」や「国家神道」という独特な用語が出てきて、それを私たち日本人はそのまま受け取って使用しているわけです。確かに国内的には「宗教史」的に細かく研究されてきていて、それはそれでわかるのですが、じゃあ「神仏習合」って他のユーラシア各地でみられる普遍性の重層とどう違うのかとか、それが日本だけにみられる孤立した事例なのか、あるいはそうでないのか、という検討が十分なされてきたようには思えません。最近になってようやく自覚的な研究が始まっているようですが……。いずれにしても、そこがはっきりみえなければ、世界史のなかに日本を正確に位置づけられないのです。

そもそもが、日本列島という世界は漢語を使いながら中国大陸・朝鮮半島のように儒教になじみませんでしたし、歴史的に仏教の影響を強く受けながらも、チベット仏教や東南アジアの上座部仏教を理解しませんでした。その意味不明さというのがやはり我々日本人なので、それが当たり前なので理解できていないという点が一番難しくて、なればこそ、我々みたいなのが存在意義があると言うべきでしょうか。

日本は中国とのイノベーション的な関わりから見ると、「ニガリ」とか「独立」などのように位置づけられると明確に指摘した、内藤湖南先生の『日本文化史研究』にある言葉を借りると、「低能な国学者」たちにちょっと「低能」じゃないところまで引きあがってもらうしか。

鈴木　室町戦国以降をみれば日本史がわかると書いておられるあの本ですね。それはそうかもしれません。中国学の大家でいられるのに日本のことをズバリとおっしゃっていますから。

岡本　当時のジャーナリストとか学者さんというのは八宗兼学というか、何でもやられますよね。大したものだと思います。

我々はやはり外国のことをやっていてそれこそフィードバックなんですけれど、日本のことを考えるということが最終的に行き着くところではありますので、その日本っていうのをきちんと説明できるようにしておかないと、やはり世界をみるのに、今の日本の位置がどうなのかがわかっていないと本当にみたことにならない、その辺り意味不明では困るので。

鈴木　私が見るところではやはり、漢字を共有する世界の辺境にあったおかげでかなり独自性を保てた社会に見えますが。一番辺境にあって、権力の担い手とイデオロギーとが一体化していないのが強かったんだと思うのです。そりゃ科挙官僚がいて朱子学とぴったりになっていると、変身は甚だ難しいことになる。

岡本　ただそれですと、日本がいち早く西欧化できたっていう説明がつかないんです。「辺境にあった」っていうことは一応属しているということなので、その「独自性」はどういうふうに出てきたのかという説明もつかない。「低能な国学者」は日本国内のことだけで説明するので、説明がついた気になるんです。でも我々から見ると、それは説明したことになってない。

鈴木　そうですね、周りがありますから。

岡本　だから意味不明なんです。

鈴木　岡本先生がおっしゃるその「意味不明」なところを、実証的かつ比較史的に解きほぐしたいと私も思っておりまして、まだ本格的な比較には入れておりませんが、その試みが何分なりとも成ればある程度解き明かせるのではと期待しています。

世界史を捉える新たな枠組みを

鈴木　オスマン帝国の場合、あれも中心国家にはなったけれど満洲人とはずいぶん違っています。満洲人は満洲人で小さくまとまっていて結局北京官話※を話すようになって、漢族に吸収されてしまったけど、オスマン帝国のトルコ人は逆にアナトリアの人間の三分の二を飲み込んだんですよ。

例えばイランとかエジプトの場合は「アラブの大征服」以来、イスラム化とムスリム化が進行しましたから、特に都市にはウラマーなどがいてイスラム的なインフラができているので、後で出てくる諸王朝というのは、いわばそれに手伝わせて乗っかっているようなかたちです。

ところがオスマン朝の場合は、イスラム世界の辺境に拠点を置いてできた帝国で、しかも面白いことに、オスマン朝は「落下傘降下型国家」というべき性格で、拠点を新征服地に置くのです。オスマン朝の中核地帯はバルカンとアナトリアで、のちにはルーム・セルジューク朝とカラマン君侯国の中心だったアナトリアの都市コンヤを一五世紀の後半におさえるけど、そこは地方都市のまま置いておきます。それに先立って、まずは西のブルサに入り、さらに今のトルコ最西端でブルガリアとの国境近くのハドリアノポリス（アドリアノープル、現エディルネ）、次いでコンスタンティノポリス（現イスタンブル）に入っていく。ここは全部ビザンツ世界で、ビザンツのインフラはあるところだけれど、イスラム的インフラがひとつもないところに入り込むんですね。

ですからオスマン朝の場合は、はじめはウレマーが集団内に誰もいないし、イスラム学院もひとつもないのです。ウレマーは外のアナトリアの先進地域から入ってくるのです。第二代のオルハンの時にオスマン領内に自前のウレマーを養成するためのイスラム学院が初めてできたほどで、イスラム的なインフラを一からつくっていかなきゃいけなかったのです。そういうところですから、官職などの格もおかしなことに、出身地のアナトリア（アナドル）のほうじゃなくて、新征服地であるバルカン（ルメリ）の方が上なんです。またアラブ人やイラン人に対して、文化的劣等感を確実に持っている。つまりオスマン朝は辺境の国家なのです。ただおかげで先行の王朝時代以来のウラマー層がおらず、オスマン朝は自分たちでイスラム的インフラやウレマーを養成したため、イランやエジプトに比べてそれらに縛られる部分が小さかったと思われます。

北京官話　北京や中国北部で使用された公用標準語の旧称。

ただ満洲人に比べると、トルコ人というのは適応能力も強いけれど、適応させる能力も強いんです。あれも不思議な人たちなんです。それを日本や中国と比べようと思ったのは、要するに近代西欧に文明の諸分野で比較優位を取られている分野について、近代西欧モデルを受容して体質改善をして行こうとする努力が相対的にはかなり早く進んだのです。しかし、オスマン帝国は一種世界帝国的な存在ですが、日本の場合はそうじゃなくて、ひとつの文化世界の辺境の島国なんです。そこで今度は日本が文化と文明の相当多くのものを受け入れた先の、世界帝国であった大陸の中国とも比べたいと思ったのです。

岡本　トルコ人と満洲人の比較は、興味深いところです。おっしゃる通りですが、やはり対峙したイラン・アラブと漢人との違いがあろうかと思いますし、また接触の年季も違いますよね。漢人は一八世紀に始まる人口爆発で、満洲人を呑み込んでいきました。満洲人にかぎらず、それはいまも進行中ともいえるわけです。

種族的・民族的なことではないですが、オスマン帝国と清朝の比較でしたら、ごく限られた範囲ですが、私もやってみました。拙編『宗主権の世界史』です。これはおっしゃる「世界帝国」の問題を「宗主権」という概念と翻訳からアプローチしたもので、政体・国制という大きなところを問題にしているのですが、もちろん「世界帝国」のもっと内実にあたるところにも関心があります。税制とか土地制度・商業・金融とか、社会経済史的にも色々考えているのですが、いずれにしても「枠組み」、基礎構造と関わってくるところが大事です。

鈴木　オスマン朝と清朝は、両方とも征服国家なので似ているんです。イスラム世界の世界帝国が、エジプトを中心にしたアラブ・ムスリム国家だったらイスラム圏の事態は非常に違っただろうと思うんです。中国の清朝の場合は征服国家なのに、「西洋化」の過程では何かよちよちしています。

岡本　清朝といっても、「西洋化」にコミットしたのは一九世紀後半になってから、しかも担い手は漢人ばかりですし、満洲人もそのころは漢語化がすすんでいますから、西方でいえばみな「アラブ・ムスリム」（笑）、「よちよち」になったのも納得できるところです。

ところがそこに日本の介在を加えると、俄然「西洋化」が加速しだしまして、百年経過して、今に至る、というプロセスだろうとも思います。日本は日本じしんのことでも重要なのですが、上のような意味でも、やはり日本の役割は大きいんです。このあたりを西方の方々、日本史も含めてですが、知っていただきたい。

鈴木　ただ、非常に抽象的な理論を立てるための比較には主に二次資料に頼った比較も意味があるけど、やや具体性のある比較は、実証を伴わないと真の成果を生まないというのが私の意見です。そこで、漢字世界の日中の事例と、イスラム世界（アラビア文字世界）の事例を、原史料にまで遡って実証的に比較したいと私は考え、とりあえずイスラム世界の世界帝国的存在だったオスマン帝国の歴史研究に取り組んできたのです。いろいろあって作業は遅れておりますが、今後、実証的な比較を実現したいと思っています。初めは単純に「アジアとヨーロッパ」とか「西洋と東洋」などという対比で漢然と考えていたのですが、そもそもこうした比較史ということを考えているうちに、人類の文明の歴史を主導してきたのは有文字文明であり、支配的な文字に着目することで、人類史上の主要な文明・文化を文字世界として可視的に捉えられると考えるようになったのです。

マックス・ウェーバーの場合も、近代西欧はもちろん中世西欧についてもカンパニアの実証的研究をやっているくらいでよく知っていて、ローマ帝国についてもよく知っているんですが、異文化世界については内側からは知らないので外から突いているだけなのです。しかも彼が活躍していたころというのは西欧の東洋学がまだ大したことない時期でしたからなおさらです。もっとも彼の代表作として扱われている『プロテスタンティズムの倫理と資本主義の精神』でも、無限に利潤を追い求める精神の起源についての仮説は提出してはいますが、資本の出所がどうで、それを運営する人間がどんな人間だったかという、資本形成や経営者形成について実証的に研究すべきことについては何もやっていないのです。しかし、日本人はそれを「西欧の偉い人」がおっしゃったということでそのまま受け入れてしまう。

岡本　それが日本人ですね、すぐ信じちゃう。バートランド・ラッセル※がいってますよね、「中国人は何か一つの命題を、それが真であることが証明されるまでは、疑いつづける。日本人はそれが虚偽であることが証明されるまでは、信じつづける」と。

鈴木　中国人は自信満々、やや自信過剰なところがあるからそうなるのかもしれません。日本人の場合は「自信過少」といったところでしょうか（笑）。トインビーにしても、元来がギリシア文献学で出発したうえに、ヴィクトリア期のイギリス人なのでギリシア・ローマにとらわれて、ギリシア・ローマ史からの知見をベースとしたモデルをつくってしまって、だいたいそれで物を見ようとするんですね。だから彼の説く文明の発展から衰退までについての大きな枠組みについては、私は信用できなくて、あれは基礎工事に問題のある「耐震性の弱い大建築物」のようなイメージです。ただあの方はセンスが良くて、細部の実例はなかなか読ませます。各部分の内装はなかなか風情のある高級ホテルのようなところもあるし（笑）、また文明の展開過程での「挑戦」と「応戦」という観点は、これを「自然的・人的環境への適応能力」と考えれば正鵠を得ているともいえます。

岡本　トインビーの作品については、宮崎先生か誰か書いておられましたが、パイプオルガンみたいに筒が並んでいるようなもので、彼が勉強するたび、各地・各国の「筒」が一本ずつ増えてゆく、たとえ筒の中一本一本の音はよくても、全体の奏でる音は、かわりばえしない、ということで、現在までのいわゆる「世界史」（＝各国史）も基本的に同じです。おっしゃる「枠組み」、基礎構造が大事ですね。

バートランド・ラッセル（一八七二〜一九七〇）　イギリスの哲学者・数学者。第二次世界大戦後は反戦・平和運動に関わる。一九五〇年にノーベル文学賞受賞。主著に『西洋哲学史』『中国の問題』など。

あとがき

本書は世界史をめぐる対談であり、近年、世界史をめぐる書物を何冊か刊行したが、これまでのところ、一応、オスマン帝国史の専門家ということになってきているので、違和感を持たれる読者もおられるかもしれない。しかし、当人からしてみるとさして違和感はない。というのも、そもそもオスマン帝国史研究を志したのも、オスマン帝国を一種の比較史の比較対象のひとつとしたいと思ったからなのである。

その出発点のひとつは、小学生のときに泉靖一先生の『インカ帝国』が刊行されこれを読み、栄華を極めた巨大な帝国がわずか百余人のスペイン人コンキスタドールにより征服されてしまったことに衝撃を受けたことである。以来、その背景をなす西欧人の大航海時代についても当時入手しうる限りの文献を読むうちに、大航海時代を境に、東洋と西洋、アジアとヨーロッパの力関係が東方・アジア優位から西洋優位へと逆転していったことを知り、なぜそんなことが起こったかを知りたいと思った。そしていまひとつには、西欧世界の優位に対し、アジアの復権の先駆となったのが日本であったことを知り、なぜそうなったのかを歴史的諸前提にまで遡って知りたいと思った。その時、日本にとって旧師というべき中国でも、新師匠となった西欧列強でもなく、「西洋の衝撃」にさらされ対応を迫られた「同級生」ともいうべき非西欧の社会のケースと比較しつつ検討したいと考えた。

その際、東アジア世界に属する日本に対し、まったくの異文化世界であるイスラム世界に属しながら、日本と同じく政治的独立を保ちつつ、イスラム世界では最も早く自己変革を進めたのがオスマン帝国であることを知った。しかもオスマン帝国は、大航海時代の西欧の最強勢力であったハプスブルク帝国にとって最大の脅威であったこともわかってきた。そこで「西洋の衝撃」に対する日本の対応との比較対象としてオスマン帝国に取り組もうと考えた。ただオスマン帝国はイスラム世界の世界帝国的存在であり、東アジア世界の辺境の社会である日本より、むしろ東アジア世界の世界帝国であった清朝に対応する存在であったことに鑑み、東アジアの日本と清朝、そしてイスラム世界のオスマン帝国の三者を各々の原史料に遡りつつ比較したいと考えた。しかし、昭和三〇年代後半の日本では、文学部史学科は国史、東洋史、西洋史に画然と三分されていて前述のような比較はできそうもない。社会科学ではと考えても、経済学部ではマルクス主義史学が全盛で視角が違いすぎる。そこで比較政治史、比較政治と称すれば何とかなるのではないかと法学部に進学した。

そして結局、政治専攻課程では近代日本政治思想史、近代日本政治史の大家であられ先日逝去された石田雄先生のご指導を仰ぎ、トルコ研究では突厥史の世界的権威でオスマン帝国史にも造詣の深かった文学部の護雅夫先生のご指導の下、無事オスマン帝国史をテーマに法学博士号をいただくことを得た。しかし、オスマン帝国史は巨大な研究対象であり、合い間には清朝史について坂野正高先生の清末の外交文書の講読に加わり、江戸期日本については独自に『寛政重修諸家譜』全巻を三回読了したり『徳川実記』を一応完読するなどしたが、研究の中心はもっぱらオスマン帝国史におくこととなった。その知見もそれなりに増し、清朝についても史料的には『清史列伝』さらには科挙合格者一覧というべき『進士題名碑録』の索引の他、『欽定大清会典』『縉紳全書』の復刻版や、『清代官員履歴檔案』なども手に入れたが、老母の介護が必要となり在宅の日には介護に一日七時間近くを要する日が一六年続いたこともあり、当初企図していた実証的比較は滞っていた。だがその実現の夢をあきらめたわけではなく、先年、老母も一〇七歳で身罷り介護の負担もなくなり、遅まきながら取り組んでいこうと思っている。その際、世界史全体、とりわけ人類の文明と文化の変遷について自分なりの知見を固めたいと、世界史関係の著作を出し始めたのである。そこでは、半世紀近い思索の結果も踏まえ、拙著『オスマン帝国の解体』（初版二〇〇〇年）で大綱を述べた、人類の文明と文化の歴史の中核を、文字に着目して文字世界の変遷と捉えるという構想をもう少し敷衍してみようと試みた。その延長線上で、本対談に臨むこととなったのである。

対談の相手役を務めてくださった岡本隆司先生は、日本における中国近世近代史研究の驍将の一人である気鋭の中国史家である。しかも岡本先生は膨大な原史料の精緻な分析に基づく海関や外交関係についての構造分析を著される傍ら、李鴻章や袁世凱といった清末政治上の巨星たちにつき原史料を踏まえつつ精彩に満ちた伝記も著わしておられる。加えて、中国史の深い造詣を踏まえつつ、独自の視点から『世界史序説』も著わされた。内藤湖南先生、宮崎市定先生以来の京都学派中国学の衣鉢を継ぐ方であられる。そのような方に、あえて対談の試みをお願いしたところ快諾され、おかげで小生も中国史のみならず世界史の見方についても多くの貴重な御示教にあずかることとなった。

岡本先生には、実はこれに先立ち清末の大使出使時代についての研究会に、比較対象としてオスマン帝国についての報告をとお声をかけていただいたにもかかわらず、研究会の日程を勘違いするという小生としても未聞の大失態を演じたものの、さすが中国史の大家、ご海容をもって寛恕せられたところからお付き合いが始まったのであった。このような対談にもご登場くださり感謝に耐えない。

対談についていえば、中国史とオスマン帝国史という、日本史とも西洋史とも異なる独自の分野での研究を踏まえた世界史論は、西洋中心史観を克服して新しい世界史の展望を開くにあたり、資するところ少なからぬものがあるのではないかと思う。

なお、本対談には学部でプロイセン軍事史を研究され、今はアーカイヴ学を専攻されている藤井萌さんも参加され、話題の拡大に資して下さったことに深謝したい。また小生の世界史刊行、この対談の実現にも一方ならぬご尽力をいただいた山川出版社にも心からの謝意を表したい。

鈴木　董

〔著者紹介〕
鈴木 董（すずき　ただし）
1947年生まれ。東京大学大学院法学政治学研究科博士課程修了。法学博士。専攻はオスマン帝国史だが比較史・比較文化にも深い関心を持つ。83年より東京大学東洋文化研究所助教授、91年より同教授、2012年より東京大学名誉教授。トルコ歴史学協会名誉会員。著書に、『オスマン帝国の権力とエリート』『オスマン帝国とイスラム世界』（ともに東京大学出版会）、『ナショナリズムとイスラム的共存』（千倉書房）、『オスマン帝国―イスラム世界の「柔らかい専制」』（講談社現代新書）、『オスマン帝国の解体―文化世界と国民国家』（講談社学術文庫）、『文字と組織の世界史―新しい「比較文明史」のスケッチ』（山川出版社）、『文字世界で読む文明論―比較人類史七つの視点』（講談社現代新書）、『食はイスタンブルにあり―君府名物考』（講談社学術文庫）、『図説 イスタンブル歴史散歩』（河出書房新社）など。

岡本隆司（おかもと　たかし）
1965年生まれ。京都大学大学院文学研究科博士後期課程単位取得退学、博士（文学）。京都府立大学教授。専攻は東洋史・近代アジア史。
著書に『近代中国史』（ちくま書房）、『近代中国と海関』『属国と自主のあいだ』（ともに名古屋大学出版会。前著で大平正芳記念賞、後著でサントリー学芸賞受賞）、『中国の誕生』（名古屋大学出版会。アジア・太平洋賞特別賞・樫山純三賞受賞）、『中国の論理』（中公新書）、『世界史序説』（ちくま新書）、『李鴻章　東アジアの近代』『袁世凱　現代中国の出発』『「中国」の形成』（岩波新書）など。

歴史とはなにか――新しい「世界史」を求めて

2021年8月20日　第1版第1刷印刷　　2021年8月30日　第1版第1刷発行

著　者　鈴木 董・岡本隆司
発行者　野澤武史
発行所　株式会社 山川出版社
〒101-0047　東京都千代田区内神田1-13-13
電話　03(3293)8131(営業)　03(3293)1802(編集)
https://www.yamakawa.co.jp/
印刷・製本　図書印刷株式会社
装　幀　マルプデザイン（清水良洋）
本　文　梅沢 博

 ISBN978-4-634-15185-7 C0022